근대성의 궤도

이 저서는 2018년 대한민국 교육부와 한국연구재단의 지원을 받아 수행된 연구임 (NRF-
2018S1A6A3A03043497)

근대성의 궤도

인도의 철도와 모빌리티 문화

마리안 아귀아르 지음 | 백재원 옮김

Tracking Modernity

앨피

모빌리티인문학은 기차, 자동차, 비행기, 인터넷, 모바일 기기 등 모빌리티 테크놀로지의 발전에 따른 인간, 사물, 관계의 실재적·가상적 이동을 인간과 테크놀로지의 공-진화co-evolution라는 관점에서 사유하고, 모빌리티가 고도화됨에 따라 발생하는 현재와 미래의 문제들에 대한 해법을 인문학적 관점에서 제안함으로써 생명, 사유, 문화가 생동하는 인문-모빌리티 사회 형성에 기여하는 학문이다.

모빌리티는 기차, 자동차, 비행기, 인터넷, 모바일 기기 같은 모빌리티 테크놀로지에 기초한 사람, 사물, 정보의 이동과 이를 가능하게 하는 테크놀로지를 의미한다. 그리고 이에 수반하는 것으로서 공간(도시) 구성과 인구 배치의 변화, 노동과 자본의 변형, 권력 또는 통치성의 변용 등을 통칭하는 사회적 관계의 이동까지도 포함한다.

오늘날 모빌리티 테크놀로지는 인간, 사물, 관계의 이동에 시간적·공간적 제약을 거의 남겨 두지 않을 정도로 발전해 왔다. 개별 국가와 지역을 연결하는 항공로와 무선통신망의 구축은 사람, 물류, 데이터의 무제약적 이동 가능성을 증명하는 물질적 지표들이다. 특히 전 세계에 무료 인터넷을 보급하겠다는 구글Google의 프로젝트 룬Project Loon이 현실화되고 우주 유영과 화성 식민지 건설이 본격화될 경우 모빌리티는 지구라는 행성의 경계까지도 초월하게 될 것이다. 이 점에서 오늘날은 모빌리티 테크놀로지가 인간의 삶을 위한 단순한 조건이나 수단이 아닌 인간의 또 다른 본성이 된 시대, 즉 고-모빌리티high-mobilities 시대라고 말할 수 있다. 말하자면, 인간과 테크놀로지의 상호보완적·상호구성적 공-진화가 고도화된 시대인 것이다.

고-모빌리티 시대를 사유하기 위해서는 우선 과거 '영토'와 '정주' 중심 사유의 극복이 필요하다. 지난 시기 글로컬화, 탈중심화, 혼종화, 탈영토화, 액체화에 대한 주장은 글로벌과 로컬, 중심과 주변, 동질성과 이질성, 질서와 혼돈 같은 이분법에 기초한 영토주의 또는 정주주의 패러다임을 극복하려는 중요한 시도였다. 하지만 그 역시 모빌리티 테크놀로지의 의의를 적극적으로 사유하지 못했다는 점에서, 그와 동시에 모빌리티 테크놀로지를 단순한 수단으로 간주했다는 점에서 고-모빌리티 시대를 사유하는 데 한계를 지니고 있었다. 말하자면, 글로컬화, 탈중심화, 혼종화, 탈영토화, 액체화를 추동하는 실재적·물질적 행위자agency로서의 모빌리티 테크놀로지를 인문학적 사유의 대상으로서 충분히 고려하지 못했던 것이다. 게다가 첨단 웨어러블 기기에 의한 인간의 능력 향상과 인간과 기계의 경계 소멸을 추구하는 포스트-휴먼 프로젝트, 또한 사물인터넷과 사이버 물리 시스템 같은 첨단 모빌리티 테크놀로지에 기초한 스마트시티 건설은 오늘날 모빌리티 테크놀로지를 인간과 사회, 심지어는 자연의 본질적 요소로 만들고 있다. 이를 사유하기 위해서는 인문학 패러다임의 근본적 전환이 필요하다.

이에 건국대학교 모빌리티인문학 연구원은 '모빌리티' 개념으로 '영토'와 '정주'를 대체하는 동시에, 인간과 모빌리티 테크놀로지의 공-진화라는 관점에서 미래 세계를 설계할 사유 패러다임을 정립하려고 한다.

머리 둘 달린 역장이

파벌에 속해 있다

모든 시간표를 거부하는 파벌에

출처가 불분명하게

철로가 놓인 해에 나온 것이 아니라

첫 시간표를 해석하는

그가 자유로이

읽을 수 있도록

그 활자의 행들 사이의 모든 다음 시간표를

_ 아룬 콜라트카르Arun Kolatkar, 〈제주리Jejuri〉

2007년, 존 어리John Urry는 여행, 교통, 공간에서 경제적 · 사회적 삶의 조직과의 다양한 소통 형태를 종합 분석한 작업을 인용하며 "모빌리티 전회mobility turn"를 언급했다(Urry 2007, 6). 어리는 특히 사회 과학 이론들의 집중성을 언급하며, 동시에 에드워드 사이드Edward Said의 "여행이론"(Said 1983, 226), 제임스 클리퍼드James Clifford의 "여행문화"(Clifford 1992), 1990년대 초반 폴 길로이Paul Gilroy의 "검은 대서양"(Gilroy 1992) 등 다른 분야 학자들이 수십 년간 다른 관점에서 이동 문제에 관여해 왔다는 것을 인식했다.

분명히 모빌리티 연구의 지적 프로젝트는 여러 분과와 하위 분과에서 동시에 일어나고 있다. 특히 세 가지 분야, 즉 탈식민주의 연구/남아시아 연구/교통 문화사가 이 책의 핵심 관심사이다. 탈식민주의 연구에서 여행, 공리, 식민화, 이주의 역사는 세계적 권력관계의 일부로 간주되어 왔다. 남아시아 연구, 특히 하위주체Subaltern 연구는 서구 기술의 사회정치적 영향에 관한 논쟁을 다룬다. 교통의 문화사는 이동 수단과 문화적 변화 간 관계의 본질과 씨름한다.

그 분리된 계보학 때문인지 이 책에서는 모빌리티 패러다임에 대한 학문적 대화와 독창적인 방식이 교차한다. 이 책《근대성의 궤도》는 두 가지 중요한 방법으로 새로운 지평을 열었다. 우선, 모빌리티와 탈식민주의 연구를 연결함으로써 모빌리티 문학과 문화 연구에 초점을 맞춰 텍스트를 해석함으로써 문화적 이상을 구현하고 촉진한다는 의미에서 모빌리티가 어떻게 재현되고 재현적인 성격을 띠게 되는지를 고찰한다. 그리고 교통 방식의 도상학적 역사를 짚어 식민지 및 탈식민지 공간의 "모더니티 문화"를 조사한다. 문화는 여기서 사회적 개념과 텍스트의 몸체로 이해된다. 모빌리티 문화를 일종의 집단적 상상으로 간주하는 이 책은 문학, 영화, 미디어적 재현, 법률 및 관료적 글이 포함된 말뭉치인 텍스트 분석을 통해 변화하는 모빌리티에 대한 식민주의적 열망과 탈식민주의적 반응을 읽어 낸다.

구체적으로는, 인도아대륙〔인도반도〕에서 등장한 다양한 시대 및 다른 장르의 기차 아이콘 재현을 따라 "궤도를 따라감"으로써 문화적 재현과 모빌리티의 관계를 해석한다. 여기서 철도는 그 주변 문화, 힘, 과정을 다시 보여 주는 상상력의 객체이다. 인도의 철도는 식민지, 국가, 그리고 마침내 세계적인 정체성을 상연하는 일종의 이동극장이 되었다. 예를 들어, 19세기 영국 신문에 실린 철도의 시각적 이미지는 근대의 이동 기술이 가져온 식민지 공간의 변화를 상상했다. 영화와 문학의 묘사는 인도를 분할하는 경계 공간들을 가로지르는 이동을 표현했다. 2006년 열차 폭탄테러 이후 파열된 탄

피를 보여 주는 사진들은 근대성과 모빌리티 서사에 의문을 제기한다. 이러한 것들과 움직이고 정지되어 있는 다른 장면들을 해석하면서, 이 책은 철도를 그 주변의 문화, 힘, 과정을 재현하는 상상력의 객체로서 읽는다.

이러한 문학과 문화 연구 방식으로 모빌리티가 주체성을 형성하는 방식을 살펴보았다. 레이먼드 윌리엄스Raymond Williams는 19세기 영국문학에 나타나는 기차를 가리켜, 교통은 하나의 기술일 뿐만 아니라 "의식 및 사회적 관계의 한 형태"라고 묘사했다(Williams 1973, 296). 이 책은 식민주의와 탈식민주의적 맥락에서 교통 의식을 검토하여 세계와 모빌리티 주체의 관계로 생성된 모빌리티 문화를 이해하고자 한다. 인도의 경우, 이 관계는 제국이 팽창하는 과정의 일환으로 신기술을 아대륙에 들여온 식민주의의 역사로 구조화된다. 철도를 선택한 것은 변화의 기표로서 결코 부수적이지 않다. 기차는 에릭 홉스봄Eric Hobsbawm이 한때 "초근대성을 뜻하는 동의어"라고 했던 것이다(Hobsbawm 1968, 111).

근대성과 모빌리티의 관계를 이해하는 것이 이 책의 주요 목표이다. 수송과 이동에 대한 재현으로써 생성된 공간적 구성을 읽음으로써 이 목표를 수행한다. 텍스트 분석 방식을 이용하여 이동하는 공간을 통해 근대성이 해석된 별자리의 지도를 그린다. 이 공간은 열차 객차 그리고 철도망 둘 다로 이해된다. 근대성의 수행이나 이동하는 주체가 열차 객차 안에서만 일어나는 건 아니기 때문이다. 이동하는 열차는 여행하는 객체로서 풍경을 연관시켰다. 기차를 바라보는 사람들에게 철도는 변신을 구현하고, 재현하고, 운반했다. 열차 사고 현장이 큰 의미를 갖는 것은, 그것이 내부와 외부의 분리에 대한 환상을 자아내는 경계선을 가로지르며 공간을 파열시키기 때문이다.

따라서 문학과 문화 연구로 모빌리티를 읽어 내는 것뿐만 아니라, 모빌리티가 특정한 탈식민적 역사를 가지고 있다는 것을 인식했다는 것이 이 책의 두 번째 기여이다. 그 역사는 철도가 식민지 과정의 일환으로 인도에 들어와 민족주의 프로젝트로 개발되고, 분할 이후 종파 간 폭력 사태의 현장이 되면서 권력과 모빌리티, 이동성이 어떤 관계를 맺는지를 분명하게 보여 준다. 미미 셸러Mimi Sheller는 모빌리티 정의를 훼손하는 불평등한 모빌리티의 연동 시스템을 이야기했다(Sheller 2018). 이 책은 식민과 탈식민 맥락에서 모빌리티를 추적함으로써 모빌리티 문화로 배제되거나 심지어 힘을 빼앗긴 사람들을 이야기하고자 이동을 통해 자유를 찾는 사람들 너머로 근대성에 대한 이해를 확장한다. 근대화 역사와 기술에 대한 아이디어를 포함하는 유럽 근대성 개념의 보급은 탈식민적 맥락에서 근대성을 이해하는 데에 매우 중요하다. 나는 이 책을 통해 모빌리티 문화가 근대성이 인도의 맥락에서 역동적이고 파괴적이며 생산적이었음을 보여 주었다고 주장한다. 이러한 방식으로 이 책은 근대성을 읽는 "문화적 특이성과 현장에 기반한"(Gaonkar 2001, 15) 대안적 근대성 논의에 기여한다.

이 책은 진보의 힘으로서 근대성의 식민적 이상을 발전시키고,

그 서사를 되돌리는 모빌리티의 역할을 보여 준다. 팀 크레스웰Tim Cresswell은 서구 세계의 모빌리티에서 진보 · 자유 · 기회와 쌍을 이루는 아이디어가 무기력 · 일탈 · 저항이라고 말한다(Cresswell 2006, 2). 이 책은 진보의 서사와 모빌리티의 이미지를 정복으로, 교통은 문화적 식민지화의 상징으로, 충돌은 근대성 약속의 파열로 짝짓는다. 모빌리티는 권력에 의해 구조화되며, 이 재현의 역사는 우리에게 가르침을 준다. 식민적 맥락에서 모빌리티는 근대성을 문명과 동일시하는 식민적 위계에서 누가 근대적이었는지를 보여 주는 물질적 기록부가 되었다. 이러한 기록부들은 처음에는 식민적 맥락, 나중에는 철도 시스템을 통해 국가를 이끄는 국가적인 맥락에서 문화적으로 형성되었다.

이동하는 방식의 역사적 위계는 모빌리티와 자유를 동일시하는 서사, 즉 식민주의 · 세속적 민족주의 · 탈식민주의의 근대성 수사학을 복잡하게 만든다. 거기에는 이동에 대한 불평등한 관계가 있다. 모빌리티 개념이 다시 만들어진 것은 바로 이런 지구 남쪽에서 형성된 모빌리티에 대한 이질적인 관계 때문이다. 이 책은 늘 자신의 파멸에 사로잡혀 있는 탈식민지적 근대성을 제시할 방안으로 자유로서의 자유주의적 서사가 풀리는 장면으로 방향을 선회한다.

2021년 10월

마리안 아귀아르

머리말

2008년 11월, 뭄바이 주요 기차역에 대한 상반된 두 가지 이미지가 국제 문화 현장에 모습을 드러냈다. 세바티안 디수자Sebatian D'Souza가 11월 26일 촬영한 사진은, 한 젊은이가 밝게 빛나는 광고판들이 늘어선 차트라파티 시바지Chhatrapati Shivaji역 로비를 기관총을 들고 거니는 모습이었다. 디수자가 열차 승강장으로 총기 소지자를 따라가며 찍은 사진들은 한때 빅토리아라 불린 이 식민지 기념물의 고딕양식 아치 아래 바닥에 남겨진 움직이지 않는 시체들과 피비린내를 기록했다.[1]

전 세계적 성공을 거둔 대니 보일Danny Boyle 감독의 영화 〈슬럼독 밀리어네어Slumdog Millionaire〉[2]에 등장한 두 번째 이미지는 바로 같은 공간을 낭만적 성취의 장소로 보여 준다(그림 1). 이질적인 삶과 경제계의 부패 세력으로 갈라진 인도인 남자 주인공과 여자 주인공은 움직이는 열차 사이에서 공통점을 찾는다. 두 사람은 철로에 인접하여 존재하는 지하 세계 일원들에 합류하여, 움직이는 이 세계에서 노래하고 춤춘다.

에릭 홉스봄Eric Hobsbawm은 한때 철도를 "초근대성의 동의어"[3]라고 칭했는데, 이러한 상징적인 유산을 고려할 때 뭄바이 테러 공격 동

그림 1 뭄바이의 차트라파티 시바지역 승강장에서 펼쳐진 〈슬럼독 밀리어네어〉의 마지막 장면. (이시카 모한shika Mohan 사진. 〈슬럼독 밀리어네어〉. 2008년 20세기 폭스사 저작권. 무단 전재와 무단 복제를 금함. 슬럼독 배급 유한회사 저작권)

안 찍힌 이미지들은 현대 세계가 영원히 불확실하다는 것을, 어떤 날에는 활기 넘치던 종착역이 죽음의 장소가 될 수도 있음을 암시하는 듯하다. 그러나 보일의 영화 장면은 사회와 개인적인 문제를 해결하는 열쇠로서의 움직임을 보여 주면서 근대성 개념을 회복시킨다. 하나는 인도인(디수자), 다른 하나는 유럽인(보일)이 찍은 것임에도 불구하고, 두 이미지는 모두 150년이 넘은 인도 열차의 상징적인 역사에서 만들어졌다. 모빌리티의 더 넓은 문화의 일부인 이 상징적인 유산은 라빈드라나트 타고르Rabindranath Tagore가 벵갈어로 쓴 시

〈철도역Railway Station〉에서 근대성이 "영원히 형성되고 영원히 형성되지 않는다"고 묘사한 것에서 드러난다.[4]

인도 철도의 상징적 유산들

1853년에 첫 여객열차가 달린 이후로 인도에서 열차는 틀림없는 근대성의 가장 중요한 물질적 상징이었다.[5] 인도 철도에 대한 재현들은 수없는 소설, 단편, 시, 사진, 영화들을 포함하는 엄청나게 중요한 지구적 · 상징적 역사로 구성된다. 식민문학 작가인 러디어드 키플링Rudyard Kipling과 플로라 애니 스틸Flora Annie Steel, 민족주의자인 라빈드라나트 타고르와 모한다스 간디Mohandas Gandhi, 탈식민주의적 이산 작가인 나라얀R. K. Narayan, 아니타 네어Anita Nair, 줌파 라히리Jhumpa Lahiri, 그리고 영화감독인 사트야지트 레이Satyajit Ray, 만모한 데사이Manmohan Desai, 카말 암로히Kamal Amrohi는 열차를 상상한 몇 안 되는 작가와 시각예술가들을 대표한다.

내가 꽤 매혹적이라고 찾은 것은 단순히 인도 열차의 많은 이미지들이 아니라, 상상의 대상으로서 철도가 그 주변 문화와 힘, 그리고 과정을 재현하는 방식이다. 이 현상을 바라보는 것은 철도가 처음에는 식민지로, 다음에는 국가적으로, 마지막에는 지구적 정체성을 무대에 올리는 움직이는 극장이 되었음을 보여 준다. 이 책에서 나는 근대성의 수사학을 읽어 내고자 재현의 이 역동적인 과정을 해석하고 근대 개념 안에 그것이 만들어 낸 긴장을 분석한다.

이 책은 특정한 기술과 관련된 모빌리티 이미지와 인도의 맥락 안에서 근대성 개념이 구성하는 밀접한 관계를 조사한다. 이 결합을 탐구하면서, 나는 어떤 결정 방법으로든 열차가 인도에 근대성을 가져왔다는 인과관계를 제시하지 않는다. 서론에서 자세히 설명하겠지만, 나는 재현적이고 물질적인 실천의 클러스터를 통해 기능하는 수사학으로서 근대성에 접근한다. 이 책은 '근대성을 추적'하면서 특정한 이동 기술에 영감을 받은 이미지들의 본체이긴 하지만, 근대성이 어떻게 인도의 맥락 안에서 구성되었는지를 밝히는 상징적 과정을 개략적으로 보여 준다. 다시 말해서, 근대성은 역동적 상상의 형식으로 읽힌다. 그 형식을 구성하는 기관, 패러다임, 주체성은 시간이 지나며 변해 왔고, 그것은 내가 식민적·국가적·지구적 근대성에 대해 계획을 세운 과정이다. 역사를 통해 이 이동을 기록하면서, 내가 여기서 하는 이야기는 근대성의 도래에 대한 것일 뿐만 아니라 근대성의 붕괴에 대한 것이기도 하다. 왜냐하면 모빌리티에 대한 근대성의 헌신이 그것을 부분적으로 돌이킬 수 없는 재구성에 처하게 했기 때문이다.

식민적 맥락에서의 이동

일찍이 1830년대에 영국인과 인도인 사업가들 사이에서 몇 년간 그 구상이 떠다녔지만, 인도 철도가 처음 공식적으로 제안된 것은 1844년 존 채프먼John Chapman이 동인도회사East India Company에 한 장의 설명서를 제출하면서다.[6] 정치인이자 런던의 잡지《월간 타임스 Monthly Times》의 편집자인 롤런드 맥도널드 스티븐슨Rowland Macdonald Stephenson은 1841년 동인도회사에 사적 제안들을 했다. 이후 그는 현지의 식민적 지역 저널에 철도를 홍보하는 미디어 캠페인을 벌이며 인도 정부 관리들을 설득하려 인도로 여행을 떠났다.[7] 그러나 인도의 철도 노선은 이미 그전부터 영국 대중의 상상 속에 국가적 경제 공간으로 들어서 있었다. 채프먼은 1848년 랭커셔의 상인들이 "〔봄베이에서 면화 지역으로 가는 철로를〕 맨체스터에서 리버풀로 가는 노선의 연장 정도로밖에 생각하지 않았다"[8]고 했다. 철도가 속도를 통해 공간을 붕괴시켰듯이, 아이디어와 정보, 제조된 건설 부품, 상품의 이동은 식민지를 더 가깝게 보이게 했다.

그러나 봄베이는 리버풀이 아니었고, 영국의 경제적·정치적 관심의 취약성에 대한 우려는 식민지의 지리를 확보하는 데 점점 더 집착하게 만들었다. 철도 역사 초기에 가장 중요한 지지자 중 한 명이었던 총독 달루지 경Lord Dalhousie은 그 영향력 있는 '1853년 철도각서1853 Railway Minute'에서 철도가 식민지 중심 간의 교통을 방해하는 거리를 극복할 수 있다면서 이러한 공포를 드러냈다. 공격에 대한 달루지의 걱정은 4년 후인 1857년 식민 지배에 대한 반란으로 현실화되었다. 영국인들은 철도 건설에 대한 증가하는 관심으로 이 봉기에 답했고, 뒤이은 기간 동안 철도 노선의 수는 급증했다. 식민지의 지리적 본체는 경제적 이익뿐만 아니라 식민지의 안보를 위해 조립된 틀과 함께 나타났다. 승객, 상품, 정보의 이동망을 조직함으로써 철도는 식민지 인도를 더욱 관리하기 쉬운 국가로 만들었다.

상품 열차는 물품을 나르고 지방의 무역 네트워크를 대체했다. 철도는 영토를 확장하면서 모빌리티를 증대시키고, 영토를 통합하고 합병하고, 자원을 징발하고, 주어진 장소의 미래를 변화시키는 독특한 종류의 '철도 제국주의'를 동반하는 모빌리티를 통해 그 힘을 확보하려는 식민 국가를 나타냈다.[9] 그림과 사진 등 시각문화에서는 기차가 적대적이고 압도적인 풍경을 뚫고 나아가는 작지만 끈질긴 힘이라는 것을 보여 주었다(그림 2). 물질적인 차원에서, 철도는 다양한 방법으로 이동을 용이하게 할 것이었다. 그 선로는 새로운 철도를 건설하며 인도 곳곳을 누비는 이주노동자들에 의해 건설되었다.[10] 그리고 일단 건설된 기차는 역동적인 순환 지형을 만들면서 네트워크를 따라 움직였다. 국가의 주요 도구로서, 철도는 군사 기밀에서 일상 우편에 이르기까지 모든 종류의 정보를 이동시켰다. 상품 열차는 상품을 이동시키고 지역 무역망을 바꾸었다.

이 새로운 방식의 교통은 식민지 여객들을 캘커타, 봄베이, 마드라스 사이를, 여름에는 심라와 같은 산간 피서지 마을로 여행할 수 있게 하며 그들의 이동에 영향을 주었다. 상징적인 단계에서 특별한 기차와 보통의 이동은 인도의 근대성을 구성하는 하나의 패러다임이 되었다. 이 새로운 기술은 영국인과 인도인 모두에게 문화적 변화를 나타내는 힘으로 보였다. 이 이념적 유대는 지구적인 현상이었다. 미국에 정착한 유럽계 미국인들에게는 철도가 "과거에 비해 현재의 자명한 우월성으로 나타났다."[11] 인도의 식민적 수사학은

그림 2 1895년 환등기 슬라이드. 미국 사진가 윌리엄 헨리 잭슨William Henry Jackson. "쿠에타Quetta(발루키스탄) 주변 북서부 철로의 터널과 다리."

증가한 이동을 근거로 인도인들을 전통으로부터 자유롭게 할 수단으로 기차를 홍보했다.

그 과정에서 모빌리티는 누가 근대적이었는지 보여 주는 물질적인 기록 역할을 하게 되었고, 이는 오늘날까지 지속되는 현상이다.

기차는 새로운 무언가로 인도아대륙으로의 이동을 촉진하는 수사학임이 분명했지만, 유럽의 식민화 이전부터도 인도에는 중요한 장소 모빌리티 네트워크와 실천이 있었다. 식민지 이전의 인도는 이미 모빌리티가 활발한 곳이었다. 사람, 상품, 그리고 정보들이 16세기 북인도를 가로지르는 대간선도로 같은 기반 시설 땅 위로 지나

갔다.[12] 1878년에 에드워드 데이비슨Edward Davidson 대령은 "30년 전의 인도는 사실상 정지되어 있었다"고 했으나,[13] 18세기에 동인도회사가 영국의 정책적·상업적 영향력을 확장하기 전후로 상인들은 건조한 지역과 강가 지역, 그리고 해변을 따라 이동했다.[14] 육지 이동에 더해, 남아시아의 해상무역도 동아시아와 아프리카만큼 잘 자리 잡았다. 노동자와 상인들은 육지와 바다 모두에서 이동했다. 1770년 어떤 집단의 남성과 여성 및 어린이들을 묘사한 일기는 이들을 가리켜 "그들이 가는 곳마다 따르고 지키는 법과 관습과 함께, 그들에게 특별한 종류의 정부의 통제를 받는 그들만의 이동하는 공동체"라고 했다.[15] 고용계약 노동과 열차로 가능해진 새로운 종류의 순환이 소개된 영국 식민지 시대 이전부터도 남부 인도와 스리랑카 사이에는 노동자들의 정기적인 교환이 원활히 이루어지고 있었다.[16]

인도인들은 전 지구에 걸친 이동망이 있었다. 해상 노동자들은 남반구에서 항해하는 영국 선박들에 체계적으로 고용되었다. 아야(아이들을 돌보는 현지 노동자)들은 귀국 여행에 고용될 때까지 임시 시설에 머무르다 영국에 가기도 했다.[17] 인도의 플랜테이션 노동자들은 모리셔스와 스리랑카, 카리브해 등 다른 지역으로 일하러 떠났다. 인도 내에서도 순례자들은 정기적으로 여행을 떠났고, 여행 서사는 점차 인기 있는 장르로 발전했다.[18] 여성들은 결혼하면 새로운 장소로 이동했다가, 아이의 출생 같은 행사가 있으면 집으로 돌아왔다. 정기 시장과 군인들은 나라 주변을 이동했고, 사냥꾼과 유목민들도 나름의 이동문화가 있었다.[19] 몸만 움직인 것이 아니다. 수정주의 역사학자들은 통화의 순환 체계, 스파이와 정보원 네트워크로 수집된 정보의 보급, 지도 제작 지식 등의 교환을 추적했다.[20]

식민주의가 보편적으로 이동을 촉진한다는 일반적 생각 또한 틀렸음이 지적되었다. 클로드 마르코비츠Claude Markovits, 자크 푸시파다스Jacques Pouchepadass, 산제이 수브라마냠Sanjay Subrahmanyam은 인도 정부가 전체적인 이동을 장려하기는커녕, 식민 지배에 대한 도전으로 여겨진 전통적인 순환 패턴을 방해하려 했다고 주장한다.[21] 예를 들어, 식민 당국은 반자라Banjara 같은 운송자들을 통제하고 정착시키려 했다. 그들은 원래 무역로를 조직하러 건너온 이주 방직공 계급이었다(아이러니하게도 이후에 철도 운송업자들 사이에서 중요한 지지층을 구성한).[22]

19세기 중반에 이미 인도에 잘 갖춰진 이동 양식이 있었다는 점을 고려할 때, 이후 등장한 철로는 어떤 점이 두드러지는가? 물론, 철로는 인도인들에게 새로운 종류의 모빌리티를 가져왔다. 처음부터 인도 승객들이 많았고, 1880년까지 8천만 명의 인도인이 철도를 이용했다.[23] 그러나 기술을 통한 모빌리티의 확대만이 기차의 이념적인 힘을 가져온 것은 아니다. 이전의 어떤 운송수단보다도, 철로는 상징적으로 근대성 및 모빌리티와 관계가 깊었다. 그렇게 함으로써, 인도의 맥락에서 근대성 개념에 모양과 실체를 부여했다. 이 근대성은 관련 관행과 제도, 패러다임, 그리고 주체성 집단에 매개되는 근대성이다. 이 책에서 나는 식민적 · 민족주의적 · 전 지구적 담론에서 입증된 모순으로 구조화된 인도의 근대성에 대한 새로운 수사학을 주장하려 한다. 여기서 식민지 근대성의 지배적인 수사학을 어떻게 다루는지를 나타내고자, 이러한 모순의 순간들을 "근대성의 대항서사"라고 명명한다.

이러한 역설 중 하나는 보편적인 발전 경로에 대한 비전을 바탕으로 한 사회개혁을 꿈꾼 식민지적 열망과 제국 통치의 중심에 자리한 차이 개념들 사이에 놓여 있다. 이 책의 서론과 1장은 식민지 작가들이 어떻게 공공 철로 공간의 재현을 통해 인도와 조우했는지를 고려하며 이 문제를 고찰한다. 인도의 철로는 19세기에 대영제국의 단일 외국자본 투자로는 가장 큰 규모였다. 그 상징적 중요성은 이 것의 경제적 이해관계와 맞먹는다. 정치와 경제 관련 책을 쓴 작가이기도 한 달루지 경과 스티븐슨R. M. Stephenson은 영국인과 인도인 모두에게 인기 있는 여행작가 및 삽화가들과 함께 인도인들을 통제하고 교육하는 도구로서 기술을 제시했다. 열차에 대한 식민 담론은 근대성의 더 넓은 식민적 수사학의 전형인 더 큰 노력을 지지하기위한 것으로, 종교를 국가 질서로 흡수하기 위해 문화적으로 세속적인 합리적이고 통일된 공적 공간의 설립을 목적으로 했다. 반면에 작가와 예술가들은 철로를 일종의 보편적인 "합리적 유토피아"[24]로 재현하면서 인도인들이 철로의 공적 공간을 어떻게 타락시킬지 걱정했다.

나의 식민지 재현 연구는 식민 담론이 어떻게 유럽인을 인도인과 구분하고 또는 공공을 개인과 구분했는지, 인도인의 종교적·가정적·육체적 정체성으로 포화 상태에 이른 공간을 어떻게 재현했는지를 보여 주고자 한다. 19세기 후반과 20세기 초를 대표하는 작가들인 러디어드 키플링과 플로라 애니 스틸Flora Annie Steel은 문화적 차이를 식민지 근대성 개념에 직조해 넣었다. 그들의 작품에 대한 나의 분석은 기술적 공간의 재현을 통해 어떻게 이들과 다른 식민지 작가들이 급진적으로 다른 정치적 관심사에 기여할 최신의 근대성 해석으로 나아가는 문을 열었는지를 보여 준다.

모빌리티, 정체, 강제이주

식민지, 세속적 민족주의, 탈식민주의 근대성 수사학들은 해방을 위한 수단으로 모빌리티를 칭송했고, 모빌리티가 일종의 개인적 자유에 기반한다고 간주했다. 그러나 모든 인도인이 그렇게 생각한 것은 아니었다. 역사는 모빌리티가 해방성을 띤 만큼 종종 강제적이었음을 증명했다. 이동의 근대성에 대한 다른 서사는 식민적 이야기와 동시에 전개되었다. 모빌리티와 사람들의 "이동 중에 거주하는"[25] 경험을 통해 근대성을 고취한 수사학에도 불구하고, 제임스 클리퍼드James Clifford가 기록하듯이, 근대성이 항상 움직이는 것은 아니었다. 어떤 사람들은 철도의 도입이 근대 세계로의 진입을 알린 후에도 그들이 있던 자리에 그대로 남아 있었다.

모빌리티에 대한 기왓장 같은 구조에도 불구하고, 식민지의 근대성 수사학은 정체성停滯性에 의존했다. 이동이 상징적이면서도 실제적이었듯, 고정성도 분류의 논리와 삶의 물질성 모두에서 표현되었다. 이것은 내가 서론에서 주장하는 바와 같이, 자본주의와 식민 통치 이념과 마찬가지로 자본주의에 기인한 것이었다. 어떤 이들이 움직이기 위해서는 다른 사람들은 말 그대로 혹은 은유적으로, 경제 침체기처럼 가만히 있어야 한다. 현대 비평가들이 논쟁하듯 이러한 개념은 여행 개념을 특권의 현장으로 구성했다.[26]

그러나 근대성을 모빌리티와 정적인 부분으로 나누면 식민지 근대성의 수사학이 놓여 있는 바로 그 이항성을 다시 만들어 낼 위험이 있다. 인도인들이 열차 칸에 발을 들여놓든 말든, 새로운 형태의 모빌리티는 때로 인도인들에게 부정적인 방식으로 영원히 변화된 삶을 살게 했다. 산업은 국내시장보다는 해외 수요로 전환되었다. "봄베이-캘커타 철도가 완공된 후 인도 중북부 지역에 범람한 값싼 랭커셔천으로 인해 지역의 유명 수공예품들이 망가졌고, 농부들은 철도를 이용해 영국 제분업자들이 선호하던 연밀을 수출해 스스로를 구제하라고 격려받았다"[27]고 사회역사가 마이크 데이비스Mike Davis는 서술했다. 이 모빌리티의 희생자들은 곡식이 필요한 곳으로부터 멀리 떨어져 있어 철도가 곡식을 운반하면서 기근에 시달린 사람들이었다. 철도를 이용한 수출경제에 대한 강조는 빈곤, 기아, 질병으로 황폐화된 지역을 남겼다. 19세기 후반과 20세기 초반의 일부 인도 민족주의자들에게 기차는 식민 지배력을 상징했고, 그 유통망은 인도를 가난과 의존에 구속시키는 구조로 보였다. 이 작가들은 근대성, 이동, 해방의 상관관계에 도전했고, 그렇게 함으로써 이동의 근대성에 저항하는 이야기에 진입했다.

철도가 가져온 인도의 빈곤은 19세기와 20세기 초 "유출이론가"로 알려진 그룹들 사이에서 열띤 토론 주제가 되었다. 다다바이 나오로지Dadabhai Naoroji, 로메시 더트Romesh Dutt 같은 인도 학자들은 식민지 정책이 소비, 전통 산업의 파괴, 철도 건설과 같은 재정적 책략보다는 무역을 위한 농업 진흥 같은 것을 통해 인도 경제의 기반을 약화시켰다고 주장했다. 그것은 부당하게 영국인들에게 편중되어 있었다. 비록 오늘날의 일부 역사가들은 국가적인 쇠퇴가 성장의 무게보다 컸고 사유화가 주로 식민지 정책에서 비롯되었다는 주장에 이의를 제기했지만,[28] 일부 개인과 지역은 철도가 가져온 새로운 종류의 상업 활동이 약속한 혜택 바깥에 남겨져 있었다는 데는 의견이 일치한다.

같은 기간 동안, 기차는 스와미 비베카난다Swami Vivekananda(나렌드라나트 다타Narendranath Datta), 오로빈도 고스Aurobindo Ghose, 모한다스 간디Mohandas Gandhi, 라빈드라나트 타고르Rabindranath Tagore를 포함한 정신적 민족주의자들의 중심지가 되었다. 정신주의자들은 기근, 환경파괴, 노동, 차별에 대한 사회적 담론만큼이나 '유출이론'을 계승했다. 비베카난다, 오로빈도, 간디, 타고르는 이 초기 사회비평가 집단이 만든 공간에서 그들의 정치적·사회적·미적 논평을 근거로 활동했다. 그러나 그들은 선구자들의 전산업화 정치에서 벗어나 기술의 존재에 대해 근본적으로 의문을 제기하는 방향으로 나아갔다. 19세기 후반과 20세기 초반의 이 정신주의자들에게는 문화 자체가 지배의 도구가 된 맥락에서 서양 문화의 아이콘으로서 열차가 차지하는 지위가 혼란스러웠다. 제국은 문화적으로 이질적인 방식으로 기계적이고, 도덕적 진실이 결여되어 있었기 때문에 작가들은 제국을 위험한 기계로 묘사했다. 2장에서는 서론과 1장에 기술된 식민 담론에 대한 대응으로 이 그룹의 수필, 시, 희곡을 배치한다. 힌두교를 철도의 영역 안으로 끌어들이려고 했던 그 담론과 달리, 이 작가들은 기차와 대립되는 힌두교의 정체성을 구성했다. 그들은 근대화 이념에 반하는 글을 쓰면서, 이전에 영국에서 유래한 열차의 이미지를 포착했다. 비록 종교에 뿌리를 두고 있지만 그 기술 논의에 명확하게 표현된 근대성에 대한 중요한 역사적 대항서사를 드러내고자 이 민족주의자들의 정치적이고 창의적인 글을 해석한다.

식민지 근대성의 수사학은 이동과 자유를 동일시했지만, 모든 이동이 자발적인 것은 아니라는 점에서 이는 근대 모빌리티의 살아 있는 경험으로 거짓말이 되었다. 캐런 캐플런Caren Kaplan은 근대성으로 발생한 두 가지 유형의 이동을 다음과 같이 구별한다. '여행travel'은 서구 자본주의의 팽창과 관련된 상업 및 여가 운동을 나타내고, '강제이주displacement'는 대량이주를 참조한다. 캐플런의 정의는 "동의어가 아니라 서로 다른 중요한 언어 사용역과 다양한 역사화된 사례의 표시"[29]로서, 함께 이동 유형이 구별되지만 상호 반영할 수 있는 경우를 만드는 데 도움이 된다. 강제이주로서의 이동을 잘 나타내는 한 가지 예는 노동 분야이다. 흔히 열차의 이동이라고 하면 철도 이동을 떠올리지만, 기차와 함께 움직인 첫 번째 사람은 선로를 만든 사람들이다. 노동자들은 철도 건설과 같은 이동경제에 참여했고, 그들 중 일부는 식민지 정책상 집 근처에서 일하는 것이 금지되었고, 다른 사람들은 단지 경제적 상황 때문에 이주 생활 방식을 강요받았다.[30]

1947년 인도 분할은 여행과는 반대로 또 다른 강제이주 장면을 가져왔고, 또 다른 근대성 대항서사를 만들어 냈다. 인도가 독립하면서, 집단폭력을 피해 도망친 분할 난민들은 강제적이고 종종 폭력적인 형태의 이동성을 경험했다. 사람들이 목숨을 잃을까 봐 두려워하며 집을 떠나면서 이동은 강제적인 성격을 띠게 되었다. 열차는 이 시기에 상징적 중요성을 띠었으며, 이 시기를 되돌아보는 창작 작품들은 대량이주 기간 동안 벌어진 강제이동(또는 그 반대인 체포 이동)의 이미지를 사용하여 민족성의 위기를 표현했다. 분할 직후에 쓰인 사다트 하산 만토Saadat Hasan Manto의 인상적인 짧은 글들, 쿠쉬완트 싱Khushwant Singh의 고전 《파키스탄행 열차Train to Pakistan》(1956), 무쿨 케사반Mukul Kesavan의 마술적 사실주의 《유리를 바라보며Looking Through Glass》(1995), 그리고 디파 메타Deepa Mehta의 현대 영화 〈대지Earth〉(1998)는 종종 '죽음의 열차Death Train'라는 강렬한 이미지를 제공한다. 열차는 힌두교도와 시크교도를 한쪽으로, 이슬람교도들을 다른 쪽으로 배치한 폭력적인 공동체 분열의 희생자로 가득 찬 목적지에 다다랐다.

3장에서는 근대성 개념에 내재된 긴장이 완화되는 역사적 순간을 고찰하며 인도 분할(분단)을 다룬 회고록, 소설, 영화 작업 등에 나타난 기차 장면을 분석한다. 이 작품들은 1장에서 묘사한 식민 담론으로 확립된 근대적이고 세속적인 공간이라는 열차의 이상이 무너진 순간을 묘사한다. 분할로 비롯된 폭력으로부터 탈출한 난민들은 그들의 믿음을 철도 공간의 신성함에 두었다. 서파키스탄 국경의 국영 난민열차는 국가의 보호를 상징했다. 서쪽으로 도주하는 이슬람교도들과 동쪽으로 도주하는 힌두교도들은 일반 대중이 사는 나라로 피난을 떠났다. 안전한 안식처를 제공하는 한편으로, 기차는 많은 사람들에게 죽음의 장소가 되었다(이 기차는 동파키스탄을 만든 1947년 벵골 분할에서와 같은 중요한 역할을 하지 못했다). 나는 인도에서 열차의 의미를 영원히 바꾼 '죽음의 열차' 이미지에 주목한다. 분할을 재현하는 서면 및 시각적 식민지 이후의 문화는 인도 열차를 기계라기보다는 하나의 몸으로, 진보보다는 시간적 반전의 도구로, 일반 대중의 정체성을 찬양하는 국가의 공동체적 성격에 대한 증언으로 보여 준다. 탈식민지 작품들은 인도 분할 이후 철도의 잊혀지지 않는 모습을 보여 준다. 이 장은 근대 공간, 즉 일반 대중의, 공용의, 공적인, 사적인 공간의 변증법적 성격이 분할의 역사적 순간에 폭력적 효과로 나타났고 오늘날까지 이어지며 또 다른 근대성의 대항서사를 만들어 내고 있다고 주장한다.

근대성에 대한 이해를 배제된 자와 이동문화에 의해 영향력을 빼앗긴 자로 확대함으로써, 이동을 해방으로 본 근대성의 식민지적 수사에서 벗어날 수 있다. 그렇게 함으로써, 인도의 문맥에서 이동성을 식민지 이데올로기의 대량구매 이외의 것으로 보기 시작할 수 있다. 클리퍼드가 말하듯, "강제이주의 이행은 단순한 이전이나 확장보다는 문화적 의미의 구성체로 나타날 수 있다."[31] 이러한 문화적 의미는 때로 식민적 수사학과 일치하고 때로는 그것에 역행한다. 모빌리티를 중심으로 만들어진 문화는 근대성의 수사학에 도전했고, 대신에 그 근대성 내부의 정적 장소와 강제이주의 강박성을 보여 주었다. 그것은 평등, 진보, 그리고 이동을 통한 자유에 대한 약속이 거짓임을 보여 주었다. 그것은 오히려 모빌리티가 어떻게 인종, 계급, 젠더 사이의 불의를 조장할 수 있는지를 보여 주었다. 모빌리티 문화는 인도의 맥락에서 근대성이 역동적이고 파괴적이며 생산적이라는 것을 보여 주었고, 그렇게 함으로써 차이의 생각 내부의 긴장을 통해 근대성의 대안을 공식화했다.

국가적 모빌리티

식민지 국가의 경우와 마찬가지로, 이동은 인도에서 식민지 이후의 국가를 구성하는 데 도움을 주었다. 4장과 5장은 이를 다른 강조와 장르의 관점에서 고찰한다. 4장에서는 식민지 이후의 기간 동안 인도 철도의 이야기를 따라간다. 그곳에서, 나는 근대성으로서의 이동성에 대한 식민 수사학의 암시와, 철도가 어떻게 새로운 식민지 지도를 그렸는지 회상하는 국가 공간의 적극적인 건설을 발견한다. 또한 나오로지, 타고르, 간디 같은 사람들이 제국을 상대로 저술한 근대성 대항서사의 유산을 확인한다.

그러므로 4장에서는 잘 알려진 철도 이야기를 인도의 "구명줄"[32]로 추적하고, 문학과 영화 그리고 공식적인 담론을 조사하여 그 설명 안에서 나타나는 모순을 찾아낸다. 이 이야기의 한 측면은 인도의 초기 식민 통치 시기에 정치적 · 문화적으로 중요한 역할을 했던 시골과 도시의 관계이다. 나는 나라얀R. K. Narayan, 사트야지트 레이Satyajit Ray, 파니쉬와르 레누Phanishwar Renu 같은 작가와 영화감독들이 그들의 창작물에서 나라와 도시의 관계를 어떻게 복잡하게 다뤘는지를 보여 준다. 좀 더 현대적인 시기를 기대하며, 아니타 네어와 슈마 푸트할리Shuma Futehally가 열차의 설정을 인도 사회의 축소판으로 보고 인도 내부의 다양한 신앙, 성별, 카스트, 계급 등을 협상하는 방법을 살펴본다. 그들은 철도 여행을 개인적인 변화의 은유이자 국가의 더 넓은 진화와 병행하는 것으로 표기한다. 이 작가 및 영화감독들이 국가의 상상된 공동체를 구성하고자 이동성의 이미지를 사용함에도 불구하고, 그들의 작업은 이 공동체의 필연적인 성격 일부를 드러낸다. 간략하게 그 디아스포라 예술가의 관점이나 현대 여행 서사와 대조되는 관점에서, 따라서 그들의 근대성 서사의 대척점에서, 이 탈식민 예술가들은 철도의 이동성이 어떻게 국가를 건설하고 어떻게 대적하는지를 보여 준다.

5장에서는 특히 이러한 모빌리티 문화의 젠더화된 특성에 초점을 맞춰 동일한 논의를 인도 영화 장르로 가져온다. 〈화염Sholay〉(라메쉬 시피Ramesh Sippy 감독, 1975), 〈쿨리Coolie〉(만모한 데사이 감독, 1983), 〈불타는 열차The Burning Train〉(라비 초프라Ravi Chopra 감독, 1980) 같은 힌디어 액션영화는 철도의 모빌리티 이미지로 반항적인 남성성을 형성하고, 국가 위기 시기에 국가 주체의 대안적 비전을 형성한다. 이 장에서 주요하게 초점을 맞추는 멜로드라마는 여성성과 모빌리티, 그리고 탈식민 이후 국가가 맺는 양면적인 관계를 보여 준다. 1970년대 초반의 〈퓨어 하트Pakeezah〉(카말 암로히 감독, 1971)와 〈27 다운27 Down〉(아브타르 카울Avtar Kaul 감독, 1973) 같은 작품부터 1990년대의 블록버스터인 〈진심으로Dil Se〉(마니 라트남Mani Ratnam 감독, 1998)와 〈용감한 자가 신부를 데려가리Dilwale Dulhania Le Jayenge〉(아디트야 초프라Aditya Chopra, 1995)까지, 2007년 전 세계에 개봉한 〈열차The Train〉(하스나인 하이데라바드왈라Hasnain Hyderabadwala · 라크샤 미스트리Raksha Mistry 감독, 2007)와 〈우리가 만났을 때Jab We Met〉(임티아즈 알리Imtiaz Ali 감독, 2007)까지, '발리우드'는 기차 로맨스에 매료되었다. 이 장에서는 기차에서 표출되는 욕망과 낭만의 표현들이 인도의 국가 근대성의 젠더화에서 공적 공간과 사적 공간이 어떤 의미를 지니는지를 강조한다고 주장한다. 나는 이 유명한 인도영화들에서 기차가 로맨스 장르에서 재현되는 사회적 관습을 위반하는 환상을 허용한다고 주장한다. 단순히 사회질서의 거울이 되는 것이 아니라, 열차는 노선을 가로질러 이동할 방법을 제공한다.

　이 책은 현대 시기로 결론을 맺으며, 모빌리티 문화에 대한 논의의 이해관계를 제시하고자 인도를 세계적인 관계 안에 위치시킨다. 결론은 인도 철도의 문화적 비전을 통해 전 지구적 근대화가 어떻게 이동을 가능하게 하고 막는지를 설명한다. 테러리스트들의 폭탄 공격에 대한 재현은 그러한 교착상태를 반영하며, 이 장의 주요 부분은 테러의 상징적인 대상으로서의 열차에 초점을 맞춘다. 2007년 하랴나의 삼조타Samjhauta(우정) 급행열차, 2006년 뭄바이의 통근열차, 2002년 고드라 근처의 사바르마티 급행열차, 폭탄이 터진 객차와 역사驛舍의 잔해 속에서 우리는 사생활과 공공영역이 교차하는 지점의 끔찍한 재현을 발견한다. 그 결합은 수케타 메타Suketa Mehta가 말하는 "사회적 실험실"에서 지역사회와 계급 관계가 이루어지는 사회의 축소판인 열차 안에서 물질적 장을 찾는다. 결론은 인도 기차의 상징적 역사가 어떻게 비판적 관찰자가 근대성과 이동성 사이의 문화적 연관성이 현대의 역설을 모호하게 하고 드러내는지 볼 수 있게 하는 방법을 검토하는 것으로 마무리된다.

모빌리티의 문화

전보(전류를 전달하기 때문에 이동 기술), 증기선, 버스, 자동차, 비행기와 같이 근대성과 연관된 다른 이동 기술들과 마찬가지로 철도의 식민지 · 민족주의 · 탈식민 이후의 이미지는 이동과 이주를 포함한 훨씬 광범위한 모빌리티 문화이다. 나는 각각의 텍스트 예시를 가지고 근대성이 이동 공간을 통해 해석된 넓은 별자리의 작은 부분의 지도를 그릴 뿐이다. 다른 면에서도 이 책은 큰 전체의 한 조각이다. 인도의 열차가 실린 소설, 단편, 노래, 시, 사진, 삽화, 그림, 영화 등의 목록은 방대하며, 이를 설명하려는 모든 학문적 작업은 항목 일람으로만 작성될 위험이 있다.[33] 이 작품들은 다양한 언어로 되어 있다. 나는 다양한 언어가 연구 결과에 영향을 미친다는 인식 아래 원래 영어, 힌디어, 우르두어, 벵골어로 된 작품들에 초점을 맞춘다.[34] 이 창조적인 작업의 본체도 기술적 연구 보고서를 포함하는 인도 철도의 재현 중 일부일 뿐이다. 인도 철도에 대한 모든 참고문헌을 다루는 것이 나의 목표도 아니며, 포괄적인 역사를 만드는 것도 내 의도가 아니다. 인도의 맥락 안에서, 그리고 그 너머에서 근대성과 모빌리티를 이야기할 방법으로 인도 철도에 대한 다양한 글과 시각 자료를 제작한 일련의 개인들의 작품을 살펴볼 따름이다. 이 이야기가 여기에서 논의되지 않은 다른 작품들과 함께 의미 있게 읽혀서 다른 학자들도 이 노력에 동참하기를 바란다.

인도 열차로 작품을 만든 저자들은 다양한 역사적 우연성에서 비롯되었으며, 정치적 입장도 상당히 달랐다. 나는 그들의 글과 시각 자료를 그들이 식민주의로 물려받은 근대성의 수사학을 재생산하거나 거부하거나 수정하는 방법을 보여 주는 대화로 분류했다. 기간별로 대략 배열되었지만, 때로 연대순으로 겹치기도 한다. 여기에는 식민 담론, 민족주의 토론, 인도 분할을 재현하는 창의적 텍스트, 탈식민 이후의 표현, 그리고 떠오르는 전 지구적 관계를 재현하는 작품들이 포함된다. 비록 정치, 시대, 장르는 달라도 이 텍스트들은 이동성 문화를 통해 근대성과 연결된 관계의 지도를 그리는 방법을 공유한다. 이어지는 장에서는 모빌리티 문화를 통해 인도판 근대성 버전이 어떻게 구성되었는지, 그리고 동일한 문화가 어떻게 근대 내부의 모순을 드러냈는지를 보여 준다.

근대성의 궤도

근대성이란 무엇인가?

근대성modernity에 대한 가장 간단한 정의는 근대성을 새로운 것과 동일시하고 이전에 나온 것과의 확실한 단절을 제안한다. 비록 학자들은 16 · 17 · 18세기 초 유럽의 변혁을 초기 근대라고 특징짓고자 근대성 개념을 사용하지만, 18세기 이후의 유럽 변혁을 가리키는 용어로 이 개념을 정의하는 이들도 있다. 예를 들어, 위르겐 하버마스Jürgen Habermas와 미셸 푸코Michel Foucault는 이 용어가 계몽주의 기간 동안에 겪은 중요한 의미 변화에 초점을 맞추었다. 하버마스는 근대성이 어떻게 현대의 현실과 관련된 하나의 형태가 되었는지를 묘사한다. 이 유형에서 현재는 끊임없이 자의식적인 주체성[1]에 심문되어, 당면한 과거를 거부하고, 어쩌면 더 뚜렷하게, 가능한 미래를 향해 현재를 추진하는 전진 주도의 패러다임을 만든다.[2] 푸코는 근대성은 특정한 일시성일 뿐만 아니라 변화에 대한 윤리적 필요성을 나타낸다고 제안한다. 근대성은 곧 다가올 미래를 하나의 과제이자 의무로 예상한다.[3]

많은 사람들에게 근대성에 대한 생각은 자명해 보였지만, 이 용어는 이론적으로 훨씬 더 넓게 열려 있다. 근대성은 궁극적으로 애매모호하며 동시에 함축적인데, 존 톰린슨John Tomlinson은 '범주'는 뚜렷한 종류의 사회적 형성과 그 제도에서 나온다고 말한다. 이성의 인식론과 특정 시공간 관념에 바탕한 "문화적 상상력의 한 형태," 그리고 "확실한 역사적 기간"이다.[4] '근대성'이라는 용어는 무한하고 그

의미는 경쟁적이지만, 그 개념은 강력한 역사적 존재를 지닌다. 근대성은 달성되어야 할 대상(근대성을 획득하기 위한)과 달성되어야 할 조건(근대적이 되기 위한)으로 나타난다. 영국에서 근대성 개념은 18세기부터 일련의 사상, 관행, 제도들로 구체화되었다. 여기에는 식민지의 맥락에서 중요해진 과학과 기술 개념이 포함된다. 이러한 통합은 또한 새로운 종류의 국가 정체성을 창출하는 도시화 같은 사회적 과정과 마찬가지로 새로운 형태의 생산방식, 즉 자본주의를 통합한다. 새로운 주체성들은 개인주의, 세속화, 기계적 합리성 이상에 얽매여 근대성과 관련된 사상, 관행, 제도에서 나타났다. 이는 문화적으로 이 책에서 탐구한 열차의 상징성 같은 새로운 상징과 소외감, 무의미함, 사회의 임박한 해체 감각을 낳았다.[5]

근대성과 모빌리티는 수사학과 재현의 힘으로 채워진 관계로 서로 밀접하게 연결되어 있다. 근대성은 종종 텍스트, 공간 및 시간적 재현 양식을 통해 모빌리티와 결합되어 왔다. 예를 들어, 여행은 개인적 변혁의 수단과 은유로서 기능한다. 이동 중인 사람과 물건으로 가득 찬 도시의 거리가 변혁을 겪고 있는 사회의 기호로 등장한다. 캐런 캐플런은 "공론장의 민주적 공간화에서부터 튀어오르는 개별적 주체의 내면화된 의식까지 계몽주의 이후 서구적 근대성은 이런저런 종류의 모빌리티를 특권화하는 경향이 있다"[6]고 썼다. 그럼에도 불구하고, 근대성은 모빌리티로 축소될 수 없다. 근대와 관련된 수많은 개념, 관행 및 제도 무리는 그 의미가 유동적이면서 근대성을 입증한다.

근대성을 이렇게 정의하는 문제는 잠시 접어 두고, 근대성을 정의하는 다른 쟁점도 있다. 최근 비평가들은 유럽의 특정한 역사적 경험에서 비롯된 근대성에 대한 철학적 정의에 이의를 제기하고 있다. 그들은 근대성 개념을 문화적 제휴 논쟁으로 분열된 장소에 재배치하고, "구조적 외부"[7]에 의해 만들어진 "타자성의 근대성"을 이론화한다. 이는 일반적으로 제국주의 권력이다. 이러한 타자성을 설명하면서 일부 학자들은 양면적인 근대성 또는 차이로 생겨난 변증법적인 근대성을 보여 준다. 예를 들어 기안 프라카쉬Gyan Prakash는 식민적 근대성을 "내부적으로 분열된 과정"[8]으로 보고, 폴 길로이Paul Gilroy는 흑대서양black Atlantic과 아프리카 디아스포라의 역사 동안 서구는 외부인과의 관계로 형성되었다는 의미에서 근대성을 계몽 사상의 유럽 전통 내부와 외부에 두는 이중 의식을 설명한다.[9] 티모시 미첼Timothy Mitchell은 길로이와 마찬가지로 서구 근대성이 종속되거나 배제된 요소들로 구성되는 과정을 그린다. "그런 요소들은 그들이 구성하는 데 도움을 주는 근대성을 끊임없이 전용하고, 우회하고, 변형시킨다."[10] 다른 비평가들은 유럽 버전의 근대성이 딜립 가온카르Dilip Gaonkar의 "창조적 적응"[11] 노선을 따라 "대안" 또는 "다중" 근대성을 생산하면서, 개인적이고 집단적인 상상력과 물질적 실천을 통해 서로 다른, 심지어 대립되는 지역 공간의 윤곽을 따라 재형성되었다고 주장했다.

나는 다양한 지형에서 근대성에 대한 포괄적인 철학적 정의를 추구하거나 근대성에 대한 유럽중심적 정의를 반복하기보다는, 근대성을 수사학으로서 접근하고 재현과 물질적 실천의 집합체를 통해 기능한 이 수사학의 역사를 탐구할 것을 제안한다. 프레데릭 쿠퍼Frederick Cooper가 말하는 것처럼, 역사-정치적 이야기는 그 과정이 어떻게 동원되는가, "그 개념이 주장을 만드는 데 어떻게 사용되는가"[12]에 놓여 있다. 근대성이 재현적이고 물질적인 측면으로 기능하는 방식에 주목함으로써, "그 용례와 정치학의 관계를 현장에서 추적"[13]할 수 있다. 철학, 관료적 담론, 예술 또는 노동 관행에서 근대성 개념이 어떻게 전개되었는지를 강조하는 것도 근대성을 정의하는 방법을 변화시킨다. 근대성 개념은 식민지적 맥락에서 작성된 근대성 설명의 반복, 반박 및 재표현 등의 복잡한 반응을 탐구하는 연구로 채워졌다. 근대성을 중요한 역사적 결과를 지닌 수사학으로 봄으로써, 그러한 상황들이 변화하는 유동성, 그리고 어쩌면 더 두드러지게, 그 의미가 정적 형태로 수렴되는 순간들을 다 볼 수 있다.

여행하는 근대성

제국주의의 맥락을 묘사하면서 아킬 굽타Akhil Gupta는 다음과 같이 주장한다. "근대성에 대해 말하는 것은 서구의 자기재현보다는 경험적 관계항을 언급하는 것이다."[14] 철도에 대한 생각을 인도로 가져오면서, 영국은 식민지적인 근대성, 즉 근대성의 수사학을 가져왔다. 그 의미는 빅토리아 시대 영국에 견고함을 주었던 관행과 제도적 형태의 혼합에서 비롯되었다. 여기에는 기술, 자본주의, 도시화,

개인주의, 세속화, 도구적 합리성, 소외성, 모빌리티를 포함하여, 근대성을 입증하는 개념·관행·제도들의 집합체가 포함되었다.

비록 이 여행하는 근대성은 절대적인 기원, 모순이나 논쟁 없이 존재했던 장소를 가지고 있지 않았지만, 인간 이성의 확실성이 특정한 전통으로부터 자유롭든 기술적 힘이 자연계의 제약으로부터 자유롭든 간에, 그것은 티모시 미첼이 말하는 "그림으로서의 세계", "보편적인 확실성에 대한 표현으로서 〔근대성의〕 자기중심적인 그림"으로서 놓여 있다.[15] 근대성 개념은 문화적 특수성으로부터의 자유에 대한 주장에 바탕한 이 역동적인 상상력에서 복제와 확장의 잠재력을 도출했지만, 동일한 생성력은 그것을 재표현하고 퇴거시킬 수 있는 불안정성의 지점이다.[16] 이 서론의 다음 부분은 인도의 철도를 둘러싼 수사학과 관행을 이용한 "서구의 자기재현"[17]을 해석한다. 이어지는 장에서는 근대성을 중심으로 집합된 어떤 생각과 과정들이 번성하는 방식, 어떤 것들이 저항에 부딪히는 방식, 어떤 것들이 그 여정으로 영원히 변하게 되는지 살펴본다.

자본주의, 근대성, 그리고 인도 철도

자본주의 생산과 관련된 경제적·기술적, 심지어 공간적 변화는 근대 개념에 실체와 형태를 부여했다. 19세기의 카를 마르크스Karl Marx의 저술은 근대성의 붕괴는 봉건사회 관계에서 자본주의사회 관계로 이어지는 사회적 생산관계의 변화임을 보여 주며 그 이해에 영향을 주었다. 19세기 식민지 및 민족주의 수사학은 금융자본의 전 지구적 확대와 국가적·국제적 규모의 상업시장 확대에서 근대성의 물질화를 보았다. 이러한 공식에서, 인도의 철도는 "자본주의적 근대성의 매개체"로 나타난다.[18]

자본주의는 모빌리티의 형태를 낳았지만, 그것은 또한 자본주의 고유의 모순을 강조하는 방식으로 모빌리티 형태로 구성되었다. 마르크스는 자본은 유통 과정으로 얻어지지만, 그 안에서만 만들어질 수는 없음을 인식했다. 이런 이유로 마크 심슨Mark Simpson은 모빌리티는 "자본주의 아래서 깊이 다투고 있다. 그 작용에 대한 구조적 경쟁의 원천이며, 끊임없이 … 그 역사 속에서 경쟁의 핵심 방식 또는 매개체"[19]라고 주장한다. 이러한 모순은 자본주의가 정복으로써 가능해진 노동력과 천연자원의 착취에 의존하는 식민지적 맥락에서 명백해졌다. 이 정치적 경제는 이러한 보편적인 주장의 논리를 잠식하는 동안에도 이동과 해방 같은 모빌리티로서 근대성에 대한 다른 식민지적 수사학을 강요한다.

기차는 19세기에 세계 금융, 산업, 상업자본주의에 매우 중요했다. 인도 철도는 그 자체가 국제 금융경제의 일부였다. 그것은 19세기에 대영제국의 가장 큰 단일 투자였으며, 실제로 그 세기에 가장 큰 국제적 투자 중 하나였다.[20] 몇몇 인도 기업인들도 철도 건설을 적극 추진했지만, 그 주역은 영국의 상인들과 옹호자들이었다. 철도는 국제투자의 경제를 변화시켰다. 1849년 영국 투자자들에게 동인도회사는 25년 동안 토지와 시설, 5퍼센트의 이익을 보장함으로써 재정적인 이득을 확보해 준, 불확실한 투기 환경에서 투자자들에게 놀랄 만큼 안전한 거래를 제공했다. 1858년 이후, 보증인 역할은 인도 식민 정부의 손에 넘어갔다. 그 후 11년 동안, 약 1억 5천만 파운드의 영국 자본이 인도와 특히 철도로 흘러갔다.[21] 인도의 철도 건설로 발전한 자본주의는 인도보다 영국의 금융자본 개발에 더 기여했다는 점에서 불공평했으며, 이는 민족주의자들이 인도 경제의 "유출"에 반대하는 시위를 일으킨 주요 원인이었다.

몇몇 새로운 황마 제분소를 가져다주었지만, 철도는 영국처럼 인도를 산업화하지 않았다[22]. 그러나 대영제국에게, 그리고 나중에 민족국가 인도에게 인도의 철도는 상업자본주의를 발전시킬 엄청난 경제적 중요성이 있었다. 철도 유통망은 면화와 석탄 같은 원자재를 수송하는 수단, 그리고 영국에서 생산된 제품을 유통하는 수단으로 기능했다. 1850년에서 1854년 사이에 최초의 2개 노선 건설은 원자재 수출에 대한 강조를 나타냈다. 동인도철도회사EIR: The East Indian Railway Company는 캘커타에서 북쪽 방향으로 짧은 노선을 건설하여 탄광까지 확장한 다음, 비옥한 갠지스 계곡까지 가는 것을 목표로 했다. 대인도반도철도회사GIP: The Great Indian Peninsula Railway Company는 봄베이 북쪽 데칸의 목화밭 쪽으로 노선을 건설했다.[23] 확대된 운영은 새로운 유통 패턴을 발전시켰고, 인도 시장의 지형을 변화시켰다. 예를 들어, 영국 맨체스터의 섬유 제조업자들은 인도에서 생면화를 수입하는 데 머물지 않고 직물을 팔고자 했다. 새로운 상품 흐름은 시장 공간을 변화시켰고, 마을의 장인들은 철도가 들여온 값싼 영국

상품들과 경쟁할 수 없었다.[24]

열차는 그 자체로 막대한 자원을 장악하고 영국의 산업자본주의 경제를 건설하는 데 도움을 준 상품이었다. 런던은 인도의 철도 건설 확장에 자극을 주었고, 영국과 인도의 부품과 노동력 이동은 두 곳을 연결시켰다. 철제 대들보 다리는 영국 공장에서 "마지막 대갈 못까지" 생산된 후, 증기선으로 인도로 운반되어 강 위에 조립되었다.[25] 1920년대 후반이 되어서야 인도 철도회사들은 인도제 부품으로 눈을 돌리기 시작했다.[26]

1860년대부터의 식민 수사학은 인도의 철도 건설이 부분적으로 남성, 여성, 아동을 임금노동을 통해 생산 영역으로 끌어들이는 방식 때문에 자본주의의 특징을 띤다고 보았다.[27] 봄베이 정부의 총독 바틀 프레어Bartle Frere는 1862년 보어 가트 개항식에서 다음과 같이 발표했다. "인도인 쿨리는 말 그대로 역사상 처음으로 자신이 귀중한 소유물인 노동력을 가지고 있음을 알게 되었다."[28] 줄런드 덴버스Juland Danvers는 1877년에 철도 연장을 제안했고, 철도가 원주민에게 주는 가장 큰 혜택 중 하나는 임금노동을 가능하게 한 것이라고 주장했다.[29] 비록 "영구적인 방법"의 건설은 이주노동이나 심지어 대규모 식민지 기반 시설 프로젝트를 인도에 도입하지 않았지만(예를 들어, 갠지스 운하는 1840년대에 우타르 프라데시주의 지역을 관개할 목적으로 건설되었다), 철도의 거대한 건설과 운영은 인도의 노동 구조를 재편성하고 노동자를 자본주의 노동 체제로 끌어들이는 것을 도왔다. 심지어 이 철도는 남아시아 대륙을 횡단하기 전부터 인도 식민

지 경제의 산업 영역에서 가장 큰 고용 공간이 되었다.[30]

근대성과 국가

개통 순간부터 선로, 역, 객차를 포함한 철도의 공공공간은 영국 권력의 상징으로 기능했다. 이 철도는 외국인 투자자들의 자금 지원을 받았을 수도 있지만, 이러한 투기 대출에 대한 전례 없는 국가 보증 덕분에 건설되었다. 철도와 영국의 식민지 국가 간의 긴밀한 연관성은 건설의 경제적 여건으로 촉진되었고, 철도의 공식적인 수사학을 영원히 남겼다.

첫 번째 선로가 놓인 해, 달루지 총독은 지리적 연계로 통치를 공고히 하고 식민지에서 정부 관료주의의 힘을 공고히 한다는 광범위한 정책의 일환으로 영향력 있는 '철도각서'를 썼다. 인도 내 영국 행정부의 지도자는 조직적으로 확장된 철도망을 통신과 군사 수송을 통한 국가안보 수단, 그리고 국가의 정치적 이익을 "상업적·사회적 이점"으로 뒷받침하는 수단이라고 주장했다.[31] 달루지는 현재의 통치 영역과 가능한 통치 영역에 인도 국가의 지도를 그리는 방법으로 철도를 상상했다. 1853년 '철도각서'에서 총독은 철도가 인도인에게 주는 혜택은 직접 언급하지 않았다. 그는 인도인들에게 "언제든지 예상할 수 있는" "적대적 공격"을 언급했을 뿐이다.[32] 철도는 이러한 거리를 줄이고 제국의 전초기지를 국가의 경계 공간으로 확보하게 될 것이었다.

1857년 반란과 1858년 영국의 인도 통치 성립 이후, 빅토리아 여왕은 새로운 식민지 정책이 기술을 강조할 것이라고 발표했다.[33] 새롭게 확장되는 철도는 이 과정에서 중요한 이념적 기능을 담당하게 되었다. 1875년 런던에서 열린 런던 소재 국립인도협회National Indian Association in London에서 강의한 인도 학자 프람지 비카지Framjee R. Vicajee는 달루지의 군사 안보에 대한 지배적인 선입견과 일치했지만, 사회적 고양의 범위를 원주민 주체로 넓혔다. 이 인도인은 과거 식민지 반란에 대한 유럽 관중들의 불안에 호소했고, 기차가 제국의 안보에 매우 중요하다고 주장했다. "이 나라의 심장부에는 현재 영-인도 제국에 경종을 울릴 수 있는 토착 공국이 거의 존재하지 않는다"며 "그러나 어떤 사악한 본성의 시도는 그들이 할당 부분을 획득할 시간이 생기기 전에 증기기관으로 인해 사실상 억제될 것"[34]이라고 이 내부자는 청중들을 안심시켰다. 달루지에 대해 말하자면, 숭영주의자 비카지에게 빠른 속도로 군대를 이동시키는 기차 시스템의 능력은 단순히 폭동을 진압하거나 전쟁에서 승리하는 것 이상의 사회적 효과를 가져왔다. 비카지는 "세입, 정의 또는 교육 관련 문제에서 강력하고 효율적인 행정 정책을 통해 평화의 고요한 승리를 확대하는 데에" 나라를 묶은 "철의 띠"가 국가를 더 강하게 만들었다고 주장했다.[35]

베네딕트 앤더슨Benedict Anderson이 말하는 "상상된 공동체"[36]로서의 나라를 건설하는 데 적극적으로 기여했기에 철도와 국가의 관계는 식민지 국가의 시민 행정을 넘어섰다. 식민지 수사학은 철도 공간을 다른 종교와 카스트가 단일 민족으로 융합되는 수단으로 제시했다. 철도의 선로, 역, 그리고 열차 내부를 포함한 동적인 공간화는 인도를 만드는 데 도움을 주었다. 철도 선로는 역동적인 사회 지형을 형성하며 영토를 지도화하고 미래 국가의 자금을 지원하는 골격이 되었다(그러나 1947년에 이 기구는 분할되었다). 이러한 "영구적인 길"과 그 위를 달리는 열차의 움직임은 건설 기간을 훨씬 넘어 지속적으로 국가 정체성을 갱신했다. 오늘날에도 열차는 선험적으로 지역과 국가의 관계를 재작성한다. 단순히 시스템의 고정된 점들 사이를 이동하는 것처럼 보이지만, 기차는 실제로 이러한 장소를 점으로 만들고 이 점들의 관계를 강화한다.

비카지 같은 지도자들에게 열차 그 자체는 인도 사회의 많은 부문을 통합할 새로운 집단 정체성의 창조를 대표하는 것이었다. 철도는 무수히 많은 것으로 간주되는 인도를 동화시키는 방법으로 재현되었다. 이러한 통합 개념은 20세기까지 지속되었고, 자와할랄 네루Jawaharlal Nehru 같은 민족주의자나 아니타 네어와 같은 탈식민주의 작가들의 수사학에서 철도의 역할이 등장할 토대를 마련했다. 20세기 초 영국 작가들에게, 이러한 철도 재현은 인도를 흡수하는 상징적인 방식을 제공했다.

1934년에 존 윌리엄 미첼John William Mitchell은 동인도철도에서 일하던 시절을 회고한 철도 회고록《인도의 바퀴The Wheels of Ind.》를 출판했다. 여기서 그는 인도에 진입하는 것을 "대혼란", "수백만 명의 산란장", "쉴 새 없이 들끓고 움직이는 거대한 이질적 덩어리"로 묘사했다.[37] 그는 계속해서 이 혼란에서 그가 담당한 역할을 다음과 같이 자세히 설명한다. "나에게는 신비로운 인도에 서구 유물론이 준 가장 큰 선물 중 하나인 철도를 통해 이 운동을 규제하고 지도할 수 있는 기회가 주어졌다."[38] 미첼은 자신을 "인도의 아주 큰 부분이 움직이고 그 존재를 가지고 있는 이 멋진 조직에서 작은 것일지도 모르는 톱니바퀴"[39]라고 칭하며, 인도의 마법의 뱀이 유럽의 기차가 되는 확장된 은유를 장식한다. 이 구절에서는 질서를 나타내는 언어가 두드러진다. "규제", "지도", "조직" 같은 단어들은 인도인과 인도를 더 잘 수용할 이성적인 질서의 부과를 암시한다. 철도는 이 질서의 수단이자 상징의 역할을 모두 수행한다.

공적 담론과 문학적 재현 모두에서, 영국 작가들은 다른 문화와 계급이 만들어 내는 새로운 국가를 상상했다. 1913년 런던에서 발행된《인도예술저널The Journal of Indian Art》에서 가디너R. Gardiner 중령은 이 과정에서 철도의 역할을 묘사했다.

이전에는 실제로 서로 알려지지 않았던 위대한 민족들 사이에 끼어든 교류와 함께, 이 거대한 민족 이동의 효과는 이제 공통의 이익, 공통의 이상 및 야망, 다시 말해서 잘 지시된 인도를 결국 통일되고 충성스러운 국민으로, 여전히 제국의 왕관에서 가장 빛나는 보석으로 만들어 주어야 하는 공통의 국가적이고 애국적인 감정의 탄생이다.[40]

고립된 국적의 그림은 역사적으로 부정확했지만, 이 재현은 영국이 아대륙을 통합하는 관점에서 인도에서 그들의 역할을 어떻게 정당화했는지를 보여 준다. 열차 자체는 인종, 종교, 언어 및 문화적 차이를 초월하는 새로운 집단 정체성의 창조를 상징했다. 이 혼합된 자아의 이동하는 시각적 표시로서, 한 비평가는 제국의 파노라마라고 불렀다. "'로켓', '급행열차', '선녀왕', '포클랜드 경'이라고 새겨진 엔진이 달리는 열차는 유럽 출신 기관사들에게 배치되어 각기 다른 지역, 카스트, 교리, 피부색의 다양한 옷차림의 다른 군중, 즉 사람들을 태웠다."[41] 이 공연은 이제 철도 영역에 있는 인도의 상상된 청중을 위해 진행된다.

모빌리티, 기술, 그리고 사회적 변혁

식민지 근대성은 여행에서 비롯되었다. 이동은 새로운 문화와의 접촉 가능성을 열어 주었고 국제적인 세계 비전을 만들었다. 식민지 수사학은 여행의 관점에서 그것의 역할을 정당화했고, 탐험과 이주, 그리고 이동 기술의 역사를 물신화했다. 이동은 제임스 클리퍼드가 "여행과 접촉은 끝나지 않은 근대성을 위한 중요한 자리"[42]라고 말했듯이 유럽에서 행해지는 근대성 프로젝트를 완수하고 정당화하는 한 방법이 되었다. 식민지 근대성의 수사학은 진보와 팽창의 서사를 통해 이성, 과학, 세속주의 등의 사상에 생기를 불어넣었고, 그렇게 함으로써 중심적으로 물질적 · 상상적으로 이동의 패러다임을 배치했다. 19세기 중반에 이르러, 근대성의 수사학은 영국과 인도 양쪽에서 이동성 문화에 내포된 사회적 · 경제적 · 기술적 변화를 통해 이 패러다임을 대규모로 실현하기 시작했다. 물질적 과정으로 표현되는 식민지 근대성은 지식, 물질, 상품, 관행, 문화 생산의 흐름을 포함한 다양한 종류의 이동을 포함한다. 사회적·심리적 이동과 물리적 통로가 이 문화를 구성했다. 시장의 확대와 상품의 순환적 흐름은 자본주의 생산을 제도화했다. 관료주의적 구조는 영국 사회 전체와 식민지 영역으로 지류를 확장했다. 노동 구조의 변화는 사람들로 하여금 이동하게 했다. 철도와 전보 같은 기술혁신은 빠른 이동과 자연계와의 관계 변화를 통해 공간을 붕괴시켰다. 모빌리티 문화는 이러한 물질적 변화를 촉진하는 요인이 되었다. 그 문화는 또한 이동 이미지가 근대성을 의미하는 방법을 제공했기 때문에 이러한 혁명을 설명하는 방법을 제공했다.

열차는 영국에서 인도까지 하나의 아이디어로 여행했으며, 시간과 공간 경험의 사회적 변화와 변화에 대한 비전을 포함하여 근대에 대한 특정 개념을 가져왔다. 철도 개념은 19세기 영국의 역사적 상황과 결부된 특정한 근대성 개념과 얽혀 있었다. 마이클 프리먼 Michael Freeman은 영국에서 "철도는 빅토리아 시대의 진화하는 구조에 깊이 내재되어 있었다. 이는 이러한 구조를 반영하고 상호작용했다"[43]고 썼다. 철도는 사회의 사회적·정치적·경제적 측면을 포함하는 이러한 구조들뿐만 아니라 그 발전도 특징지었다. 초기의 지지자들은 철도를 그 시대의 개혁운동과 연결된 사회변혁의 유토피아적 비전과 연결시켰다. 마이클 로빈스 Michael Robbins는 사람들이 기계과학의 성취가 정치적 성취를 낳아야 한다고 믿었던 1830년의 맨

체스터와 리버풀의 철도 개통에 대해 썼다.[44] 볼프강 쉬벨부쉬Wolfgang Schivelbusch는 당시 문화 풍토에서 열차의 중요성을 요약했다. "19세기 전반의 진보적 사상 신봉자들에게 철도는 민주주의, 국가 간의 조화, 평화, 진보의 기술적 보증으로 나타났다."[45]

정치개혁의 특정 견해를 재현할 뿐만 아니라, 19세기 영국의 맥락에서 철도는 시공간적 변화를 상징했다. 움직이는 열차에 함축된 근대성의 수사학은 언제나 가능한 미래, 이상적으로 빠르게 움직이는 목적지를 향하고 있었다. 말이 끄는 탈것에서 기계적으로 움직이는 열차까지 속도가 빨라지면서 공간과 시간의 살아 있는 경험을 너무 많이 변화시켰기 때문에 한 현대인은 "모든 것이 가깝고, 모든 것이 즉각적이다. 시간, 거리, 지연은 파괴되었다"[46]고 했다. 물론, 전기, 전보, 증기선, 그리고 나중에 자동차를 포함한 많은 발명품들이 이 생각을 구체화시켰다. 그러나 아마도 다른 어떤 기획보다도, 철도는 "공간과 시간을 붕괴함으로써" 현대 이론가 앤서니 기든스 Anthony Giddens가 근대성과 동일시하는 공간적 변화를 상징하게 되었을 것이다.[47] 이것들은 규제의 질서이며 마찬가지로 지각적인 질서이다. 공간과 시간의 바뀌는 개념은 단순히 추상적인 심리적 변화가 아니라 사회관계 속에 깊이 내재된 변화였다.

1853년 봄베이와 타나 사이에 첫 노선이 건설되기도 전에, 철도의 식민 수사학은 사회변혁을 통해 적절한 공공질서를 고취하는 도구로 기차를 사용하는 것과 관련이 있었다. 이러한 개혁의 수사학은 1828년 총독인 윌리엄 벤팅크William Bentinck 경의 행정과 함께 달루지 경의 행정과 영국 통치에 대한 항쟁 직후인 1857년까지 자유주의의 정치적 풍토를 반영했다. 영국의 운동을 대표하지만 제국 인도의 상징적 장이 된 곳에서 새로운 의미를 부여한 자유주의 공급자는 계몽주의 합리성에 자신의 이상을 기반으로 전통적인 종교 및 봉건 권력에서 개인을 해방시키려고 했다. 이데올로기의 주요한 측면은 세속적인 것과 종교적인 것의 분리다. 이 이분법은 철도의 이상적인 건설에서, 내가 1장에서 탐구하는 차이의 재현으로 지속적으로 문제가 발생함에도 불구하고, 가장 중요했다. 비록 1857년의 반란 이후 인도인의 본질적인 차이를 점점 더 강조하는 이데올로기인 새로운 보수주의가 자리를 잡았지만, 문화적 변화를 가져오라는 명령으로 정당화된 제국주의 개념은 식민지의 맥락에서 강력한 힘으로 남아 있었다.[48] 기차는 그곳에서 인도와 마찬가지로 인도인들을 완전히 바꿔 놓았다.

이 기간 동안 철도는 식민 통치의 수단이자 명분이 되었다. 교육으로서의 개발 수사학은 이러한 형식의 식민지화의 중심이었다. 데이비드 아놀드David Arnold는 19세기 초까지 "영국은 과학, 기술, 의학을 '문명 사명'의 모범적 속성으로 보고, 그들이 미신적이고 후진적이라고 밝힌 땅에 대한 그들의 우월성을 보여 주는 명백한 증거로 보았다"[49]고 주장한다. 통치와 기술이 동등하게 만들어지면서 인도는 기안 프라카쉬의 말처럼 "식민 통치가 기술적 변혁을 의미하는 맥락"[50]이 됐다. 이러한 식민 시대의 글에서 작용하는 주요한 과정은 근대성의 상징으로서 기술의 기능이었다. 달루지는 철도의 상징적인 역할을 스스로 반영했다. 1856년 인도에서 보낸 시간을 돌이켜 보며, 그는 자신의 공헌을 "최근의 현명함과 과학이 이전에 서구 국가들에게 주었던, 즉 철도, 획일적인 우편 요금, 그리고 전기 전보 같은 세 가지 위대한 사회 개선의 원동력"[51]을 소개한 데 있다고 보았다. 이러한 사회변혁 과정은 국가 차원뿐만 아니라 철도 공간 건설의 미시적 차원에서도 일어났다. 기차의 공적 공간은 개혁의 장소가 되었다. 바로 그 공간화에서 혼란스러워 보이는 인도를 관리할 이상을 구현한 것으로 보이는 "합리적 유토피아"[52]였다.

사회 진화 수단으로서 모빌리티를 장려한 식민 담론은 기술에 대한 더 넓은 재현의 일부였다. 과학, 특히 기술의 개발은 인도에서 일종의 문화적 권위를 수행했다.[53] 대인도반도 철도회사의 발기인 존 채프먼John Chapman은 1850년에 "명예로운 능력을 얻고, 인도 내 동포들이 근대의 가장 위대한 발명의 이점에 참여하도록 돕겠다는 두 배의 희망"[54]을 표했다. 인도에서 최초의 여객철도가 운행된 해인 1853년 《뉴욕 데일리 트리뷴New York Daily Tribune》에 실린 〈영국의 인도 통치의 미래 결과〉에서, 카를 마르크스는 이러한 정서를 그대로 반영하면서도 결말은 약간 다른 방향으로 나아갔다. "영국은 인도에서 두 가지 사명을 완수해야 한다. 하나는 파괴적인 것이고 다른 하나는 재생하는 것, 즉 오래된 아시아 사회의 멸망과 아시아에 서구 사회의 물질적 토대를 세우는 것이다."[55] 마르크스는 인도가 완전히 산업화된 사회로서 완전한 잠재력에 도달하기를 기대했고, 철도를 "근대산업의 선구자"[56]로 보았다. 1877년 영국의 한 관리는 기술이 이 정도로 진보적 지향의 구체적인 기호가 되었다고 썼다. "인도의 물질적 진보 역사는 철도 이전과 철도 이후로 나뉠 것이다."[57]

산업기술로 촉진된 시간의 정확성은 이러한 근대성의 상징이 되었다. 이러한 점에서 철도는 두 가지 방법으로 근대를 상징했다. 첫째, 시간표 형태로 시간을 공간화했고, 둘째, 신호가 표시된 예정된 도착과 출발로 시간을 의식화했다. 이 기계는 시간적 정확성이라는 도구를 통해 제국의 힘을 차지하기까지 했다. 인도에서 돌아온 영국인 여행자는 영국의 유명한 문학잡지《프레이저 매거진Fraser's Magazine》에 다음과 같이 소개했다.

우리는 교육에 대해 이야기한다. 영광스럽고 많은 학대를 받았지만 아직 이해되지 않는 철도 발명 교육 같은 교육이 어디 있는가? 우리는 모든 과학과 모든 미덕을 설파하지만, 검둥이는 믿지 않을 것이다. 우리는 시계를 소개하고 시간의 중요성을 주장하지만, 그럼에도 검둥이는 25분 내지 30분 동안 아주 좋아하는 꾸물거림을 계속한다. 그러나 철도가 도래한다. 그리고 대단히 기계적인 시간 엄수, 더 엄격하고, 더 조용하고, 더 정확하며, 한 남자가 흉내 낼 수 있는 어떤 시간 엄수보다도 더 무원칙한 시간 엄수, 시계가 울리고, 벨이 울리고, 활기 없는 엔진이 기적을 울린다. 움직인다. 떠난다. 그 헤아릴 수 없는 금속의 여행은 살과 피가 감동시킬 수 없는 교훈을 가르치는 데 성공했고, 검둥이는 철도역에 결코 늦지 않는다.[58]

이 이름 모를 여행자의 명상은 그 인종차별뿐만 아니라 열차에 권한을 부여하는 방식에서도 눈에 띈다. 이 대목에서 과학적인 세계관을 확산시키고 문명의 진보를 더 진전시키는 것은 영국인이 아닌 기계 그 자체다.

이와 같은 열차의 이미지는 잠재적 변화의 개념을 유지하고 공식 문서에서 제시된 문화적 위계질서를 강조하는 데 사용되었다. 식민지 문학과 시각 텍스트는 인도인과 기차의 이상적인 관계를 공간 묘사로써 체계화하고 강화시켰다. 그것은 인도인들이 처음으로 기차와 마주친 외부를 재현했다. 바로 인도인들이 선로를 따라 움직이는 첫 기차를 볼 수 있는 언덕길이었다. 또한 인도인들이 승객으로 탑승한 직후의 내부도 보여 주었는데, 인도 여행객을 위한 3등석 객차였다. 이러한 식민지적 재현들은 인도인들이 철도 공간을 통해 어떻게 유럽과 마주칠 수 있는지를 보여 주었다. 처음에는 영국 권력에 대한 이 이동식 기념물의 관찰자로서, 나중에는 객차의 내부 공간에서였다. 두 곳 모두에서 계획이 진행됨에 따라, 인도인들은 기술에 대한 경험으로 변화될 것이었다.

작가와 예술가들은 이러한 변화의 장면을 텍스트로 표현하여 인도인과 유럽 기술 형태의 만남을 의식화했다. 1863년 《일러스트레이티드 런던 뉴스Illustrated London News》에 발표된 출처 불명의 판화에서 진보 개념은 일련의 이미지들로 묘사된다. "인도 여행 방식—부랑자—힌두 순례자—1인승 가마 수송—여행하는 거지—낙타 캐러밴—1인승 가마 숯 수송—우마차A Bhylie—코끼리 탑승—마차Am

그림 3 '인도 여행의 방식들'. 1863년 《일러스트레이티드 런던 뉴스》 첫 번째 기차 이미지와 함께 맨 아래에서 정점에 이르는 여행의 계층 구조를 보여 준다. (《일러스트레이티드 런던 뉴스》 서가기호. 19/9/1863, p. 284, 대영도서관 저작권, 2009년 7월 3일부터 판권 소유)

Ekha—동인도철도"(그림 3). 열차의 맨 아래 그림은 최종 발전 단계를 보여 준다. 이 이미지에서 원근법은 기관차를 보고 있는 한 무리의 인디언 뒤에 보는 이를 배치한다. 인도인들은 한 남자가 그것을 가리키는 동안 그 새로운 기술을 뚫어지게 바라본다. 승객들은 윤곽만 드러내며 가려져 있고, 대신 보는 이의 관심은 인도인과 기차의 놀라운 맞물림에 쏠려 있다.[59]

또 다른 첫 번째 접촉을 묘사한 장면은 인도인이 쓴 여행 회고록에서 서사의 형태로 나타난다. 볼라나타 천더Bholanatha Chunder는 《벵골과 상부 인도의 다양한 지역으로의 힌두교 신자의 여행The Travels of a Hindoo to Various Parts of Bengal and Upper India》을 캘커타 정기 간행물인 《새터데이 이브닝 잉글리시맨Saturday Evening Englishman》 연작으로 출판했다.

1869년 영국에서 출간된 이 전집에서 탤보이스 휠러J. Talboys Wheeler는 저자를 "계몽계급의 공정한 영어 교육을 받은 벵골 신사"[60]라고 소개했다. 여행 이야기에서 천더는 인도인들이 "열차의 진보, 그리고 등에 업힌 작은 세상을 무지한 감탄으로 바라본다"[61]고 그들이 길을 따라 나오는 모습을 보여 준다. 작가는 기차를 인도에서 영국이 수행한 역사적 역할을 물질의 화신으로 묘사한다. 그 기술은 잠재적 기념물로 작용한다. "이 위대한 새로움에 대한 소개는 '만약 영국인들이 인도를 포기한다면, 인도인들은 위대하고 계몽된 국가에 걸맞은 예술이나 과학의 기념비를 남기지 않을 것'이라는 버크의 질책을 잠재웠다."[62] 《일러스트레이티드 런던 뉴스》의 이미지처럼, 천더의 내러티브는 식민지와 인도 관객 모두를 위해 기술을 해석하는 역동적인 식민적 상상력의 일부였다. 익명의 삽화가와 천더는 영국과 인도의 청중들에게 철도가 인도인들에게 어떤 의미를 지녀야 하는지, 즉 문화적 관점에서 식민지의 권위를 확보하는 대상을 보여 주었다. 공식적 수사학 같은 대중적 담론은 사회 변화를 실현할 방안으로 기차를 미리 선전했다.

근대성과 종교

1853년, 런던의 《레일웨이 타임스Railway Times》는 인도 최초의 철도를 발표하면서 이러한 야망을 나타냈다. "따라서 몇 주 후면 힌두교도, 파시교도, 이슬람교도의 습관 · 예절 · 풍습 · 종교를 바꿀 철길이 인도반도에서 시작될 것이다."[63] 같은 해, 카를 마르크스는 철도가 인도 경제를 변화시키고, 따라서 인도의 사회적 관계를 변화시킬 훨씬 더 앞의 미래를 전망했다. "철도 시스템에서 비롯되는 근대산업은 인도의 발전과 인도의 저력을 가로막는 결정적인 장애물인 인도의 카스트를 잠재우는 노동의 세습적 분열을 해체할 것이다."[64] 마르크스는 인도 카스트 제도를 바꾸는 사회개혁이 노동의 새로운 조직에서 생겨난다고 보았지만, 결국 카스트로 이해되는 힌두교를 철도에 반대하는 것으로 보는 수사학을 재생산했다.

이 인용문에서 보듯, 철도를 개혁 수단으로 재현하는 식민지 작가들은 종교의 책임 지워진 영역에 집중했다. 인도와 영국 양국에서 철도를 힌두교의 특정 측면(이슬람보다는 적게), 특히 카스트 구조와

브라만 사제들의 역할을 극복함으로써 사회변혁을 일으킬 공적 공간이라고 설명하는 글들이 널리 유포되었다.

영국인과 카스트의 관계는 이중적이었다. 카스트 개념은 19세기에 걸쳐 영국 통치 하의 인도인들을 사회, 경제, 직업의 범주에서 인도인들을 분류하려는 광범위한 노력의 일환으로 점점 더 많이 사용되었다.[65] 동시에 카스트를 극복하자는 생각은 19세기의 많은 식민지 저술의 목표로 제시되었다. 카스트의 구성은 이 기간 동안 정치적·사회적·경제적 개혁을 위한 노력으로 특징지어진 영국의 정치 현장에서 일어나고 있던 일에 대한 본질적으로 억압적인 암시로 본다.

이 자유주의 이데올로기는 브라만 사제들에 대한 재현에서 한 상징을 발견했다. 식민지 학자이자 관료들은 비록 전부는 아니지만 종종 힌두교도들이 브라만 중심의 가치 체계에 사로잡혀 있는 것을 보았는데, 이러한 관점에서 볼 때 그것은 엄격한 위계질서였다.[66] 1857년 반란 이후 이러한 분류는 추가되었고, 반카스트 저술들은 브라만 사제의 합법성에 더 직접적으로 도전했다. 1864년, 동인도회사의 관리 존 케이 경Sir John Kaye은 "철길 위의 화차"로 구현된 새로운 지식을 묘사하면서, 새로운 기술을 이해하는 모든 힌두교인의 마음을 "불안"하게 하는 일종의 인식론적 파열 역할을 수행했다.[67] "계략적인" 브라만 사제직이 통제하는 것으로 알려진 종교에 내재된 사회적 불평등에 대한 케이의 공격은 경쟁 집단의 힘을 약화시키려는 인도 지도자들의 시도를 분명히 보여 주었다. 실제로 계몽주의 원칙이 세속과 종교의 분리를 합법화했지만, 그 분파는 종교와 관련된 식민지 이전 국가의 권력을 제거하는 프로젝트에서 인도의 역사적 힘을 끌어냈다. 케이는 제임스 밀James Mill 같은 자유주의 지도자들의 글에 의지했는데, 그는 종교 지도자뿐만 아니라 시민인 브라만들도 인도의 발전에 해로운 존재로 묘사했다.[68] 케이는 힌두교가 이 기술의 발달을 방해시킨다고 비난한 것이다.

초기에는 열차의 모습만으로도 힌두교를 전복시키거나 변혁시킬 수 있었지만, 이후에는 철도 공간 내부가 사회 변화를 끌어내는 교실로 제시되었다. 휠러는 천더의 여행 이야기를 소개하면서, 철도의 용이한 거리가 "벵골 사람들의 마음속에 존재하는(했던) 여행에 대한 가장 강력한 편견"을 극복했다고 감탄했다.[69] 인도철도회사 Indian Railway Companies 정부 이사인 줄런드 댄버스Juland Danvers는 영국인과 가까운 곳에 원주민들을 배치함으로써 편견을 없애고 습관을 개선하는 철도의 이점을 설명했다. "그들이 왔다갔다 하면서, 그들은 전에 생각하지 못했던 많은 것을 보고 배울 것이다. 또한 더 많은 교제와 마찰이 있을 것이다. 카스트의 힘도 마찬가지로 흔들릴 것이다."[70] 인기 여행작가들 또한 카스트 자체는 아니더라도 카스트로 인식된 불평등을 극복할 방법으로 철도를 지지했다. 에드워드 데이비슨Edward Davidson은 1868년 "성스러운 브라만은 이제 돔(캘커타의 가장 낮은 카스트, 개를 죽이고 죽은 사람 매장에 고용되는 계급)과 접촉하여 3등석 객차에 앉아 그의 카스트 배타성보다 돈을 절약하기로 하면서 편견을 버린다"[71]고 썼다. 문화적 동화를 고양시키는 이러한 글에서 철도는 이동 공간이자 공적 공간으로서 힌두교와 식민적 관계를 맺는 장소가 되었다.

인종, 계급, 그리고 젠더

1854년 《일러스트레이티드 런던 뉴스》에 혼합된 여행 대중들의 이상적인 개념으로 유럽인과 함께 여행하는 인도인들이 있는 철도 승강장을 보여 주는 이미지가 등장했다(그림 4). 철책과 전신주로 묶인 역 공간은 배경인 초목 및 사원과 연결되어 있어, 이 새로운 공적 공간은 그 주변 인도의 일부기도 하고, 따로 떨어져 있기도 하다는 것을 보여 준다.

몇 년 후, 한 여행자는 일반 열차를 다음과 같이 묘사했다. "유럽인, 혼혈인, 원주민이 섞인 인구가 자리가 부족하게 들어찬 두 대의 2등석(객차). 그리고 캘커타 철도의 재산이 의존하는 … 거대한 대중이 승객이 즐거운 것보다 더 이익이 되는 방식으로 회사에 결합되는 6~7개의 3등석."[72] 기차가 처음 생겨났을 때, 엄청난 수의 잠재적 여행객들이 암시하는 이익을 인식하며 유럽 철도 관계자들은 인도인 승객들을 재빨리 환영했다. 1880년에 8천만 명, 1904년에 2억 명, 1921년까지 5억 명 이상이었다.[73] 새로운 공적 공간으로서 열차는 유럽인과 인도인이 연결되는 사회를 조직하는 새로운 방법을 인도에 도입했지만, 그렇게 함으로써 철도의 수사학과 물질적 관행은 종종 새로운 방식으로 낡은 기준을 다시 정립했다. 철도가 사회적 경

그림 4 '인도 철도역', 1854년 《일러스트레이티드 런던 뉴스》, 인도인과 유럽인이 승강장을 공유하는 이상화된 장면을 표현했다. (《일러스트레이티드 런던 뉴스》 서가기호 2/9/1854, p. 208, Illustrated London News shelfmark 2/9/1854, p. 208, 대영도서관 저작권, 2009년 7월 3일부터 판권 소유)

계를 개방한다는 생각은 인종, 계급, 젠더의 범주를 계층화한 모순된 반응과 일치했다.

식민 통치의 다른 이념적 측면뿐만 아니라 자본주의의 작용은 이러한 공식화를 야기했다. 식민적 맥락에서 자본의 기능은 차이의 생산에 달려 있었다. 모빌리티와 정체 지역의 관계를 기술하며 마크 심슨Mark Simpson은 "모빌리티가 국가적 · 인종적 · 발생적 · 계급적 주체성의 생산과 재생산에 중요한 사회적 · 물질적 자원('불균등한 발전')만큼 흔한 조건이 아닌 범위 내에서, 모빌리티는 경쟁의 장소가 된다"[74]고 주장한다. 이러한 경쟁은 그러한 분류 체계와 그에 수반되는 위계적 관행에 대한 저항에서뿐만 아니라 식민 담론 자체의 모순에서도 명백하게 나타났다.

1854년 승강장을 그린 삽화는 세속적이고 인종 간 공유된 여행 공간의 이미지를 제시했지만, 대영제국의 활동을 특징짓는 인종주의는 인도인(영국계 인도인 이외)의 상급직 점유를 막는 고용 관행과 더불어 승강장과 운송 공간을 규제하는 법률로 암호화되기 시작했다. 초기 통치 기간에 인도인들은 기차가 도착하기 몇 분 전까지 승강장에 나오지 못했다. 철도 객차의 구조를 구성하는 계급 구분은 인종 분리를 규정했다. 1등석이나 2등석 표를 살 여유가 있는 인도인이라도 유럽인이 나타나면 이 관행에 의거해 해당 구역에서 쫓겨났다. 이 관행은 오랜 기간 동안 지속되었고, 이는 20세기 초 민족주의 운동이 주도한 항의의 발화점이 되었다. 1910년에 한 작가는 유럽인과 인도인이 거의 매일 1등석이나 2등석 객차에서 충돌하고 인도인들은 3등석으로 강제이동해야 한다고 비난했다.[75] 한 민족주의 저술 단체는 90퍼센트 이상의 인도인이 타고 다니는 혼잡한 객차 상황과 식수와 위생 시설에 대한 낮은 접근성을 비판적으로 묘사했다.[76]

계급과 철도의 관계는 영국에서도 혼란스러운 역사가 있다. 열차 개념이 계급해방에 대한 광범위한 문화적 담론에서 일정한 역할을 했음에도 불구하고, 철도의 역동적인 공간화는 계급 구조를 확보하는 데 도움을 주었다.[77] 인도에서 계급 구조는 식민지의 본질적 의미를 규정하는 질서 중 하나가 되었고, 후에 식민적 맥락 중 하나가 되었다. 영국에서와 같이 계급은 철도로 인해 훼손되고 동시에 강화되었다. 다른 경제적 배경을 가진 사람들은 철도를 통해 모빌리티를 얻었고, 그중 많은 사람들은 순례 여행을 했다. 이언 커Ian Kerr는 철도가 순례 여행을 더 쉽게 대중적인 관습으로 만들었다고 다음과 같이 주장한다. "대중교통은 널리 보유된 가치, 경험, 기억된 경험, 상상된 가능성 간의 상호작용을 강화시켰다."[78] 예를 들어, 농업노동자들은 그들의 일상생활에 순례를 적합하게 만들 수 있었고, 때로는 왕복 당일치기 여행까지 가능해졌다. 이러한 자유에도 불구하고, 철도 공간은 계급으로 나뉘었기 때문에, 기차는 인도인들에게 그들이 가지고 다니는 티켓의 종류에 따라 영국에서 수입된 계급 정체성을 강요했다. 이러한 분류는 지역, 언어, 종교, 직업 또는 카스트에 기초해 만들어졌을지도 모른다. 또한 철도 규제 관례에서, 계급은 차이의 다른 기호들을 대신하는 역할을 했다. 마누 고스와미Manu Goswami는 인종과 계층을 구별하는 관행이 "인도인의 몸을 3등석과 4등석 승객의 균질화된 범주에 포함시켰다. 〔그리고〕 '공동체' 내에서 내부 분열이 평평해지는 경향이 있었다"고 주장한다.[79]

해방을 위한 경기장으로서의 철도와 계급 계층화의 장소로서의 철도 간의 긴장은 특히 인도 상류층과 중산층 여성들을 수용하기 위해 철도 공간을 재설계하는 것에 대한 철도 관계자들의 서신에서 분명해진다. 그들 중 다수는 얼굴을 가리고 있는(푸르다purdah) 여성이었다. 그것은 당시 일부 힌두교도와 이슬람교도들이 지키던, 대중의 시선에서 여성을 분리시키는 관습이었다. 한 철도 공무원은

1869년 이런 여성들의 사생활을 보호할 별도의 운송수단에 반대했다. "진보와 사회 개선이 일어나는 요즘 시대에, 특히 철도가 이미 그들의 실종을 야기시키고자 그렇게 많은 일을 해 왔을 때, 계급 편견을 조장하고 영구화하는 경향이 있는 어떤 제도를 도입하는 것은 현명하지 않다고 생각한다. 특히 철도가 이미 편견의 소멸을 야기하고자 위해 많은 일을 하고 있을 때 말이다."[80] 그러나 여론은 다른 방향으로 흘러갔다. 공식 기록에는 인도의 저명한 남성들이 철도청에 "이러한 구별의 필요는 종종 예약한 객차에 지불할 돈이 없는 사람들에게 치명적이며, 동시에 그들의 계급과 특권을 고려하여 다른 교리와 피부색의 일반 남성 승객들과 동시에 여행하는 악화를 받아들일 수 없다"[81]고 써 보낸 편지가 포함되어 있다. 19세기에 철도 옹호자들이 인도인의 철도 교통량을 확대하려고 했을 때, 식민지 인종 차별 문제는 공공공간의 장에서 계급 관습과 충돌했다. 1등석 객차에는 유럽 여성들이 타고 다녔지만, 식민지 행정에서 고려했던 인종적 위계질서는 종종 인도 여성들이 그 객차에 합류하는 것을 허락하지 않았다. 유럽 남성들도 그 객차에 탔을 텐데 말이다. 상류층 인도 여성들은 지위 손상을 우려하여 90퍼센트의 인도인들이 타는 3등석 객차를 타고 여행할 수 없었다(여행하지 않았을 것이다). 그들의 선택지는 남녀 혼성 2등석 객차밖에 없었고, 그나마 유럽인이 나타나면 그 객차에서도 쫓겨났다.

철도 공무원들은 좌석 없는 객차에 양탄자를 깔아 놓고 마치 제나나zenana(푸르다 차림의 여성이 남편과 가까운 남자 친지만 만나는 밀폐된

방)에 앉은 것처럼 여성이 앉을 수 있는 아이디어를 내고 논의한 후, 2등석 객차에는 복도를 통해 남자 친척을 만날 수 있는 개방형 구획으로 분리된 여성용 칸막이를, 3등석 객차에는 여성용과 남성용 두 개의 인접한 칸막이를 두기로 했다. 유럽인 승객이 탑승하면, 인도 여성들이 여행하지 않을 한적한 1등석 객차는 변경할 필요가 없었다. 로라 베어Laura Bear는 이러한 변화로 인해 여성들이 이전보다 더 강하게 계급과 동일시되었다고 주장한다.[82] 푸르다를 착용한 여성에게는 객차 분리가 성별 분리를 강화했고, 동시에 다양한 젠더들이 이용하는 객차를 하층계급 객차와 분리시켰다.

5장에서 좀 더 논의할 여성 여행자에 대한 광범위한 서신은 철도의 대표성과 물질적 관행이 어떻게 인종과 계급적 이분법과 마찬가지로 성별적 이분법을 확보했는지를 강조한다. 1860년대 후반에 오간 이러한 대화들은 여성의 순수성 담론을 통해 공간을 통제했다. 식민지 공공사업부Public Works Department 기록에서 수집한 이 서신은 여성과 공공공간의 관계를 묘사함으로써 유럽 관료들에게 인도 문화를 정의하는 한 방법이 되었다. 모두 남성인 식민지 엘리트 인도인의 목소리가 이 서신에 등장한다. 바부 조이킨셴 무커지Baboo Joykinshen Mookerjee는 치안판사에게 보낸 편지에 "역 밖에서 기차로 걸어가는 것은 〔여성들에게〕 죽음"[83]이라고 썼다. 그러므로 철도 공간에 관한 담론에서 열차의 공적 공간 안에서 사적인 여성 공간을 유지하는 데 전념하는 복잡한 가부장적 담론을 볼 수 있다. 여성성과 인도인의 정체성 모두에 대한 개념은 가정 내에서가 아니라 모빌리티 공간

안에서 구성되었다. 인종, 계급, 젠더의 범주는 경계에 의존했고, 철도는 이러한 범주를 유지한 이분법을 고칠 방법을 제공했다.

식민지 행정 범주의 다공성은 철도와 근본적으로 결부된 영국계 인도인이라는 새로운 공동체를 만들면서 명백해졌다. "영국계 인도인"의 정의는 까다로운데, 그 경계선이 인종적 경계선에 엄격히 포함되지 않고 거주지의 식민통치 범주 요소들까지 포함하기 때문이다. 1920년대 "유럽인", "영국계 인도인", "유라시아인", "인도인"을 차별화하려 한 관료주의적 시도는 가족관계(예를 들어 해외 친척과의 접촉)와 기록 가능한 유산 등을 고려했다.[84] 게다가 그 용어의 대중적인 사용도 시간이 지나면서 바뀌었다. 어떤 사람들은 러디어드 키플링처럼 인도에서 태어난 유럽인을 영국계 인도인이라고 불렀으나, 다른 사람들은 혼혈의 유산을 가진 사람들에게만 이 용어를 사용했다. 그 결과, 집단으로서 영국계 인도인은 항상 정체성 사이에 끼여 왔으며, 역사적으로 영국에 있는 사람들에게는 유럽적이지 않고 민족주의자들에게는 인도적이지 않은 존재로 간주되었다.[85]

영국계 인도인 정체성의 가장 뚜렷한 측면 중 하나는 철도와 밀접한 관계가 있다는 것이다. 1923년, 영국계 인도인 공동체의 거의 절반이 철도에 고용되거나 철도와 관련이 있었다. 이것은 원래 인종차별적 식민적 행정 절차의 산물이었는데, 인도인들은 철도 고용의 가장 낮은 수준에 머문 반면에 인도에서 태어나거나 오래 산 유라시아인과 유럽인들은 운전기사처럼 상대적으로 더 나은 일자리를 제공받았다. 영국계 인도인과 철도를 동일시하는 것은 고용 관행뿐 아니라 다른 사회 분야에서도 그랬다. 철도 연구 조직이나 학교 같은 기관들은 영국계 인도인이 다른 인도인과는 다른 별개의 정체성을 배양하는 장소가 되었다. 일종의 문화적 경계선으로서, 이러한 기관들은 이념적 책임을 지고 있었다. 베어는 이들이 "영국 시민사회의 신체적·도덕적 자질과 인도의 사회성 형식 간의 차이를 만들어 내려 했다"[86]고 주장한다. 이 과제는 유럽인과 유라시아인을 수용할 목적으로 지어진 철도 식민지에 위치한 집들이 공간을 통해 이 독특한 공동체 내 위계질서를 반영하고 유럽과 인도의 지역구 양쪽과의 차이를 규제하면서 국내 영역으로 확장되었다. 이러한 경제, 제도, 공간적 관행은 "철도 카스트"[87] 형성의 기초가 되었다.

1954년 존 마스터스John Masters의 소설 《보와니 교차로Bhowani Junction》는 독립운동 중 영국계 인도인이 지닌 정체성의 상반된 본질에 초점을 맞추었다. 인도의 군인 가족 출신인 마스터스는 비록 그의 서사에서 혼혈인 캐릭터보다는 영국 장교와 더 친밀하게 동일시하지만, 본인은 영국계 인도인이라고 여긴다. 그의 소설은 빅토리아 존스라는 영국계 인도인 여성과 그녀의 오래된 연인인 영국계 인도인 패트릭 테일러, 그녀의 예비 신랑인 인도인 민족주의자 란지트 카셀, 그리고 로드니 새비지라는 영국인 대령의 사랑의 사각관계를 그리고 있다. 빅토리아는 로드니에게 진정한 사랑을 발견하고 란지트에게 청혼을 받지만, 궁극적으로 영국계 인도인의 정체성을 유럽인과 인도인으로 분리시키는 결정적 구조에 대한 마스터스의 믿음이 반영된 미래로 패트릭을 받아들인다.

마스터스의 소설은 철도와 영국계 인도인 정체성의 밀접한 결합을 보여 준다. 모든 등장인물은 철길 주변에서 일하거나 생활하며 관련 일정을 상세히 알고 있다. 기차는 그녀의 섹슈얼리티를 포함한 자아 감각을 상징하기 때문에 빅토리아는 본능적인 연관성을 느낀다. 빅토리아를 통해 마스터스는 인도와 '철도 카스트'의 관계를 제시한다. 그녀의 아버지가 98데시벨까지 올라가는 호루라기를 불면 빅토리아는 다음과 같이 생각에 잠긴다. "그것은 영혼을 위한 음악이 아니었다. 그것은 엔진의 날카로운 소리를 도시의 지붕과 평원 너머로 보내며, 그들에게 강철과 사람과 바퀴가 철로에 부딪치는 것을 상기시키는, 호루라기 끈에 손을 얹은 우리 사람들 중 하나였다."[88] 이 열차는 공동체를 구성하며 인도를 대표한다. 마스터스 입장에서는 인도가 독립하면서 인종과 거주라는 상반된 관료적 범주로 주조된 국경 공동체가 궁극적으로 아대륙에서 식민지 기술 프로젝트를 수행할 것이다.

기술의 보편화된 힘에 대한 묘사와 함께, 철도에 대해 쓰는 식민지 작가들은 인도인들의 차이, 즉 식민지 국가를 구속하지 않을 수도 있는 차이를 극복하려고 노력했다. 철도 담론은 공공공간을 통해 넓은 질서 안에서 인도문화의 측면을 흡수하려고 했고, 그 과정에서 식민지의 관점에서 인도문화의 양상을 더 평등하고 합리적으로 표현했다. 이와 동시에, 그 차이가 식민 지배를 정당화하는 타자성의 공간을 묘사할 때 발전과 교육의 식민적 수사학이 중요한 역할을 했다. 열차 형태의 기술은 또한 이 담론에서 중요한 이념적·상징적 기능을 수행했다. 발전을 위한 단 하나의 길을 지향하는 유럽 기술이 주도하는 인도인들의 이미지는 유럽인과 인도인의 차이를 강화시켰다. 동시에 식민주의의 물질적 여건에서 비롯된 영국계 인도인의 범주는 이러한 인종적 분열에 속했다. 1장은 식민지 철도의 시각적·문학적 재현을 분석하며 보편주의의 이상을 내세운 수사학과 차이의 동시적 담론 간의 모순을 더 깊이 탐구한다. 그것은 식민지 근대의 지배적인 서사를 지속적으로 성가시게 하는 차이다.

1장

영구적인 길

: 철도의 식민 담론

제국의 전경

1888년, 러디어드 키플링과 인도의 철도역 서점을 독점했던 알라하바드Allahabad의 회사 휠러A. H. Wheeler Co.는 '철도도서관'이라는 책 시리즈를 만들었다. 판촉 자료에 따르면, 키플링이 저술한 이 시리즈의 목표는 "영국계 인도인의 삶, 즉 군대, 국내, 토착민, 사회의 네 가지 주요 특징을 설명하는 것"이었다.[1]

여행자들은 역 서점에서 1루피를 주고 산 작은 회색 책들, 넘겨진 책장에 표시된 그들의 진보, 그리고 그 아래 보이지 않는 철로들을 소비했다. 이 책들은 격리와 관찰을 위한 이동 수단을 제공했는데, 마치 기차의 객차 그 자체와 같았다. 일등석 객차가 창문을 통해 드러내는 세계의 분리된 경치를 선보이면서 서사 역시 인도의 전경을 보여 주었다. 일등석에 앉아 승객들은 그들이 살았던 세계와 그들을 위해 만들어진 세계에 대한 이야기를 읽었다. 그들은 책을 읽으며 철도와 서사를 통해 식민지의 공적 공간을 묘사하는 식민 담론의 일부가 되었다. 키플링 도서관의 목표가 제시하듯이, 원주민 정체성은 이 공간에서 통제될 뿐만 아니라 배양되는 것이었다. 물론, 격리의 이미지는 환상이었다. 객차 공간이 인도에 스며들 수 있는 것처럼 바깥으로 나서는 것 같았고, 식민지의 공적 공간에 대한 신중히 구성된 개념 역시 배제하려는 특징에 따라 달라졌다. 그 이야기들은 그 차이를 중재하는 방법이 되었고, 텍스트의 영역으로 이상화된 기술 질서의 바깥에 있는 것처럼 보이는 인도인의 정체성 양상을 가져왔다. 그러나 아이러니하게도 인도의 변화를 포함하려는 시도에서 이 텍스트들은 궁극적으로 인도의 차이를 유지하는 하나의 방법으로 기록의 역할을 했다. 인종, 민족성, 문화, 종교, 심지어 일시성에 대한 이분법적 개념을 만들어 낸 식민주의자와 피식민인 사이의 불안정한 묘사인 이 차이 관념은 식민주의의 결정적인 특징이었다.

철도가 책을 배급하는 수단, 책을 읽는 장면, 그리고 종종 그들의 주제가 된 것은 우연이 아니었다. 인도의 식민지 작가들에게 진보 매개체로서의 기차는 다른 어떤 공적 공간도 할 수 없는 방식으로 상상력을 동원했는데, 그것은 기차가 이동의 패러다임을 통해 바깥 세계와의 독특한 관계를 제시하고 명령했기 때문이다. 1853년에 처음 건설된 철도의 식민지적 기원은 인도인과 외국인 모두에게 기차와 그 주변 환경의 관계를 영원히 표시해 왔다. 이 장에서는 후자를 강조하고, 이 책의 나머지 부분에서는 인도인들이 어떻게 원래 영국이 만든 국가적 우상과의 양가적인 관계를 재현해 왔는지를 고찰한다.

식민지 시대에 개발되었지만, 미국 감독 웨스 앤더슨Wes Anderson의 2007년 영화 〈다즐링 주식회사Darjeeling Limited〉와 같은 작품에서 오늘날까지 이어져 온 비유에서 열차의 배경은 인도를 전경처럼, 그리고 종종 정적인 배경으로 여행자 뒤에 배치함으로써 외국인의 상상력을 자극했다. 예를 들어《일러스트레이티드 런던 뉴스》에 실린 작자 미상의 초기 이미지에서는 한 유럽 여행객이 객차 의자에 느긋하게 앉아 있다. 인도는 그에게 격식을 차리지 않아도 되게 했다. 그의 코트는 단추가 풀려 있으며, 그의 발은 쿠션 위에 올려져 있다. 그는 그 인도의 경치가 보이는 창밖에도 그가 탄 객차 속에도 있지 않아 보인다. 대신 담배를 피우면서 그의 멍한 시선은 내부로 향한다.[2] 이와 같은 묘사에서 이상적인 유럽 여행자는 인도와 인도인 양쪽에서 모두 제거되며, 현지에서 수행된 리얼리티라기보다 창문의 이미지로 간주할 수 있다.

20세기 초, "슈스미스 부인Mrs. Shoosmith"(실제로는 리드M. C. Reid)가 쓴《철로 독백A Railway Soliloquy》에서 화자는 인도 철도 여행의 자기성찰적 가능성을 다음과 같이 극찬한다.

영국의 한 철도 여행자는 동료들에 대한 적극적인 증오를 키운다. 인도에서 그는 그들의 존재를 거의 부정하는 몽환적인 자기흡수에 빠져든다(혹은 그것으로 떠오른다). 인도에서 혼자 여행하는 것에는 특이한 다른 세계성이 있다. 평범한 삶의 추구로부터 물러나도록 강제된 2, 3일, 긴 여행으로 약속된 고요함, 햇빛과 함께 종종 차단되어야 하는 경치의 단조로움, 기차의 덜컹거림으로 최면에 걸리는 귀에 이상하게도 부딪히는 역의 소음, 이 모든 것이 결합되어 예수회 신부들이 부러워할 만한 내면의 평온함을 준다.[3]

슈스미스의 설명에서 인도는 비워져 있다. 1920년대에 이 나라에 있었던 정치운동과 국제 교류의 세계 대신에, 인도는 영국 여행자의 영적 재탄생을 위한 빈 사당이다. 흥미롭게도 중단되었던 철도 여행자는 진행 중인 그의 역할에서 벗어나게 된다. 화자는 "사건들의 진행을 이어 가고자 어떤 것도 도울 수 없다"며 "한동안 넘겨준 느낌에는 축복받은 평온함이 있다"고 결론짓는다. 이 승객은 그를 태우고 가는 기차의 움직임에 양보한다. 개인은 제국의 기계로 나아가야 할 필요성을 넘겨주기도 한다. 철도에 지친 유럽인들을 압도적인 아대륙에서 일시적으로 분리하는 장소라는 만연된 이미지에도 불구하고, 식민지 작가들과 예술가들은 종종 인도와 인도인들과의 관계를 협상하고자 열차에 대한 재현을 적극적으로 사용했다.

이 장에서는 식민지 작가 및 예술가들이 공공 철도 공간을 묘사하면서 어떻게 인도의 다른 점으로 인식한 것과의 조우를 무대에 올리는지를 고찰한다. 그 공간은 정적인 영역이 아니었다. 그것은 더 광범위한 이데올로기를 반영하고 물질적 관행에 결정화된 사회적으로 구성된 의미가 있었다. 나는 서론에서 영국과 인도의 인기 여행작가 및 삽화가와 함께 정치·경제 작가인 달루지 경과 R. M. 스티븐슨이 인도인을 통제하고 교육하는 도구로서 기술을 제시했다고 주장했다. 기차에 대한 식민 담론은 종교가 국가의 더 넓은 질서에 굴복한 문화적으로 세속적이고 합리적이며 통일된 공공공간을 설립하려는 더 큰 노력, 즉 식민적 근대성 수사학의 전형을 지지하려는 것이었다. 인기 있는 작가와 예술가들은 기차가 어떻게 인도인들을 변화시킬지 상상하면서, 그들 마음속에선 인도인들이 공적 공간의 본질을 변화시킬지 모른다는 걱정도 점점 커지고 있었다.

이 장에서 나는 식민지 문화가 어떻게 철도의 세속적인 공적 영역 밖에 놓여 있는 것처럼 보이는 인도적 차이(특히 종교, 신체, 국내의)

의 특징을 정교하게 묘사한 이진법을 만드는 데 기차를 이용했는지를 밝히고자 이러한 서사와 이미지를 연구한다. 식민지 문화는 인도 내에서 근대성 개념을 구성하는 한 방법으로 이러한 이진법을 재현했다. 나는 또한 이러한 문화적인 작품들이 어떻게 철도의 이미지에 그러한 차이점들의 재현을 포함시켰는지, 어떻게 그들이 건설한 바로 그 이진법에 도전하고 근대성에 대한 반대 서사를 만들어 내는지 보여 준다.

근대성의 환유어로서의 기술은 식민지 동질성의 원시성과 인도에 대한 차이의 표현 간의 마찰을 일으키는 장소가 되었다. 정치가, 예술가, 여행작가, 소설가들 모두 진보에 대한 선형적인 서사를 기차가 역사적·문화적, 심지어 중립적으로 보이는 이동하는 상자에서 공간적 차이를 운반하면서 형태와 모빌리티의 중요한 측면을 제공하는 이야기로 바꾸었다. 근대성에 대한 이 비전의 급진적 가능성은 기차 이야기가 후에 매우 다른 관심사를 가진 사람들에게 강탈되었을 때에만 나타났는데, 이것은 이 책의 다음 장에서 묘사하는 현상이다. 기차에 대한 식민 서사는 결코 영국 통치의 권리에 완전히 도전한 적이 없다. 하지만 그들은 근대적 공간에 대한 비전을 공적이기보다는 사적인 공간, 세속적이기보다는 종교적인 공간, 유럽적이기보다는 인도적인 공간으로 제시했다. 19세기의 모든 식민 담론은 어느 정도 유사성과 차이라는 두 가지 이상 사이에 긴장을 나타냈다. 예를 들어, 그들이 본질적으로 생물학적으로 결정된 인종 범주로 고정된 것으로 간주한 인도인을 개혁하려는 글에서도 이런 긴장이 나타난다.[5] 문학 작가들은 진화하는 식민 질서가 어떻게 공적이고 사적인, 보편적이고 특정한 상징적 공간의 상반된 성격을 조화시키려 했는지 특히 강요하는 비전을 제시했다. 이러한 갈등의 해결 장소로 철도 공간을 재현하면서, 이 창조적인 작가들은 그것이 표면적으로 제쳐 놓은 가정적 · 육체적 · 종교적 측면에 개방된 거주적인 근대성에 대한 새로운 비전을 만들어 냈다. 19세기와 20세기 초의 저명한 두 식민 작가인 러디어드 키플링과 플로라 애니 스틸은 식민적 근대성이 세운 이분법에 도전하는 비전인 이 철도 공간을 통해 살아 있는 근대성을 상상하며, 특히 열차 이미지를 그들의 문학 저술의 중앙에 배치했다.

공간의 사회적 건설

19세기 영국 산업화의 다른 맥락에서 태어난 인도 철도 공간의 사회적 건설은 기차가 식민 지배를 분명하게 표현하는 상상적 역동성을 가능하게 했다. 여러 공간이 동시에 철도에 의해 요구되었다. 차량 내부, 열차 차체, 그리고 주변 경관은 관찰자에 의해 덧없이 경험되었지만 선로에 의해 영구히 점령되었다. 철도는 이러한 여러 공간 내에서 모빌리티와 고정성을 모두 갖춘 물체로 운행되며, 이는 차량과 도로 모두에 해당했다. 이러한 내 · 외부 공간은 별도로 표시된다. 창문으로 강조된 내부와 외부 사이의 위계적이지만 혼란스러운 관계를 반영하고자 관찰하는 여행자와 관찰되는 원주민의 관계만 생각하면 된다. 또한, 열차는 은거처의 하나이기도 한 관측 장소를 제공하는 특권적인 밀폐 공간으로 제시된다. 인도의 식민지적 맥락에서, 그것은 "합리적 유토피아"[6]인 시민적 · 세속적 · 공적 질서 아래 문화적 · 인종적 · 역사적 차이가 융합될 수 있는 이동하는 상자인 근대성의 엔진으로 추진되었다.

철도 객차의 공간화는 규제 중 하나이다. 외부와 내부의 엄격한 분기점에서 그리고 전통적으로 내부에서 심하게 구조되어 왔다. 이 상적으로는 열차 객차는 여행객에게 외부에서는 혼란스럽다고 인식되는 것과는 대조적으로, 미셸 드 세르토Michel de Certeau가 말하는 "합리적 유토피아"[7]의 규제를 제공한다. 철도의 식민지적 재현에서, 유럽인의 전용 공간인 1등석 칸만이 그 이상을 가지고 있으며, 이러한 작업은 1등석 칸의 내부를 외부에서 분리하여 운행하는 것으로 간주되는 다른 부분을 포함한다(2등석 객차는 유라시아인을 보유하고 있어서 이 이상형의 일부가 아니다). 철도역에 대한 식민적 묘사는 이 외부 공간의 무질서를 다음과 같이 일관되게 묘사한다. "냄비와 팬, 그리고 다른 소지품들을 둘러메고"[8] 여행하는 인도인 무리와 "귀에 이상하게 부딪히는 역 소리."[9] 이러한 재현은 친밀하지만 모빌리티가 강한 유럽인의 국내 공간처럼 보이는 1등석 객차와 외부를 대조시킨다. 한 여성잡지는 인도에서의 신혼여행을 홍보하는 1등석 객차에 대해 "인도의 철도 객차는 매우 호화롭다"고 썼다. "테이블과 침대, 탈의실 등이 있으며, 햇빛 눈부심을 가릴 셔터나 기묘한 코코아넛 섬유 블라인드가 설치되어 있으며, 호스의 스프레이에 젖으면

향기로운 열대 공기의 맛있는 돌풍이 상쾌하게 스며든다."[10] 시각문화에서, 구분은 여러 가지 방법으로 객차 내부의 표현으로 특징지어진다. 종종 개수대가 이미지의 가장자리에 나타나서, 청결의 형태로 문화적 질서를 표시한다.[11] 그 객차들은 인도로 옮겨진 빅토리아 시대의 중산층 거실을 암시한다. 그러나 문화적 차이를 나타내는 가장 중요한 이미지 표시는 전경을 볼 수 있는 창이다. 이는 안과 밖을 구분하는 유리 틀로 된 장벽이다.

물론, 객차는 항상 그 주위 세계의 일부이기 때문에, 분리라는 생각은 환상의 하나이다. 기차는 절대 불투과성이 아니다. 객차가 2등석과 3등석 객차 형태로 영원히 외부 세계에 결합될 때 더욱 그러하다. 그러나 환상은 이동성 문화 안에서 영구적인 질서 기능을 말한다. 미셸 드 세르토는 내부 철도 공간의 이념적 부호화를 변증법의 일종으로 다음과 같이 이론화했다.

변하지 않는 여행자는 철도 객차의 격자망에 분류되고, 번호 매겨지고, 규제되어 있는데, 이는 합리적인 유토피아를 완벽하게 실현한다. … 오직 합리화된 칸만 이동한다. 모든 것이 한눈에 보이며 분류하는 힘의 거품, 명령의 생산을 가능하게 하는 감옥의 기본 단위, 폐쇄적이고 자율적인 절연체, 이것이 공간을 넘나들며 지역 뿌리로부터 독립할 수 있는 것이다.[12]

드 세르토는 모빌리티에 내재된 모순을 설명한다. 즉, 이동을 통해 자유를 표현하는 차량은 또한 유동적일 수 있는 것을 견고하게 하고, 내부와 외부, 그리고 이러한 맥락에서 식민지와 원주민을 분리하는 감시를 통해 그것을 고정시킨다.

공적 공간에서의 차이 문제

1857년 영국 통치에 대한 반란은 인도인의 환원할 수 없는 차이를 강조하는 더 보수적인 정부를 탄생시켰다. 문화적 측면에서 빅토리아 시대의 학자들은 이 차이점 개념을 범주화하려고 그리고 포함시키려 했다. 그러나 문명의 자유주의적 담론은 이러한 더 새로운 차이 이론의 일부로 남아 있었다. 영국 작가들은 19세기 후반에 걸쳐 겉보기에 모순되어 보이는 이 두 가지 이데올로기를 협상하며 차이를 제도화하면서 동일성을 주장했다. 토머스 메트카프Thomas R. Metcalf가 설명하듯, "과업은 결코 쉬운 일이 아니었고, 그 결과가 일관된 통치 이념이 되는 것도 아니었다."[13]

식민 작가와 예술가들이 철도의 공적 공간을 이용해 인도인을 변화시키는 것을 보고 있었음에도 불구하고, 그들은 인도인을 공적 공간으로 들여보내는 것을 염려했다. 철도 공간은 "이질적인 문화가 만나고, 충돌하고, 서로 싸우고, 종종 지배와 종속의 매우 비대칭적인 관계 속에서 서로 싸우는"[14] 사회적 공간인 "접촉 구역"이었다. 식민 담론에서 기술적 접촉 지역의 긴장감은 인종차별과 공포의 두 가지 정서 속에서 모습을 드러냈다. 인도는 창틀의 "날카로운 칼날"을 밀고 들어오는 이 나라의 개별 객차를 타고 바깥 풍경을 읽는 유럽 여행자의 창문 밖에 매달려 있었다.[15] 어떤 계급의 인도인들은 승강장과 열차 차체의 공유된 공적 공간에 들어갔고(비록 다른 계급에서라도), 1854년 초[16]에는 그렇게 했다. 식민지 여행작가들은 그 공간의 성격이 어떻게 바뀔지 걱정했다. 이에 대응하여 이 작가들은 극복할 수 없는 문화적 장벽을 등록하고자 기차를 이용했다.

영국 여행작가들은 인도인들이 철도의 공적 공간을 잘못 이용하는 것을 본 여러 가지 방식을 열거했다. 그들이 보기에 인도인들은 역을 떼지어 공격하고, 말도 많이 하고, 냄비와 팬을 가져오고, 기차의 세속적인 세계를 종교의식 장소로 바꾸어 놓았다. 일반적인 묘사는, 인도 승객들이 너무 말을 많이 해서 사색하는 영국인이 자기 마음속 거의 생각을 들을 수 없었다는 것이다. 조지 오토 트레벨리안George Otto Trevelyan은 1863년《인도의 철도The Indian Railway》와 이후《경쟁하는 노동자The Competition Wallah》에 연재한 허구적 서한의 일부에서, 인도인들이 게시된 요금을 지불하고 승강장에 밀려나기 전에 티켓 가격을 두고 부적절하게 흥정을 시도하는 모습을 묘사한다. 그 승강장은 "그와 그의 동료들이 모든 과정을 긴 시간 동안 그리고 특별한 온기로 토론하는 곳"[17]이었다. 트레벨리안은 여기서 "고도의 흥분으로 허리까지 벗겨지고, 달그락거리고, 물담배를 피우고, 베텔넛을 씹고 있는 원주민들로 넘쳐나는 끝없이 많은 3등석 열"[18]을 특징으로 포착한다. 마이클 퍼넬Michael Furnell은 1874년 회고록《마드라스에서 델리로, 다시 봄베이를 거쳐 돌아오다From Madras to Delhi and Back via

Bombay》라는 책에서 알라하바드 근처에서 기차에 탄 순례자들을 "무력한" 집단으로 묘사하고 있으며, 언제나 "재잘거리는"[19] 집단으로 묘사한다. 그는 이 집단을 설명하는 경비원의 말을 다음과 같이 인용했다. 이 남성은 "위험한 모험보다 더 나쁘다"[20]고 불평하는데, 저자는 둘 다 경비원의 사투리를 조롱하고 자신을 동물 같은 집단으로 재현한다.

신체적 과잉의 이미지 또한 만연했다. 이러한 인종차별적 표현은 비록 19세기에 시작되었지만 20세기까지 계속되었다. 1934년 존 미첼John W. Mitchell의 여행 회고록에서, 철도 관계자는 인도 승객들이 "열차가 들어올 때 항상 기차역 승강장에서 그들을 사로잡는 것처럼 보이는 목적 없는 방식으로 이리저리 뛰어다녔다"[21]고 묘사했다. 그는 이 장면을 "대혼란"과 "난리법석"이라고 표현하며, 인도 철도의 수많은 재현에서 지배적인 비유로 반복되는 이미지를 만들어 냈다. 미첼은 철도 시스템을 악용한 인도인, 무임승차자들부터 가짜 "사두" 성인에 이르기까지, 집으로 돌려보내도록 도와 달라는 제안으로 문맹 순례자들을 속이는 사람들부터 창문에 발을 걸치고 잠을 자는 승객들까지 통렬히 비난한다.

법률상의 변화는 초기 반목의 근원에 있다. 영국의 노선을 따라 귀족 인도인 계층을 인식하려는 노력으로, 인도인들은 처음에는 열차를 기다리며 승강장을 공유했고, 1854년《일러스트레이티드 런던 뉴스》이미지에 나타나는 이상적인 상황이었다(서론의 그림 4 참조). 얼마 후, 공공사업부 관계자들은 원주민들의 철도 승강장 사용을 비난하고, 접근하기 쉬운 공공공간이 쓸데없는 잡담이나 파괴적인 모임으로 이어진다고 언급했다.[22] 인도의 국가 공간 생산에 관한 연구에서 마누 고스와미Manu Goswami는 식민지 인도에서 인종적 위계질서로 구성된 "철도 여행의 미시적 지리"를 설명한다. 그녀는 철도 공간에 대한 인도인들의 접근을 제한한 공공사업부의 규정을 정리했다. 인도인들은 승강장에 들어가는 것이 금지되거나 탑승 직전에만 허용되었다. 그들은 역에 별도의 위생 시설을 이용하도록 요구받았고, 때로 그들이 탄 3등석 객차에는 욕실이 없었다. 열차 내 일련의 객차는 "차별당한 몸의 움직임을 조정하고, 식민주의자와 피식민인의 구체화된 이분법을 재생산하는 강박적인 우려"[23]를 반영해 1등석의 유럽인, 2등석의 유럽인과 유라시아인, 3등석의 인도인과 "쿨리"(막노동꾼) 계급으로 세분화했다.

인종차별주의적 글과 법적 관행을 촉발시킨 식민적 두려움은 인종 간의 근접성과 이런 새로운 종류의 이동성으로 가능해진 전복적 가능성들을 우려했다. 미묘하게 말하면, 영국 작가들은 철도라는 공공공간에 일어날 수 있는 변화에 우려를 나타냈다. 그 공간과 그 합리적 질서는 사회 변화에 대한 식민적 야망과 통치에 대한 식민적 의무에 중요했다. 만약 공적 공간이 인도인들을 변화시키는 것이 아니라 인도인들이 공적 공간을 변화시킨다면? 1863년 초에 트레벨리안은 철도가 인도인들을 더욱 근면하게 만들 것이라는 생각을 뒤집었다. 그는 진보의 두드러진 상징을 "[인도인들의] 게으른 습관에 가장 잘 어울리는 교통기관 종류"[24]라고 묘사했다. 몇몇 유럽인 여행자들의 관점에서, 인도인들이 철도의 기술적 재능을 공유하고 그렇게 함으로써 스스로를 개선하도록 요청되었을 때, 인도인들은 철도의 성격을 바꿀 것처럼 보였다.

특히 두 가지 만연된 이미지가 이 우려를 뒷받침했다. 기차가 가정화家庭化된 공간이 된 이미지와, 종교의식 장소가 된 이미지다. 퍼넬은 회고록에서 한 여성이 자신이 일행을 버리고 떠났다는 사실을 깨닫고 문을 비집고 들어간 뒤 가족들에게 고함을 지르는 장면을 "적어도 수십 번은 약간의 변주곡으로 반복되는 공연"[25]이라고 묘사했다. 인도 철도 공간을 가족 공간의 부적절한 확장으로 보는 시각은 식민지 서사의 비유가 되었다. 존 W. 미첼이 힌두교 가정이 냄비와 팬을 들고 다니는 모습을 묘사한 것은 60년 후에도 이 이미지가 지속적으로 존재함을 보여 준다.[26] 미첼의 마음속에 인도 승객들은 제공된 수도꼭지가 아닌 주변의 빗물 웅덩이에서 옷을 빨면서 철도 공간의 규칙을 어긴다. 미첼은 철도라는 공적 공간의 가정화를 기차의 "합리적 유토피아"에서 종교적 관행의 입구와 연결시킨다. "힌두교 신앙은 많은 정화 작용을 고집한다"면서, 씻는 것에 대한 승객들의 관심을 종교적인 동기에서 찾는다. 미첼의 분노에 찬 어조는 동반하는 지연 문제 이상으로 영국 대표 승객이 괴로워했음을 시사한다. 인도인들은 그들의 정화 의식으로 기차의 세속적인 공간을 다시 만들고 있었다.

미첼과 퍼넬의 문학적 재현은 이상화된 질서와 촘촘히 짜인 이미지를 흐트러뜨린 차이의 양상을 모두 보여 준다. 철도의 이상에서 이러한 편차에 대한 선입견은 식민지 철도의 관행에서 규제와 질서에 대한 긴장을 암시한다. 인도인들이 공적 장소를 잘못 이용하는 모습은 고향에 있는 관객들에게 코믹한 안도감을 주었을지 모르지만, 작가들의 마음속에는 불안감을 암시했다. 공적인 공간을 질서 있는 공간으로 새겨 넣으면서도, 작가와 예술가들은 사적인 것으로 여겨지는 것이 지속적으로 대중 속으로 스며드는 철도 공간의 다공성을 예리하게 인식하고 있었다.

철도라는 "합리적 유토피아"에 대한 이러한 변화가 기차를 가져온 유럽인들에게 영구적인 영향을 미칠 수 있다는 우려를 반영하듯, 식민지 작가들과 예술가들은 영국인들의 정중함을 되돌리는 무질서의 장소로서 철도를 보여 주었다. 여행작가 트레벨리안은 인도의 철도가 "옷깃이 없고 조끼도 없는 더러운 알파카 코트"[27]를 입고 기차에 도착하는 사입sahib〔각하, 나리. 과거 인도에서 사회적 신분이 어느 정도 있는 유럽 남자에 대해 쓰던 호칭〕과 보기 흉한 행동을 하는 다른 1등석 유럽인 승객들을 포함한 새로운 종류의 "망쳐진" 유럽인을 수송하고 있다고 암시한다. 이 승객들은 "일반 사회에서는 때로 약간 어울리지 않는 매력적으로 이기적인 애정 집중"[28]에 몰두하는 신혼부부와 "나른하고 화가 잔뜩 나 있는 엄마" 그리고 그녀의 "옷 벗는 단계가 다른 방석 위에 널브러져 있는 세 명의 어린아이들"[29]을 포함한다. 앞에서 묘사된 1874년 회고록에서, 퍼넬은 스스로 "목소리와 고군분투하는 순례자들의 바벨로 운반된다"[30]고 밝힌다. 그는 하마터면 기차를 놓칠 뻔했다. 그것은 아주 싫어하는 것이었는데, 왜냐

하면 포스터E. M. Forster의 소설《인도로 가는 길A Passage to India》에서 등
장인물이 말하는 것처럼, "〔영국인〕 사람들은 기차를 절대 놓치지 않
기 때문이다."[31] 퍼넬의 발언은 공공공간에 대한 경쟁적 관념이 유럽
문명의 퇴화를 촉진할 것이라는 두려움을 시사한다.

  1924년 포스터의 소설에서, 지선 열차는 이러한 붕괴를 반영하여
영국인들에게 더 일반적인 의미 상실의 일부로 철도의 중요성에 대
한 이러한 변화를 암시한다. 기차 장면은《인도로 가는 길》에서 중
심적이며, 플롯을 전달하는 장치로서 그리고 포스터의 식민주의와
근대성이라는 주제를 정교하게 묘사하는 상징적인 통로로서 중요
하다. 영국인 필딩 교수가 기차를 놓친 후, 인도인 주인공 아지즈는
홀로 두 명의 유럽 여성인 무어 부인과 아델라를 마라바르 동굴로
안내한다. 인도 철도의 식민지적 재현에 따라 포스터는 기차가 들
어올 때 "원숭이처럼 객차 좌석에 몰려드는 하인들"과 함께 인도인
들이 철도를 받아들이는 모습을 보여 준다. 동이 트자 "담배 냄새와
침 뱉는 소리가 3등석에서 났다. 머리는 덮여 있지 않았고, 치아는
나무 잔가지로 닦여 있었다."[32] 그러나 잠시 후 다른 장면에서 그는
여행자가 인도 철도 객차의 고립 속에서 안쪽으로 향하는 초기 식민
지 시대의 텍스트를 반영하여 아델라와 열차의 관계에 초점을 맞춘
다. 아델라가 자신의 계획을 곰곰이 생각할 때, "열차는 잠이 덜 깬
채 아무 곳도 가지 않고, 지선 열차인 객차에 중요한 승객을 싣지 않
은 채로 칙칙한 들판 사이 낮은 제방 위에서 길을 잃은 채 '폼퍼, 폼
퍼' 하는 문장을 수반했다. 그 메시지는 하나였기 때문에 그녀의 잘

갖추어진 마음을 피했다."[33] 비언어적 기표인 "폼퍼"는 무어 부인이 동굴에서 듣는 결정적인 "쿵"을 예상하며, 그 소리처럼 "폼퍼, 폼퍼"의 의미는 이해를 초월한다. 그 소리는 일상적이고, 침투할 수 없다. 텍스트 전체에 걸쳐 인도 내 영국인들이 처한 비효율적인 상황, 더 넓게는 근대성의 조건을 반영하는 개념이 설명된다. 포스터의 지선 열차는 마음을 잡을 수 없는 곳이다. 그러한 묘사는 기차가 정확히 마음을 사로잡는 곳이고 식민주의가 중요하게 여기는 곳인 인도 철도의 다른 문학적 재현과 날카롭게 대비된다. 여기서 포스터는 식민 세계의 주변부에 초점을 맞춘다. 이 지선 열차가 다른 열차와 대조되기 때문이다. "그녀 뒤로 멀리 떨어진 곳에서 사업을 의미하는 비명 소리와 함께 우편물이 달려들어 흥미로운 사건이 일어나고 개성이 발달된 캘커타와 라호르 같은 중요한 도시를 연결했다."[34] 저자는 겉보기에 단순해 보이지만 후미진 곳과 대도시의 영역을 대조한다. 그러나 그는 식민지 근대성의 정적인 공간에 서사를 위치시킴으로써 사실 우편열차의 하이퍼모빌리티hypermobility로 특징지어지는 중요한 인물과 장소의 관련성에 의문을 제기한다. 그의 비평의 범위는 "열차 자체는 움직이지만 죽은 것 같았다. 하루에 네 번씩 경치를 어수선하게 하는 과학적인 북에서 온 관이다"[35]라는 그 귀환 여행의 잊히지 않는 이미지와 함께 나타난다. 포스터는 기차로 상징되는 식민주의의 기술적 권한을 언급하며, 근대성의 상징을 빈사 상태에 빠진 식민 세계의 마지막 안식처로 변화시킨다.

19세기 후반과 20세기 초반의 작가들은 철도라는 공간을 문화가 충돌하고 서로 싸우는 접점으로 만들었다. 인도인은 공적 장소를 이용할 수 없다고 묘사한 글들은 사회개혁 프로그램과 공존하는 집요한 인종차별을 보여 주었다. 이 작품들은 또한 균질화된 힘으로 상정된 기술 내부의 불안정한 차이의 본질을 드러냈다. 인도인은 철도를 이용할 수 없다고 생각했던 작가들도 철도 공간을 자신들을 변화시킬 매개체로 상상했다. 동시에 그들 중 일부는 공간 자체가 다시 쓰이고 있다고 암시했다. 다음 절에서는 식민지 작가와 예술가들이 차이의 용어를 주장하면서 이 모순을 관리했던 복잡한 방식을 살펴본다.

경이의 담론

인종적 · 문화적, 심지어 인식론적 차이 개념은 항상 식민주의 서사의 중심이었다. 학문과 문학이 다른 문화의 다양성을 고양시킨 것처럼, 이 글은 종종 차이를 타인의 부정적인 재현을 통해 식민 통치를 정당화하는 방법으로 다름을 사용했다. 식민지 인도에서 다양성은 보편적인 합리적 유토피아라는 이상에 기초한 기술적 수사학을 불안정하게 만들었다. 하지만 단순히 인도인이 철도를 이용해서는 안 된다고 제안하기보다는(비영리적인 선택) 대부분의 식민지 작가와 예술가들은 차이를 부정하기보다 억제하려고 노력했다. 타자성의 재현, 특히 인도인과 유럽인의 구별뿐만 아니라 인도인 사이의 차이도 철도 공간을 구성할 때 중요한 고려 사항이 되었다.

사회적 개선 담론은 종교적 정체성의 모든 측면을 극복하려고 하지 않았다. 사실, 특정 종류의 책무들은 공개적으로 장려되었다. 홍보 자료들은 철도를 순례의 이상적인 이동 수단으로 선전했으며, 경제적·사회적 의제[36]에 편리하게 기여했다. 1911년 제국 축제Festival of Empire에서 열린 전시회에서 힌두 순례자들의 종착역인 하우라역의 모형이 전시되었다. 이 전시회 카탈로그에는 "1858년경 이후 영국 통치 하의 진행 상황을 보여 주는" 전시 코너가 설명되어 있다.

물론, 여행을 위한 시설, 특히 인도인들에게는 눈에 띄게 매력적이었던 철도 시설들만큼 주목할 만한 것은 없었다. 예를 들어, 인도인들이 외딴 순례지로 쉽게 갈 수 있게 해주었다. 그들에게는 위험이 거의 없었지만, 과거 먼 해안을 여행한 사람들은 다시 돌아올 것이라고 예상하기 어려웠다.[37]

철도는 힌두교도들이 더 나은 힌두교도가 되도록 한 것 같다. 볼라나타 천더의 옹호자인 J. 탤보이스 휠러는 인도인, 특히 상류층 인도인들이 철도 여행의 "안전하고 빠른 방식"으로 점점 더 많이 성지를 방문하면서 미신을 극복하고 있다고 보았다.[38] 천더의 여행 회고록과 이러한 홍보 자료에 대한 그의 소개는 영국이 힌두교를 철도 여행의 질서 안에 포함시켰을 때 그들의 시민 질서에 대한 이상과 양립할 수 있는 것으로 보았음을 시사한다.

철도를 종교 정체성 서비스로 홍보함으로써, 이 작가들은 일관되게 그 차이가 종교적 정체성에서 나온다고 보았기 때문에, 인도의 차이를 기차의 질서 안에 포함시키려 했다. 그러나 종교를 위해 기차를 사용하는 것을 받아들이기 훨씬 전에, 식민지 작가들은 새로운 기술에 대한 재현에 차이의 여지를 만들었다. 그들은 기술 개념 안에서 인도인의 합리성 이전의 종교 세계와 동일한 조건인 경이로움에 중심 역할을 할당했다. 1863년《일러스트레이티드 런던 뉴스》에 실린 인도 최초의 열차 이미지는 여행의 계층 구조를 보여 줌으로써 기차와 관련된 합리적인 이상을 홍보했다(서론의 그림 3 참조).[39] 이 재현에서 인도인은 논리적인 과정을 통해 유럽 기술의 우월성을 해결하지 않는다. 대신에, 그들은 기계의 초자연적 힘에 매료된다. 이 일련의 이미지들 맨 아래 부분에서, 한 무리의 인도인들이 신기술에 경이로움을 표한다. 인도인들은 형언할 수 없는 숭고한 힘을 통해 이성의 세계로 들어가게 된다.

식민지 작가들은 이 경이로움을 힌두교와 연결시켰다. 천더는 철도와 갠지스강을 시각적으로 동일시하여 기술 공간을 자연화하고 신성한 힌두 공간 측면에서 기술을 검증한다. 그는 교육의 식민 담론을 종교적 성취 담론과 결합시켰다. "분명히, 하늘에서 갠지스를 데려온 우리의 고대 바기루트Bhagiruth는 철도의 저자인 것보다 후세에 대한 감사의 기억을 가질 자격이 없다."[40] 천더는 또한 철도 계획 작업을 힌두 신의 창조에 비유하며, 두 가지 유형의 창조물을 모두 "작가author"라는 단어를 사용하여 자신이 쓴 글에 비유한다. 기차를 이해하는 "원주민" 청중의 관점을 제공하는 교육받은 인도인들의 영어 글은 힌두 신화를 성취하는 철도를 나타낸다.

배가 노와 돛 없이 이라와디로 진격할 때까지 제국의 수도가 안전할 것이라는 전통을 갖고 있던 버마인들은 증기선을 처음 보고 놀라지 않을 수 없었다! 마찬가지로 힌두교도는 철도를 경이로움과 기적, 곧 바라트-버쉬Bharat-versh의 재생을 위한 새로운 화신으로 본다.[41]

다시 한 번 천더는 경이의 담론을 사용하여 식민화 역사를 의식화하고 열차를 "경탄과 기적"이라고 묘사한다. 그는 이 첫 번째 접촉 장소에 있는 자신을 상상하고 인도인들이 힌두 신화의 관점에서 신기술을 이해할 것을 제안한다. 이 열차를 바라보는 "힌두교도(들)"는 인도와 동의어인 신성한 단어인 바라트의 환생 버전을 본다. 이런 식으로 천더는 기차를 이용해 식민 국가의 새로운 질서를 신화적이고 독창적인 인도의 관점에서 새겨 넣는다. 그는 이어서 철도 여행 자체를 힌두 신화의 성취로 묘사한다.

(기차)에서 힌두교도는 세계의 재생을 위해 그의 샤스터Shaster들의 쿨키 아바타Kulkee Avatar가 도착한 철로에서 증명된 현자의 예언을 쉽게 느낄 수 있다.[42]

이 구절에서 저자는 유럽의 근대성과 힌두교의 또 다른 유사점을 그린다. 환생 관념은 근대의 분열로 이어진다. 그 구절은 인도인들이 그들만의 방식으로 근대성을 이해할 수 있는 방법을 제공한다. 천더가 자신을 내부 제보자로 내세우지만 힌두 신화에서 열차의 재현은 인도 작가들에게만 국한된 것은 아니다. 키플링의 단편 〈다리 건설자들The Bridge-Builders〉은 이 장 뒷부분에서 논의하는 동일한 종류의 이미지를 보여 주는 좋은 예이다. 여기서 이해해야 할 중요한 점은 인도인이 유럽의 기술을 종교적인 용어로 이해할 필요가 있다는 것이 아니라, 영국과 인도의 식민지 작가 모두 그 렌즈를 필요로 한다는 것을 표현했다는 것이다. 기차를 이해하는 믿을 수 있는 인도인을 보여 주는 이미지와 힌두 신화를 통해 그 신기술을 해석하는 여행기는 식민지 작가와 예술가들이 어떻게 철도의 재현에서 그 차이를 틀지어 인도의 겉보기에 절대적인 차이를 관리했는지를 보여 준다.

요약하자면, 식민 작가들은 인도의 차이를 극복할 수단으로 기차를 홍보하면서도 인도의 차이를 유지해야 했다. 그들이 했던 한 가지 방법은, 인도인이 철도와 처음 접촉하는 장면을 의식화하는 것이었다. 그들은 이 새로운 기술의 시작을 합리적인 과정이 아닌 초월에 기반한 과정으로 보여 주었다. 이는 기계가 합리성의 상징이었기 때문에 아이러니하다. 식민지 시대 작가들과 예술가들은 이 경이로운 경험을 힌두교에 연결시켰고, 그 기술을 힌두교의 신화로 번역했다. 그들은 유럽 기술의 아이디어를 신비한 힘이 있는 것으로 강화하는 인도의 글을 선택적으로 재현했다. 식민 작가와 예술가들이 기술을 보편화하면서까지 타자성을 보존하고자 했던 한 가지 이유는 상상력에 대한 차이의 중심성 때문이었다. 이 장의 시작부터 식민적 상상력은 "합리적인 세포"의 고립이 아니라 그 세포와 외부의 "다른" 인도의 관계에 의존한다는 것을 상기하라. 다음 절은 어떻게 문학이 식민적 맥락에서 보편적이고 고립되고 이성적인 유토피아와 특수하고 육체적이며 종종 숭고한 차이에 대한 이러한 경쟁 서사를 협상하는 방법이 되는지를 보여 준다.

사람이 사는 근대성: 러디어드 키플링과 플로라 애니 스틸

러디어드 키플링과 플로라 애니 스틸은 인도의 19세기 후반과 20세기 초 식민지 시대의 가장 유명한 유럽인 작가였다. 그들이 철도를 묘사한 것은 기술의 이야기를 숭고한 경험으로 되뇌임으로써 기차에 대한 "원주민의" 반응을 나타내고자 경이의 담론을 사용한 초기 이미지의 연장선으로 볼 수 있다. 이 예술가들과 작가들처럼, 키플링과 스틸은 철도에 대한 이미지의 차이를 묘사하려고 노력했다. 그 과정에서 그들은 그 차이를 식민지 근대성 개념에 통합했다. 그 결과, 영국의 확장이자 타자성을 표현하는 장소인 이중 공간으로서 인도의 식민지 근대성 이미지가 탄생했다. 인도 민족주의자들 역시 동시에 식민지 근대화 프로젝트를 그들만의 용어로 다시 썼지만, 내가 2장 키플링과 스틸 부분에서 고려하는 프로젝트는 식민 지배를 옹호하는 사람들과 같은 과정에 접근했다. 그들의 허구적 작품에서 철도는 미셸 푸코가 "헤테로토피아heterotopia"라고 부른, 즉 "문화 속에서 찾을 수 있는 다른 모든 실제 장소가 동시에 재현되고, 경쟁하고, 반전되는"[43] "반–장소counter-site"로서 기능한다.

키플링에 대한 에드워드 사이드Edward Said의 연구는 식민 근대성에 대한 문학 작가의 이중 공간을 역사화하는 데 도움을 준다. 사이드는 1901년의 키플링을 그가 "경쟁하는 진실"이라고 부른 것 안에 위치시킨다. 한편 키플링은 "경제, 기능, 역사가 자연의 가상적 사실의 지위를 획득한 거대한 식민 체제의 관점에서" 쓰고 있었다. 민·군사 관보의 저널리스트로서 키플링은 영국의 식민 청중을 위해 인도의 토목공학 프로젝트를 면밀히 추적했다. 그가 해외에 보낸 서한, 정치 논평, 허구적 저술에서, 그는 이러한 공공사업을 홍보했고, 개발 측면에서 식민주의를 정당화하는 기술적 수사학에 기여했다. 반면에 사이드는 키플링이 영국인과 인도인의 관계가 변화하고 탈식민화 운동이 힘을 얻고 있던 특정한 역사적 순간에 글을 썼다고 주장한다.[44]

단편소설 〈다리 건설자들〉에서, 키플링의 몇몇 등장인물들은 1886년 인도국민회의Indian National Congress 의장 다다바이 나오로지 같은 19세기 후반 인도 민족주의자의 입장을 취한다. 키플링은 나오로지와 다른 사람들의 철도에 대한 주장을 재생산하고, 궁극적으로는 생략한다. 아이러니하게도, 키플링은 '배수이론drain theory'으로 알려진 역사적 유물론 비판을 힌두 신화의 이미지를 통해 묘사한다. 이 이론은 철도 건설을 포함한 식민지 상업, 농업, 기반 시설 관행이 인도인들을 경제적으로 돕기보다는 오히려 방해했다고 주장하는 19세기 후반 민족주의자들 사이에서 다년간 추진된 이론이다. 따라서 키플링은 민족주의의 새로운 목소리를 친숙한 차이의 구조 속으로 밀어넣는다. 소설《킴Kim》에서 키플링은 기차를 근대성의 더 큰 구조 안에서 다수의 인도를 규정하는 틀로 사용한다. 그러나 두 작품 모두에서, 차이 개념은 궁극적으로 질서의 이상에 문제를 일으킨다.

〈다리 건설자들〉은 식민지 시대 기술 서사의 모순을 묘사한다. 키플링은 1893년《런던 일러스트레이티드 뉴스》에 라호르에 기반을 둔 민·군사 관보의 다리 공사에 관한 두 개의 기사를 쓴 지 6년 만에 이 이야기를 발표했다. 그리고 1897년 전집《그날의 작품The Day's Work》에서 재출판되었다. 이 이야기는 키플링이 제국의 정당화 세력으로 근대 기술의 힘을 믿었다는 증거로 읽혔다. 예를 들어, 기안 프라카시Gyan Prakash는 다음과 같이 주장한다. "키플링의 단편은 인도의 제멋대로인 자연과 신화적 문화에 대한 이성의 승리를 묘사한다."[45] 그러나 〈다리 건설자들〉은 이러한 주장이 제시하는 것보다 더 복잡하고 양가적이다.

이야기 전반에 걸쳐 키플링은 기술의 본질을 탐구하고자 대화식 서사를 사용해 진보에 대한 주인공의 비전에 반대하는 반근대화, 심지어 반식민주의, 수사학뿐만 아니라 진보적 입장을 분명히 한다. 이 이야기에서, 영국의 철도 기술자인 핀들레이슨은 새로운 기술의 장점에 대해 토론하는 몇몇 힌두 신들을 만난다. 핀들레이슨은 완공을 눈앞에 둔 궁가(갱가/갠지스)강을 가로지르는 철교 건설로 소모되고 있다. 그 엔지니어의 초기 관점은 과학 제국의 과시로서 다리를 제공한다. "모든 것의 이면에는 카시 다리Kashi Bridge의 검은 틀이 솟아 있었다. 판마다, 대들보마다, 경간徑間마다."[46] 그러나 공학의 식민지적 위업을 자명하고 우월하게 제시하는 개발의 수사학과는 달리, 영국 기술의 숙달은 인도인들이 그들의 문화적 측면(혹은 키플링 버전의)에서 토론하는 이야기로 확립되어야 한다. 힌두교 담론을 통해 기차를 제시했지만 경외감보다는 비판적인 견해를 제공했던 여행작가들처럼, 키플링은 인도의 목소리를 가정해 발전을 비판한다. 저자는 힌두교의 신비한 비전을 아편의 꿈과 동일시함으로써 유럽인의 시각 속에 '인도의' 문화관을 담는다. 장마로 물이 차오르면, 핀들레이슨의 걱정 많은 인도인 조력자인 페루는 그의 걱정을 덜어 주고자 아편을 제공한다. 그 영국인은 배 한 척을 구하기 위해 환각적인 탐구에 나서 버려진 힌두 사원이 있는 섬을 향해 해변으로 떠내려간다. 키플링은 앞서 페루가 말한, 갠지스강에서 죽은 사람들은 신들에게로 간다는 생각을 다룬다. 그 기술자는 자신이 동물 형태로 신들이 살고 있는 땅에 있는 것을 발견하면서 "어머니 궁가"의 세계로 밀려난다.

신들은 풀이 웃자란 섬에 모여 철도의 장점에 대해 토론한다. 처음에는 회의적이었지만, 지지벽 사이에 갇힌 어머니 궁가, 감시탑 앞에 놓인 그녀의 굴욕감, 질병에 걸린 일꾼들의 시체들로 인한 그녀의 오염, 영국 노동자들에 의한 그 거룩함에 대한 조롱을 비난한다. 인도의 목소리(힌두교 신들과 동일시됨)를 가정하여, 서사는 환경 파괴와 착취 노동을 포함한 개발의 부산물을 비판한다. 또한 위험한 철도 건설로 경제적 이득을 얻는 영국인들을 규탄한다. 가네슈 신은 다음과 같이 말한다. "내가, 전등 불빛으로 그들의 어깨 너머로 바라보는 것은, 책 속의 이름들이 먼 곳에 있는 사람들의 이름이라. 모든 마을이 화차에 매여 함께 끌리고, 돈은 빠르게 오가고, 회계장부는 나만큼 뚱뚱하기 때문이다."[47] 키플링은 영국과 인도가 불균등한 경제 관계에 묶여 있는 광범위한 상황을 "화차에 매여 함께 끌린다"고 묘사한다.

신들의 집단을 통해 철도 건설에 반대하는 정치적 · 사회적 · 경제적 주장을 펼친 후, 키플링은 이전된 기술의 "원주민" 지지자들을 포함하도록 대화 서사를 확장한다. 가네슈는 다른 신들에게 "화차"의 출현 이후 신사에 참석하는 순례자들의 왕래가 증가했음을 상기시킨다. 원숭이 신 하누만은 말한다. "그들은 그들 신의 이름을 약간만 바꿀 것이다. … 사랑하는 여러분, 그들은 우리가 수천 번 본 이름을 바꾸는 것 외에는 아무것도 하지 않을 것이다."[48] 여기서 신들은 철도 세계를 시간을 초월한 세계의 연속체로 보자고 제안하고, 그 변화는 "천 번" 새것으로 가장하여 옛것을 재구성하는 일련의 변화의 일부로 일어나는 변화라고 말한다. 자신의 목적을 위해 철도를 주장하는 신들을 위한 장을 제공함으로써, 키플링은《킴Kim》에서 그의 재현을 기대하는 방식으로 유럽의 기술 개념을 복잡하게 만든다.

키플링은 가장 인간적이고 동정적인 신으로 만든 크리슈나에게 마지막 말을 하게 한다. 크리슈나는 다음과 같이 경고한다. "위대한 왕들이여, 종말의 시작은 이미 탄생했다. 화차들은 새로운 이름으로 옛 신이 아닌 새로운 신의 이름을 외친다."[49] 화차가 새로운 이름을 가진 신이 아닌 새로운 신을 불러올 것이라는 크리슈나의 생각은 철도가 가져온 변화가 인도 사회에서 구·신 사회 파열을 불러올 것이라는 생각을 대변한다. 신은 이전 세계를 시대착오적인 것으로 여기기 때문에 이 단절을 시간으로의 시작이라고 보고, 그렇게 함으로써 크리슈나는 근대성의 수사학에 중심적인 변형 개념을 분명히 한다. 따라서 키플링은 식민지 영역 내에서 기술 논쟁을 복화술로 말하며, 인도 신들의 입에 근대성의 출현에 대한 논쟁을 집어넣는다. 그는 의사결정을 집단적 주체, 즉 인도를 대표하는 신들의 모임으로 재지정하며, 이 집단은 자체적으로 기술을 주장한다.

이 대화식 서사의 전복적 가능성은 몇 가지 논쟁의 대상이 되어 왔다. 조레 설리번Zohreh Sullivan은 1880년대와 1890년대에 씌어진 키플링의 작품에 〈다리 건설자들〉을 배치했는데, 이 작품은 영국 식민지로서의 인도의 잠재적 상실에 시달리고 있었다.[50] 설리번은 1880년대에 키플링이 일관되게 제국 권력의 가장자리에서 끌어낸 화자, 즉 제국 권력과 일종의 대화를 만든 화자에게 권한을 할당했다고 지적한다. 그러나 설리번에 따르면, 저자의 대화는 권위의 위치에서 구성되기 때문에 필연적으로 제한적이다[51]. 저자로서의 키플링의 목소리는 이 권위의 한 측면을 나타낸다. 그는 또한 권력의 더 넓은 시스템 안에서 말했다. 내가 언급했듯이 키플링의 신들은 나오로지와 같은 작가들이 1893년까지 있었던 실제 시위를 다시 재현한다. 2장에서 더 자세히 논의하는 대로, 영국이 철도로 인도를 낙후시켰다고 주장하는 이 '배수이론가'들은 역사적 · 물질적 · 학문적 전통 안에서 일하고 있었다. 〈다리 건설자들〉에서 키플링은 이 반식민주의적 비판의 목소리를 인정한다. 단지 인도를 종교와 동일시하고 궁극적으로 인도를 비실체적인 곳으로 만드는 오리엔탈리즘적 제국 담론 안에서 그 목소리를 구속하는 것에 불과하다.

이 이야기에 대한 비판을 간단히 살펴보면 인도의 개념과 기술 진보 서사의 봉합이라는 의미에 대한 일반적인 합의를 보여 준다. 베니타 패리Benita Parry는 키플링의 전통적 인도에서 나타나는 구성된 자연에 초점을 맞춘 통찰력 있는 독서에서 이 이야기의 이중적 세계를 언급한다. 그녀는 초월적 인도라는 저자 비전의 이정표로 〈다리 건설자들〉을 꼽는다. "이 알레고리를 통해 키플링은 신화나 전설에서 상상할 수 있는 인도의 독특한 정체성을 가장 완벽하게 환기시킨다."[52] 패리는 이 다리를 영국인에서 인도인으로 이동한 사상의 경로이자 유한과 무한의 전환을 나타내는 은유로 본다. 페루는 다리를 "서양의 과학은 받아들였지만 그 윤리나 이성의 전능에 대한 적극적인 확신을 받아들이지 않은"[53] 인물로 의인화한다. 패리는 키플링이 철교를 이용하여 영국과 인도의 문화적 가치가 부여된 이성적이고 형이상학적인 반대 현실을 재현한다고 제안한다. 라비 아후자Ravi Ahuja는 키플링에 대해 약간 다른 용어로 비슷한 점을 언급하며, 키플링이 "사회적 '이성'과 '진보'가 아닌 기술적 전파에 주로 관심이 있다"[54]고 지적한다. 다시 말해, 페루는 서양 과학의 틀 안에 놓여 있지만 문화적 차이에 근거하여 그 인식론을 거부할 수 있다.

이러한 해석은 영국 기술 서사의 양가적 성격보다는 키플링의 전통적인 인도의 구성적 특성에 초점을 맞추지만, 키플링의 재현은 이 이분법의 양면에서 모순을 암시한다. 비록 목적론적인 진보의 서술이 이야기를 마무리하지만, 전체적으로 재현은 그 재현과 두 세계의 반전에서 더 많은 복잡성을 제공한다. 이야기에서 비물질화되는 것은 인도 신화 세계뿐만 아니라 비전이 되는 다리이기도 하다. 핀들레이슨은 환각에서 "어딘가 밤중에 다리를 건설했는데, 그것은 엄청난 수준의 빛나는 바다를 가로지르는 다리였다"[55]고 기억한다. 기술 발전의 공간이 꿈이 되고 신들의 신성한 비전이 현실이 되면서 키플링은 현실과 상상력을 뒤집는다. 여기에서 저자는 숭고한 변혁 과정에 의존하는 진보 서사의 환상적인 측면을 강조한다. 바로 제국주의적 근대성이야말로 바다 수준에 걸쳐 있는 신비한 꿈이다. 〈다리 건설자들〉에서 키플링은 신성한 것과 세속적인 것, 꿈과 현실, 전통과 현대라는 이원적인 대립을 통해 그의 이야기의 명백한 이데올로기적 매개체를 형성하는 선형적 경로를 해체한다. 그는 8년 후 소설 《킴》에서 이 이중 공간을 정교하게 묘사한다.

1901년 출간된 《킴》에서는 열차의 공공공간이 인도인들이 문자 그대로, 상징적으로 식민 질서를 접하는 상징적 진입점으로 기능한다. 키플링은 영국인과 인도인의 세계와 이들의 관계의 지도를 그리는 데 서사 공간을 사용한다. 기차 공간에서 두 세계가 교차하며 등장인물들이 "티-레인te-rain"[56]이라고 부르는 혼종 공간을 만들어 낸다. 소설의 지리는 키플링이 궁극적으로 "진짜 인도"와 연관시킨 불연속적인 공간적 현실로 이동하기 전에 잠시 철도의 궤도를 따라간다. 소설이 진행되는 동안 킴ₖᵢₘ은 열차를 이용해 중요한 장소에서 다음 장소로 이동하는 과정을 반복하는데, 열차 안 장면 자체가 이야기 전개의 핵심이다. 킴과 라마가 후원자를 확보할 때, 경찰관들이 마흐부브 알리의 추적자를 붙잡을 때, 킴이 E.23 요원의 위장을 도울 때 등이 그 예이다.[57] 키플링은 철도 공간의 재현을 사용하여 신체적·가정적, 무엇보다도 종교적인 공간을 묘사하고 포함시킴으로써 종교적·육체적 정체성과 정부의 세속적 공간 재현을 융합한 공공공간의 다른 이미지를 생산한다.

《킴》에서 키플링은 철도(기차, 선로 및 주변 지역)를 정부 질서의 공간으로 설정하는데, 이는 질서 있는 정부 공간으로서 철도를 제도화하고 촉진할 방법을 모색한 달루지 경의 비전을 떠올리게 하는 재현이다. 영국 군인과 철도 근로자들은 항상 열차에 가까이 있고 열차의 운영을 감독한다. 첩보원 마흐부브 알리는 자신을 위협하는 두 명의 암살 용의자들을 떼어 내고자, 영국 관리들이 항상 기차 근처에 있다는 지식을 이용해 영국 교통 관리에게 그 남자들이 철도 상점에서 곡식을 훔치고 있다고 말한다.[58] 키플링에게 기차에 있는 영국인은 안전을 의미한다. 킴은 최근에 두들겨 맞은 적이 있는 비밀요원 E.23을 "적어도 티-레인 안에서는 안전하다"[59]고 안심시킨다. 실제로 E.23은 기차에 탑승한 영국 군인과 함께 안전을 찾는다. 그러나 열차와 관련된 보안은 군인들의 물리적 존재에만 국한되지 않는다. 킴은 E.23이 열차 귀퉁이에서 얻어맞았다는 것을 믿을 수 없었다. 이는 당시 대부분의 사람들이 철도 시스템을 더 넓은 식민 질서의 상징으로 이해했음을 시사한다.

철도의 공간은 키플링이 인도 사람들과 국가의 관계를 정교화하는 방법을 제공한다. 주인공 킴과 머뭇거리는 티베트인 라마 친구가 움발라행 기차를 타고 장소를 물색할 때 시크교도 인물은 이렇게 외친다. "두려워하지 마라. 나는 티-레인이 무서웠던 때를 기억한다. 들어가라! 이건 정부의 일이다."[60] 그 보증은 식민 정부 프로젝트의 안전성에 대한 공동의 믿음과 그 약속의 구현으로서 철도에 놓여 있다. 키플링은 시크교도의 목소리를 통해 영국 인도 통치의 공동 지배권을 환기시킴으로써 인도 승객들 사이에 공통의 주관성을 불러일으켰다.

차이를 극복할 방법으로 기차를 홍보했던 최초의 글들을 반영하여 키플링은 카스트 금지를 극복한 철도 공간을 묘사한다. 티베트 라마가 3등석 객차에 올라 자리를 제공받자, 그는 "의자에 앉는 것은 규칙에 어긋난다"고 항의했고, 이에 대해 대부업자는 "이런 티-레인이 우리를 망가뜨리지 않게 하는 올바른 삶의 규칙은 단 한 가지도 없다. 예를 들어 우리는 모든 카스트 사람들과 나란히 앉는다"[61]고 답한다.

키플링은 객차를 식민 질서의 장소로 내세우지만, 합리적 유토피아로서의 기술 이상에 도전하고 문화적이고 이념적으로 혼합된 공간을 만드는 다른 방법도 있다. 키플링은 기차를 지역 공간인 "티-레인"[62]으로 묘사한다. 키플링의 철도 공간은 인도의 다양한 지역, 종교, 직업, 계급, 민족을 통합한다. 이 열차에는 힌두교 자트, 암리차르 출신의 매춘부, 펀자브 군인, 시크교 장인, 그리고 인도에 정착한 외지인 앵글로인도인 킴, 티베트 라마 등이 타고 있다. 더욱이 저자는 실내 공간을 "바른 생활 규칙(들)"이 모두 깨져야 하는 공간이라고 소개하지만, 뒤이어 객차 안에서 저녁과 아침을 묘사한 부분은 문화적 특수성으로 변형된 공간을 드러낸다. 객차에 탑승한 승객들은 아침 식사를 준비하고 파이프를 피우며 판(각성제나 소화제로서 씹은 구장 나무잎과 향신료로 만든 것)을 씹으며 "침 뱉고 기침하고 즐거워"[63]하고 기도하며 일상과 몸의 의식을 행한다. 그들은 공간을 길들여 거주함으로써 합리적인 유토피아를 다시 만든다. 티-레인에서 라마는 넋이 나간 청중에게 설교하기 시작한다. 키플링의 소리 재현은 이 공간의 혼종성을 시사한다. "염주"를 달각거리는 불교 주문의 박자가 기차의 덜커덕거림과 겹쳐지고, 세속적으로 보이는 철도 공간도 성스러운 공간이 된다. 그러나 키플링은 이러한 변환의 한계를 제시한다. 결국, 구루는 궁극적으로 기차나 심지어 티-레인에도 통합될 수 없으며, 걸어서 출발해야 한다. "정부의 일"이라는 기계 합주곡 연주단은 이러한 혼종 공간 구성을 둘러싸고 변화 가능한 공간의 경계를 표시한다.

키플링은 열차의 상징적인 용도를 킴의 성격 묘사로까지 확장시킨다. 주인공의 몸은 이성적인 유토피아와 인도의 차이가 수렴되는 장소가 된다. 소설의 마지막 페이지에서 킴은 다음과 같이 묻는다.

"나는 킴이다. 그리고 킴은 무엇인가?"[64] 그는 소설을 특징짓는 실존적 탐색을 계속한다. 다시 한 번, 중요한 장면에 기차가 등장한다. 킴은 자신의 질문에 부추겨진 눈물과 싸우며, "거의 찰칵하는 소리와 함께 자기 존재의 바퀴가 없는 세계에 새로 고정되는 것을 느꼈다. 눈알에 무의미하게 달려 있던 것들이 순식간에 적절한 비율로 미끄러졌다."[65] 키플링은 킴의 존재를 외부 세계의 선로에 있는 열차 객차로 바꾼다. 열차의 상징인 열차로서의 자아는 지금까지 킴의 많은 행동을 이끌었던 "의미 없는" 눈물의 흐름인 감정을 대신한다. "킴이 누구인가?"는 질문으로 구체화된 실존적 자아 탐색은 철도의 구조 안에서 의미를 찾으며 "적절한 비율로 미끄러졌다." 바로 직후, 이 현현은 킴을 지구와 현상학적으로 연결시킨다. "그는 그것을 발가락 사이로 느끼고, 손바닥으로 두드리고, 관절을 잇고, 흐뭇롭게 한숨을 쉬며 나무로 고정된 수레의 그림자를 따라 길게 눕는다."[66] 선로에 오른 킴은 그 밑의 흙과 하나가 되면서 인도 전체를 스스로 움켜쥐는 "영구적 길permanent way"(철도 용어)의 일부가 된다. 이 장면을 단순히 열차를 모방해 인도를 동화시키는 승리의 서사 이상으로 이해하는 열쇠는 킴이라는 캐릭터의 혼종성을 인식하는 데 있다. 킴은 인도인 간호사 밑에서 자랐고, 인도인으로 통했지만 나중에 아일랜드 군인 아버지가 있다는 것을 알게 된다. 바트 무어-길버트Bart Moore-Gilbert는 킴이라는 인물을 두 문화 사이에 있는 인물로 표현하며, 식민지적 맥락에서 다음과 같은 적절한 통찰력을 제공한다. "혼종성은 영국이 인도를 지속적으로 통제하는 열쇠 같지만, 혼종성은 물론 영국 정체성의 본질적인 우월성은 말할 것도 없고 본질적인 개념에 근거해 권위에 대한 모든 주장을 약화시킨다."[67] 키플링은 철도 공간을 혼종 공간으로 재구성하면서 식민지 기술 서사의 일관성에 도전한다.

플로라 애니 스틸의 1897년 단편 〈영구적 방식으로In the Permanent Way〉에서도 철도는 식민지 작가의 관점에서 바라본 전통적인 인도와 식민 국가의 이데올로기를 봉합하는 양가적인 대상으로 등장한다. 스틸은 널리 읽힌 식민 작가이자 소설가로, 인도의 시골 생활 경험과 여성 문제에 대한 관심으로 키플링의 관점과는 현저하게 다른 관점을 갖게 되었다. 그러나 키플링에게 그랬던 것처럼, 철도는 〈영구적 방식으로〉를 포함한 그녀의 몇몇 이야기에서 지배적인 비유를 형성한다. 이 이야기에서 스틸은 열차의 이미지를 이용하여 기술 발전을 통한 정복과 인도의 저항을 모두 나타낸다. 영국인은 "태양계 전체를 직선으로 긋고 작은 붉은 깃발을 설치함으로써"[68] 이를 제국적이고 경험적인 질서로 입력하면서 공간을 도표화하고 있다. 인도의 저항은 모래 언덕에서 명상을 하며 측량관의 길에서 움직이기를 거부하는 "힌두교 성자"[69]의 모습으로 재현된다. 이 구루guru는 "영구적인 방식으로" 철도 이름을 사용한 말장난이다. 스틸은 이를 식민 국가가 자신들이 선로를 깔고 있는 땅을 어떻게 보고 있는지를 드러내는 데 사용한다. 이 구루를 옮길 수 없자, 측량관은 이 구루를 측량 표시로 바꾸어 상징적인 공간 지도 제작을 요청한다.

이 이야기는 명상하는 사람과 수석 측량관 크래독의 관계를 발전시킨다. 철도 선로가 깔리자, 크래독은 이 인도인을 위로 몇 피트 내려놓음으로써 이 문제를 해결한다. 그는 같은 노선의 운전사가 되어서도 이 연습을 계속한다. 독자에게 주어진 유일한 관점인 영국인의 입장에서 볼 때 두 사람은 보이지 않는 친밀한 관계를 맺는다. 어둠 속에서 기차를 운전할 때조차, 크래독은 본능적으로 선로 위 구루가 정확히 철로 위 어디에 앉아 있는지 안다. 이동하는 남성이 "이상하게 묶여 있는"[70] "멈춰 있는 것"과의 관계는 궁극적으로 영국인의 죽음을 초래한다. 크래독이 술을 너무 많이 마신 밤, 그의 친구가 운전을 대신한다. 보이지 않는 결속은 크래독이 갑자기 멍한 상태에서 깨어나 열차에서 선로로 달려와 다가오는 열차에서 인도인을 구하게 한다. 두 사람이 기차에 치여 죽는 이 이야기의 결론은 대제국 프로젝트에 관한 한 인도인과 유럽인의 관계에서 특정 운명, 즉 인도인만큼이나 영국인에게도 치명적인 관계를 암시한다.

스틸은 기차를 이용해 영국인 측량관과 인도인 "표식"의 관계를 제시하며, 식민 기술 질서와 그 서사에 내재된 차별화된 인도의 관계를 읽는 방법을 제공한다. 이야기의 끝에서, 두 남자의 정체성은 혼란스러워진다. "기차 한 대가 서로의 품에 안겨 있는 두 남자를 지나칠 때, 그것은 어려워요, 구별하기 어렵습니다. 음, 어느 쪽이 시버스-마르타 데이비이고, 어느 쪽이 위시유 럭스미Whishyou Lucksmi인지도 알 수 없습니다." 이는 크래독이 구루와 자기 자신을 혼동하는 대목이다.[71] 영국인과 인도인의 혼종된 시체는 인도와 유럽을 융합한 인물인 킴이 자신의 몸을 철도로 상상하는 마지막 구절을 떠올리게 한다. 스틸은 이 변증법적인 문화적 관계를 기념비 이미지와 함께 철도에 대한 그녀의 비전에 포함시킨다. 선로에 놓인 매끄러운 치장 벽토 두 칸, 수직으로 놓인 타원형의 검은 돌, 그리고 그 위에 놓인 직각의 둥근 보라색 돌. 이 두 개의 돌은 대립되는 친밀한 관계에 갇혀 살았던 인도인 구루와 영국 철도청 직원의 사망 장소를 나타낸다. "제단"[72]은 "영구적인 길"[73]에 있으며, 화자의 선로 카트가 분해되어 그들 주위를 돌아야 하기 때문에 인도의 저항은 기술 발전으로서의 식민지 근대성 서사 자체로 구조화된다.

식민지 철도의 유산들

스틸의 이야기에서, 정지해 있는 구루로 대표되는 인도의 부동성은 궁극적으로 근대성의 지배적인 식민지 서사에 대한 가장 큰 도전을 제기한다. 모빌리티는 결국 열차의 주요 기능이다. 그것은 또한 그 이상을 양도할 수 있는 능력으로 스스로를 정당화하는 식민 권력의 근거이기도 하다. 철도로 여행하면서 키플링이나 스틸을 읽는 유럽인들에게 상상의 철도 공간은 인도와의 관계를 풀어낼 수 있는 일종의 극장 같았다. 사실, 공간 자체가 공적인 영역은 물론이고 문학적·시각적 텍스트에서도 이러한 관계를 보여 주는 역동적인 표현이 되었다. 이 공간은 식민 지배 질서를 반영하는 이성적인 유토피아를 구체화한 공간이었다. 그것은 사회개혁 모델이자 수단이었다. 철도를 무대로 한 키플링과 스틸의 작품들은 공공공간이 다르게 보이는 인도의 정교함과 억제가 일어나는 장소가 된 더 넓은 문화적 담론에 대한 문학적 대응물을 제공한다. 이 작가들은 인도에서 기술, 특히 열차에 대한 이야기를 자와할랄 네루Jawaharlal Nehru가지도한 독립국가 건설에 중요한 이야기로 남겼다. 즉, 기차의 이미지를 이용해 차이를 새기는 과정에서 그들은 인도 내 기술 공간의 모순을 정교화했다. 게다가 이 담론은 유럽인과 인도인, 공공과 민간을 구분하는 선을 그으면서도, 철도 공간이 종교적이든 국내적이든 육체적이든 정체성으로 포화 상태에 이른 것으로 제시했다. 식민지 작가와 예술가들은 문화적 차이를 식민지 근대성 개념에 기록했다. 기술 공간의 표현을 통해, 그들은 근대성에 대한 초기 반론을 만들어 냈고, 급진적으로 다른 정치적 이해에 봉사할 근대성의 후기 버전으로 움직이는 상자의 문을 열었다.

2장

제국의 기계

: 기술과 탈식민화

1854년 영어로 발간되는 캘커타 언론지인《벵골 후르카루와 인도 가제트Bengal Hurkaru and India Gazette》에 실린 기사에 후글리로 기차를 타고 간 학자의 여행담이 소개되었다. "그러나 그는 돌아오는 여정은 거부했다. 왜냐하면 화차를 너무 많이 타는 것은 시간과 공간을 없애고 다른 모든 여정의 길이를 단축시키기 때문에 수명을 단축시키는 것으로 계산되기 때문이라고 했다. 화차가 인간 삶의 여정이라고 단축시키지 못할까?"[1]

인도인에 대한 이러한 비판은 대부분의 영국인들에 의해 "구식 힌두교도"[2]의 걱정으로 일축되었지만, 이는 기술중심적인 근대성의 가치에 대한 사회학적, 심지어 존재론적 비판을 제시했다. 빅토리아 시대의 상상력은 철도의 "시간과 공간의 해방"을 효율적인 기계를 모델로 한 근대 의식의 패러다임으로 예고했다. 그러나 1879년 초, 한 식민지 관리는 "영국의 인도 통치는 그 성격상 너무 딱딱하고 기계적"이라며, "대중에게 영국 관리는 단순히 수수께끼 … 살인할 수 있고 세금을 부과하고 투옥할 수 있는 힘을 가진 기계 부품"[3]일 뿐이라고 경고했다. 이 관리의 발언은 철도를 생산한 과학을 이상화했던 지배적 식민 담론과는 확연히 달랐다. 그 담론은 기차를 영국이 인도에 주는 영원한 선물이 될 보편적인 이성적 유토피아의 상징이자 대부분의 식민 작가들이 인도의 환원할 수 없을 만큼 다른 문화로 여기는 것을 표현하고 포함하는 장소로 지정했다. 그러나 그 차이의 공간에서 나온 목소리는 기차의 지배 서사, 나아가 식민주의 문화에 도전했다.

작가들은 철도의 식민 담론에 두 가지 유형의 도전을 제기한다. 한 집단은 인도에서 철도 시행의 정의에 의문을 제기했다. 두 번째 집단은 기계의 패러다임에 기초한 근대의식을 비난했다. 기계에 대한 이러한 다양한 유형의 도전은 정치적 스펙트럼에서 갈라져 나올 수 있는 다양한 작가 배열을 포함하는 양쪽 지성 집단을 포함하는 분할선을 표시한다. 여기서 대략 "사회비평가"[4]라고 불리는 첫 번째 집단은 계몽주의 이후의 이론적 틀 안에서 작업했다. 인도 민족주의자와 진보적인 영국 언론인, 자선가, 식민지 관리들로 구성된 이 집단의 개인들은 "배수이론"으로 알려진 저개발에 대한 비판과 기근, 환경, 노동, 인종차별에 대한 공개 토론을 포함하여 정치적·사회적·경제적 비판 담론을 통해 인도 철도의 역사를 서술했다. 이 집단은 비평가 마누 고스와미Manu Goswami가 표현했듯, 철도의 관점에서 식민지의 존재를 정당화하는 기술 담론에 맞서는 "정치경제의 반항적인 문법"[5]을 만들어 냈다.

이와는 대조적으로, 두 번째 집단은 도덕적인 토대 위에서 계몽주의의 이론적 틀, 특히 과학에 대한 헌신에 도전했다. 그들은 급진적인 개혁운동을 위해 인도의 전통, 특히 힌두교의 특정 버전에 눈을 돌렸다. 정신적인 정치 지도자 스와미 비베카난다Swami Vivekananda(나렌드라나트 다타Narendranath Datta), 오로빈도 고스Aurobindo Ghose, 모한다스 간디, 문학 작가 라빈드라나트 타고르에게 이 기계는 영국인이 배양한 해방의 상징이 아니라 영국 통치 방식의 강력한 상징으로 작용했다. 그들 사이에도 몇 가지 중요한 정치적 차이가 있었다. 예를 들어, 타고르는 민족주의의 권위주의적 성격에 반대했고, 민족주 운동 방법을 놓고 간디와 공개적으로 논쟁했다. 그러나 하나의 집단으로서 이 "정신주의자들"은 문화적으로 소외되고 도덕적으로 타락한 양상을 나타내는 것으로 철도에 초점을 맞췄다. 그들은 영국에는 기계의 영혼이 있다고 주장했다. 서로 다른 인식론적 틀을 사용하여 사회비평가와 정신주의자들은 인도를 해방시킬 수단으로 기차를 끌어올리고, 그 과정에서 식민주의 자체에 도전하는 지배적인 식민 서사에 맞섰다.

사회비평가들

일찍이 1860년대, 1920년대의 더 급진적인 민족주의 정치를 통해 사회비평가들은 식민주의가 제시한 경제적 문제를 기록했다. 그들의 글에 따르면, 식민지 정책은 생계형 농업에서 상업농업으로의 변화를 강요했고, 전통적인 산업을 파괴하여 수입의 길을 만들고, 불공정한 사업 관행을 조장했다.[6] 이 비평가들은 또한 철도가 농민 부채 증가를 포함한 인도인들의 삶의 조건을 악화시키는 역할을 했다고 비난했다. 그들은 모빌리티를 통해 해방을 이끌어 내지 못한 철도의 실패를 열거했다. 철도가 어떻게 경제적 불평등을 조장했는지, 기근과 환경파괴를 초래했으며, 노동착취와 인종차별에 기여했는지. 이러한 실패의 기록은 기술주도 경제발전이라는 승리 서사에서는 거의 찾아볼 수 없었다. 사회비평가들은 사회적·정치적 차이를 보이는 다양한 집단이었다. 그들은 인종이 사람들의 입장을 강하게 규정하는 식민지적 맥락에서 서로 다른 문화적 · 정치적 · 경제적 위치에서 글을 쓴 인도와 영국인을 모두 포함했다. 같은 편인 식민 분단 작가들 사이에도 차이가 있었다. 인도 작가들은 식민지 개혁에서 민족주의에 이르는 다양한 운동에 참여했다. 영국 작가들은 급진적인 언론인과 보수적이지만 좌절감을 느낀 식민지 관리들로 구성된 다양한 집단이었다. 이 사회비평가 집단 내의 사람들은 국내외적으로 다른 독자들을 가지고 있었다. 그들은 연설과 논문을 쓰고, 저널 기사를 쓰고, 편집자에게 편지를 보내면서 각기 다른 장르로 시위를 기록했다. 그러나 이러한 차이점에 주목하더라도, 이들은 모두 경제와 시민 통치 및 사회 토론을 통해 정의를 설명하고자 진보의 식민 서사 방향을 조정한 사회비평가 집단으로 볼 수 있다.

철도에 대한 비판적인 재현에서, 사회비평가들은 진보와 자유의 상징으로 기술의 지배적인 식민 조치들을 우회했다. 이들은 철도의 이미지를 노예화, 갈취, 사별, 굴욕의 상징으로 사용하여 기차의 이미지를 변경시켰다. 먼저, 그들은 기차가 그 이름으로 이루어진 약속을 얼마나 잘 지켰는지 의문을 제기했다. 두 번째로 보편적인 진보의 수사학을 문제 삼았다. 인도 근로자들이 철도를 건설한 경험이 있었기 때문에 이 발전을 위해 어떤 대가를 지불했는지를 잘 알았다. 세 번째로, 비평가들은 이 기술이 평가되는 조건을 변경했다. 1853년 달루지 경의 전략적인 "각서"에서부터 1877년 줄런드 댄버스의 철도 행정 방어에 이르기까지, 19세기 중후반 식민 작가들의 공식 서한과 간행물은 철도 건설의 수익성과 속도를 강조했다. 반면에, 사회비평가들은 철도가 인도 사람들에게 미친 영향에 주목했다. 그들의 글에는 "비용"보다 더 널리 퍼진 단어가 없었다. 그들은 경제라는 단어를 인도인의 삶의 화폐로 지불된 대가를 비난하는 인도주의적 담론으로 바꾸었다. 그리하여 식민지 존재와 비슷한 역할을 하는 철도의 이미지를 포착하여 이를 식민 사업에 도전하는 데 사용했다.

사회비평가들이 제기한 항의의 결정적인 초점은, 철도 건설이라는 관점에서 표현된 경제적 불평등이었다. 인도 사회비평가 집단 중에서도 정치경제 분석에 전념한 민족주의자 집단이 이 흐름을 주도했다. 1886년 인도국민회의 의장인 다다바이 나오로지는 연설과 편지, 수필을 통해 인도의 투자자나 소비자, 납세자보다 영국 투자자에게 유리하게 설계된 편향된 제도를 폭로했다. 나오로지는 철도에 관한 영국의 기여를 과소평가하는 것은 아니라고 전제했다. 그러나 영국의 철도 투자 조건으로는 인도 정부가 이 산업에서 이윤을 얻을 수 없는 구조라는 것이다. 초기 철도의 재정 조건에 따르면, 철도가 처음에 5퍼센트 미만의 이윤을 내면 그 부족분은 다시 세금 같은 출처로 인도인이 내는 국세 수입으로 메워야 했고, 이윤이 5퍼센트를 넘어서면 국가가 그 이윤의 절반만 받게 되어 있었다. 이에 대해 은퇴한 공무원이자 경제사학자 로메쉬 더트Romesh Dutt는 인도 철도가 차용 자본으로 건설된 전 세계의 다른 철도들과는 달라도, 그 수익(이자 및 자본 상환 제외)은 국내경제에 남아 있다고 주장했다.[7]

보증제도에서 국가 후원 건설로 전환한 1869년 이후, 인도 정부는 비용(유럽 직원들의 전체 수입 등)을 지불하고 토지를 무상으로 제공하며 "영국의 철강업체와 기관차 건설업자들에게 공공 보조금을 주는 사로잡힌 시장"[8]이었다. 이 제도 아래서는 인도는 손실만 입을 뿐 철도로 인한 이익은 하나도 발생하지 않았다. 나오로지는 다음과 같은 비판적 평가를 내놓았다.

그러므로, 그 부채의 모든 부담은 인도 국민의 어깨에 지워지는데, 그 혜택의 대부분은 영국 국민이 즐기고 떠맡는다. 그런데도 영국인들은 왜 인도가 기쁘고 감사해하지 않는지 궁금해하며 손을 든다![9]

이 대목에서 나오로지는 영국이 진보의 길로 전진할 때 짐을 지고 가는 인도를 상상하며 친숙한 인도 쿨리(막노동꾼)의 모습을 떠올린다. 그러나 인도의 부富가 철도 건설을 통해 어떻게 빠져나가고 있는지 목록화한 민족주의자들에게 이는 "인정사정없는 배수관"의 또 다른 이미지였다.

배수이론의 지지자들은 인도의 정치경제 문제를 영국 철도 투자의 초기 조건 이상에 기초한 것으로 보았다. 철도는 인도의 국가경제를 식민주의자에게 불균형적으로 이익을 주는 방식으로 변화시켰다. 심지어 산업화주의자 나오로지의 관점에서도, 인도는 대도시와 위성국가 관계가 미치는 지속적인 악영향에 초점을 맞춘 현대 용어로 철도에 의해 "저개발"되고 있었다.[10] 1888년 정치경제학자 조쉬G. V. Joshi는 철도 자체에 반대하지는 않지만, 철도의 경제적 결과가 산업 성장을 저해한다고 주장하며, "인도 같은 나라에서는 정상적인 노선(원문 강조)의 건전한 물질적 발전을 막는 경향이 있다"[11]고 비난했다. 이 경우 정상적인 것은 국내 산업의 동시적 발전일 것이다.[12] 조쉬는 철도 개발에 수반된 변화가 생산을 다른 시장으로 재조정했다고 지적했다. 인도 국내 산업은 국내시장이 아니라 해외 수요로 전환되었다. 철도 보조금에 대해 그는 이렇게 주장했다.

따라서 인도는 외국 무역업자에게 지원금을 지불하여 자국 생산자와의 경쟁을 용이하게 하고, 토지를 무상으로 제공하고, 어떤 희생을 치르더라도 매년 금으로 이자 지불이 제때 이루어지도록 국내 산업 활동에서 밀려난 원주민 제조업자와 외국 무역업자를 위한 방안을 마련해야 한다.[13]

예를 들어, 값싼 영국산 천은 봄베이–캘커타 노선이 완공된 후 수공예품 생산을 중단시켰다. 필사적인 농부들은 그동안 영국 제분업자들에게 납품할 특정한 종류의 밀을 생산하기 시작했다.[14] 민족주의자들은 철도가 가져온 변화가 일련의 해로운 변화 중 첫 번째라는 도미노 효과를 설명하고자 정치경제 분석에 초점을 맞추었다. 고스와미는 인도 철도 공간을 분석하여 "다다바이 나오로지, 마하데브 라나드Mahadev Ranade, 로메쉬 더트 등 민족주의자들이 철도를 발전의 보편적 마법기관으로 제시한 식민 담론 논리를 제국주의 착취의 특정 차량으로 재현해 뒤집었다"[15]고 했다.

일부 현대 학문이 "배수이론"의 타당성에 도전한다는 점은 주목할 만하다. 티르탄카르 로이Tirthankar Roy의 연구는 인도가 식민지 기간 동안 전반적으로 긍정적인 경제성장을 보였음을 시사한다.[16] 상업화가 인도의 전통 산업을 죽였다는 주장에 대해, 로이는 상업화가 특정 분야에 국한되었다는 점을 지적하여 차별화된 그림을 제시한다. 게다가 이러한 분야가 기존 분야와 비교했을 때 그 규모가 얼마나 큰지 평가할 방법이 없다. 따라서 느린 성장은 아대륙 전체에 걸친 결과라기보다 지역적인 것이었다. 로이는 식민지 시대에는 불평등이 지배계급 집단에서 그 소유자가 바뀔 만큼 크지는 않았다고 주장한다. 더욱이 부채는 증가했지만, 그것이 전적으로 대규모 토지 처분 때문만은 아니라고 주장한다. 철도와 관련하여, 로이는 철도가 운송비를 낮추고, 특정 작물에 대한 외국 수요를 증가시켰으며, 농작물 재배 패턴의 변화를 장려했다고 주장한다.[17] 여기서 나의 요점은 배수이론가들의 주장을 입증하거나 반박하는 것이 아니라, 19세기 후반에 존재한 근대성의 수사학을 식별하고 그것이 어떻게 기술에 대한 (영국과 인도 양쪽에) 널리 퍼진 광범위한 문화적 이해로서 기능하는지를 탐구하는 것이다. 배수이론가들은 국가 전체의 의식을 강화하면서 기술에 대한 식민 서사를 재구성했다.

정치경제에 초점을 맞춘 작가들은 일반 대중에게 철도 비용을 설명하고자 영어 언론과 인기 있는 국내 언론 둘 다로 눈을 돌렸다. 로메쉬 더트는 1903년까지 인도에서 철도를 건설하고 사용한 역사를 상세히 설명하면서 "철도의 전반적인 경제적 효과는 '이로운 것이 아니었다'"[18]고 요약했다. 인도 정치인 고칼레G. K. Gokhale는 세기가 바뀔 때 다음과 같이 썼다. "인도 사람들은 이 공사가 주로 영국인의 상업과 돈 많은 계급의 이익을 위해 이루어지며, 우리의 자원을 더 많이 이용하는 데 도움이 된다고 생각한다."[19] 지방 언론은 철도가 국가를 가난하게 하고 인도의 번영을 저해한다고 했다.[20] 힌두 민족주의자인 발 간가다르 틸라크Bal Gangadhar Tilak는 존경과 위신의 표시로 아내를 보석으로 장식하는 관습을 언급하며, 인도 철도가 영국에 준 경제적 선물을 "남의 아내를 장식하는 것"[21]이라고 했다.

철도 역사에 대한 비판적 글쓰기를 조직하면서, 인도 민족주의자들은 기차의 언어와 이미지를 재창조함으로써 식민 수사학으로 발전된 패러다임에서 기술이 차지한 상징적 중요성을 바꾸었다. 1장에서 살펴보았듯이 식민 담론에서는 철도가 진보의 매개체를 따라 이동하는 상자로 상상돼 차이를 "이성적 유토피아"로 융합했다. 민족주의자들은 의인화와 노동 이미지라는 문학적 기법을 사용하여 기차를 인도까지 오게 한 경제적 관계를 인간화했다. 그러한 노동 재현은 철도에 대한 식민지 시대의 글에서는 거의 보이지 않던 것이다.[22]

나오로지는 1887년 "인도가 현재 대접을 받고 있기 때문에 문명과 선진화,〔그리고〕진보라는 이름으로 개설된 모든 새로운 부서는 인도를 지치게 하는 부담"이라고 썼다.[23] 근대성은 변화의 수레바퀴에서 미끄러지고 있지 않았다. 그것은 인도에 의해 끌려가고 있었다. 대중 언론에서는 식민 작가 플로라 애니 스틸이 묘사한 대로 의 기양양하게 "태양계 전체를 직선으로 달리는 선로"[24]가 사회개혁가 아이어G. S. Iyer의 이미지에 나라를 묻을 수단으로 등장했다. 1901년 캘커타 신문《스테이츠맨Statesman》의 기사에서, 아이어는 다음과 같이 썼다. "이 나라에 건설된 철도의 모든 추가된 거리는 한 산업 혹은 다른 산업들의 관에 새로운 못을 박았다."[25]

배수이론에 대한 정치적·경제적 비판을 만든 작가들은 민족주의자였지만, 그들의 역사적 방법과 계몽 이후의 이론적 틀에서는 인종과 국가적 선을 넘나드는 더 넓은 지지층의 일부로 보일 수 있다. 이 광범위한 사회비평가 집단에는 진보적인 영국 작가와 개혁 지향적인 인도인들이 포함되었고, 인도 민족주의자들은 19세기 후반의 가장 중요한 세계 사회정치 문제들 중 하나인 기근에 반대하는 다조多調적인 목소리를 냈다. 철도 선로는 이 지역들을 굶주림에서 구할 생명줄로 추진되었지만,[26] 이 글들에 따르면, 건설업계가 이미 부족한 자본 자원을 고갈시켰기 때문에 정반대의 결과가 나왔다. 게다가 대규모 상업용 작물에 기반한 수출경제에 대한 강조와 국제시장을 겨냥한 면화의 증산은 기근으로 황폐해진 지역을 남겼다. 식량 부족이 전적으로 문제는 아니었다. 예를 들어, 1876년 기근 동안에도 인도는 영국에 쌀과 밀을 수출하고 있었다. 더욱이 총독 리튼Lytton 경 같은 자유시장 근본주의자들은 부패한 인도 중개인들과 함께 철도를 이용하여 철도 노동자들까지 굶주리고 있는 지역에서 곡물이 비축되어 있는 수출 역까지 곡물을 수송했다.[27]

영국의 진보적인 작가들은 이윤 개념에서 벗어나 인도인들의 사체를 집계하여 철도 재료비를 항목화했다. 영국의 식민적 수사학에 부응하지 못했다는 의식을 고취시키고자, 유명한 공학자이자 자선가인 아서 코튼 경Sir Arthur Cotton은 1877년《마드라스 기근The Madras Famine》에 다음과 같이 썼다.

이제 우리는 인도의 첫 번째 욕구에 대해 전혀 가치가 없는 1억 6천만 명의 가난한 인도인을 희생시킨 위대한 작품들〔철도〕의 슬프고 굴욕적인 장면을 눈앞에 두고 있다. 그 장면은 수백만 명의 사람들이 그 옆에서 죽어 가고 있는 것이다.[28]

플로렌스 나이팅게일Florence Nightingale은 같은 해에 같은 주제에 관한 편지를《일러스트레이티드 뉴스Illustrated News》에 보냈다.[29] 철도가 영국의 가장 큰 단일 외국 투자 영역이었다는 점을 감안할 때, 코튼과 나이팅게일은 당시 대중의 관심사에 중요한 개입을 하고 있었다. 그들은 영국 독자층이 접하지 못하던 철도에 대한 전망을 제공했다. 코튼과 나이팅게일은 1861년 런던의《더 타임스The Times》편집자에게 기근 구제에 대한 지지를 호소하는 "인도 주식 및 철도 주주An Indian Stock and Railway Shareholder" 같은 편지를 보내어 이 같은 우려스러운 질의를 불러일으켰고 영국 공론장에서 토론회를 성공적으로 추진했다.[30]

그러나 이러한 우려는 인도의 철도 관계자들에게는 압력이 되었을지 몰라도 리튼 경에게는 거의 영향을 미치지 않는 것처럼 보였다. 1878년 인도 기근에 대한 통렬한 폭로글의 저자인 윌리엄 딕비 William Digby는 이렇게 썼다. "철도는 곡물을 피해 지역으로 운반함으로써 수백만 명의 생명을 보존한다. 그러나 이런 일을 하는 대신에 모든 곳에 있는 사람들에게 너무 큰 대가를 치르게 한다. 그래서 계속해서 증가하는 수백만 명에게 매일의 식량 자급은 불가능해진다."[31] 마드라스의 의장직, 봄베이 데칸 고원, 북서부 지방을 포함한 인도의 기근 지구에 있는 반체제 영국 언론인들은 숄라푸르Sholapur, 마하라슈트라Maharashtra 등 기근 구호 사업 관리들이 기아 문제에도 불구하고 공공사업 프로젝트에 "쿨리"로 일할 수 있거나 그렇지 않은 사람들을 어떻게 보냈는지를 묘사했다.[32]

영국의 사회운동가들은 기근과 식민지 공공사업 환경 비용을 연관시켰다. 진보 성향의 언론인 본 내쉬Vaughan Nash는 1900년 저서《대기근과 그 원인The Great Famine and Its Causes》에서 "인도 철도회사들과 마찬가지로 산림청에도 심판의 날을 기다리는 죄악들이 꽤 길게 늘어서 있다"[33]고 주장했다. 1860년대 후반, 마드라스 철도는 1년에 필요한 1백만 개의 나무 침목과 열차용 목재 연료용으로 미래의 기근 지역인 살렘, 쿠다파(카다파), 북아코트(암베드카르)[34]의 삼림을 없앴다. 아서 코튼 경은 철도를 잘못된 프로젝트로 보았고, 더 지속 가능한 교통수단인 운하를 대체할 실행 가능성이 떨어지는 대안으로 보았다.[35] 영국의 개혁자들은 아대륙의 인도인과 유럽인을 포함한 독자들과 해외의 이해당사자들에게 띄우는 글을 썼다. 이러한 대규모 공공사업과 함께 기아 및 환경파괴 이미지를 제공함으로써, 그들은 공적 영역에서 식민지 기업 성공 척도에 도전했다.

　세기가 바뀔 무렵, 인도의 정치평론가, 경제사학자, 언론인들은 교육을 받은 인도 청중들에게 철도의 인간다운 가치를 전했다. 1910년 캘커타의《내셔널 리뷰》에 "인도계 미국인"이라는 저자가 이 문제를 상세히 기술했다.

　　극심한 기근에 시달리는 동안에도 철도는 온갖 종류의 곡물을 해외로 운송해 나라를 계속 황폐화시키고 있다. 그러므로 철도는 슬프게도 기아에 시달리는 사람들의 슬픈 상태를 완화시키는 데 실패했을 뿐만 아니라, 국내에서 절실히 필요로 하는 자원을 고갈시킴으로써 재앙의 악화에 직접적으로 기여했다.[36]

　익명의 저자 입장에서 보면, 철도가 단순히 기근 문제를 극복하지 못한 정도가 아니라 철도는 그 자체가 기근의 직접적인 원인이다.

　정치·경제 문제를 다룬 "배수이론가들"과 그 연장선에 기근을 연결시킨 영국과 인도의 진보적 작가들은 철도의 식민 담론에 강력한 비판을 제기했다. 그들은 철도가 인도에서 무엇을 의미하는지를 두고, 기차의 경제적 이익을 주장했던 스티븐슨R. M. Stephenson 같은 사람들과는 근본적으로 다른 견해를 제시했다. 심지어 인도 특파원 같은 사람들은 "철도가 영국이 통치하는 이 광대한 영토에 사는 수백만 명의 정치적·사회적·도덕적·종교적 조건 위에서 만들어내는 엄청난 변화"[37]를 지지했다. 이 작가들은 정치적·경제적 저술을 통해 인문학적 담론으로 초점을 옮겼다.

이 과제를 완수하기 위해 사회비평가들은 철도가 인도인 개인들에게 어떤 의미인지를 살펴봐야 했다. 여기에는 선로를 만든 "쿨리"들과 점점 더 많이 그 열차를 타는 다양한 계층의 인도인들이 모두 포함된다. 철도는 인도를 두 부분으로 나누었다. 인도 근로자들이 다른 사람들을 위해 그 꿈을 실현하고자 노력했던 외적인 면과, 그 안에서 기차가 기근과 같은 조건을 초월할 수 있는 이동성을 약속했던 내적인 면이 있다. 그러나 이 두 장소의 차이는 처음에 보았던 것처럼 뚜렷하지 않았다. 왜냐하면 2등석에 탄 인도인들의 지위는 유럽인들에 비교하여 두 장소 모두에서 명백했기 때문이다.

사회비평가들은 철도 노동조건과 철로 주행 경험에 모두 스며 있는 인종차별주의를 폭로했다. 그들은 영국의 가장 큰 해외 공공사업 프로젝트 노선을 건설한 남녀를 시야에서 지운 식민 담론에 반대했다(그림 5). 인도 노동자들의 안전은 영국인 희생자만을 기록했던 영국인들에게는 우선순위가 낮은 사항이었다. 이러한 생략은 1877년 인도철도회사의 이사인 줄런드 댄버스가 선로를 따라 묻힌 유럽인들의 묘지를 추모한 예술협회에서 볼 수 있다. 그는 인간의 노력으로 이루어진 "위대한 사업"을 상기하면서도 오로지 유럽 기술자에게만 초점을 맞췄다. 댄버스는 "그는 이 나라의 자연적인 물리적 어려움을 극복해야 했을 뿐만 아니라, 적대적인 기후와 정글의 유해한 증기에 굴복해야 했다. 그의 지휘를 받는 노동력은 열세였고 처음에는 관리하기가 어려웠다"[38]고 강조했다. 그 노동이 다뤄지기 어

그림 5 미국 사진가 윌리엄 헨리 잭슨Willam Henry Jackson의 1895년 환등기 슬라이드. 〈철로를 건설하는 인도인 노동자들〉. (윌리엄 헨리 잭슨 촬영. Harappa.com)

려웠던 것은 놀라운 일이 아니다. 인도 노동자들의 임금은 항상 낮았고, 자주 체불되거나, 종종 적게 지불되었다.[39] 도시 중산층, 이주 농민, 부족민, 산업 및 농촌 노동자를 포함한 여러 인구 집단에서 모집된 철도 근로자들은 회사의 사회망에서 제외되었다.[40] 그들은 위험한 노동을 했다. 노동자들은 물에 빠져 죽거나, 무너진 제방과 터널 아래 깔려 죽거나, 다리에서 떨어지거나, 기계에 부딪혀 사망했다.[41] 게다가 이 근로자들은 콜레라, 말라리아, 천연두, 장티푸스, 폐렴과 같이 사람들을 휩쓸고 지나간 치명적인 질병에 시달렸다. 인도인의 사망은 기록되어 있지 않지만, 역사가 이안 커Ian Kerr는 그해

최악의 기간 동안 노동자의 75퍼센트가 열병으로 쓰러진 한 건설 현장을 전형적으로 제시한다. 미수습자를 기억하는 일반적인 방법은 선로의 나무 늑재인 침목으로 그 죽음을 표시하는 것이었는데, 그 길이가 약 1,700마일이었다.[42]

홍보의 측면에서, 철도 운영에 필요한 기술 지식을 가진 인도인들을 교육할 때에는 영국의 교육 담론이 중단되었다. 차별은 만연했다. "유럽인 또는 영국계 인도인 기관사들은 그들의 '원주민' 화부들을 시종처럼 대했다. … 이 장인과 화부들의 장인-도제 관계는 1920년대까지 인종적 폭력성을 띠었다."[43] 멀리 떨어진 곳에서, 인도 노동자들은 종종 술문화가 유발한 인종적 폭력에 직면했다.[44] 이후 저항을 완화하고자 행정조치를 내려 철도 상층부의 "인도화"를 시도하자, 한쪽에서는 유럽인과 영국계 인도인, 다른 쪽에서는 인도인들이 반발했다.

인도인 입장에서는 열차 내부조차 식민주의의 냉혹한 물질적 현실에서 벗어나지 못했다. 지역 언론에 보낸 한 서한은 3등석 객차를 가득 메운 인도인 승객들의 처사를 개탄했다. 1910년 캘커타를 기반으로 한 영어 정기 간행물 《모던 리뷰Modern Review》에 편지를 쓴 아비나시 찬드라 채터지Abinash Chandra Chatterjee는 물을 마실 수조차 없게 객차 안에 가득 들어찬 3등석 승객들에 대한 처우를 비난했다.[45] 그는 또한 열차에 선적된 물품에 대한 철도 직원들의 조직적인 도난을 상세히 기술했다.[46] 19세기와 20세기 초에 걸쳐, 인도 신문들은 철도 승강장에서 벌어지는 인도인들의 거듭된 굴욕을 보도했다.[47] 식민지 체제의 인종차별은 유럽인들이 나타났을 때 인도인들이 3등석을 제외한 어떤 구간도 평화롭게 타는 것을 허락하지 않았다. 한 현대 작가는 유럽인과 인도인이 매일 1, 2등석에서 충돌했다고 증언했다. 좀 더 배타적인 객차(단지 동료 유럽 승객들을 불쾌하게 할 뿐인)에 대한 비용을 지불한 인도인도 거의 항상 3등석을 타고 이동해야 했다.[48]

굴욕부터 강간까지 폭력의 대상이 된 여행하는 여성들에 대한 처우는 민족주의 신문인《벵갈리The Bengalee》의 페이지에 집결된 외침을 불러일으켰다. 인도 철도를 다룬 책에서 로라 베어는 편집자 겸 활동가인 수렌드라나트 바너지Surendranath Banerjee가 열차에 탄 인도 여성 여행객을 상대로 벌어지는 "잔학 행위"를 어떻게 신문에 기고하게 되었는지를 상세히 기술한다.

> 이 이야기들은 티켓 분실, 우연히 목적지를 초과 운행한 사고, 초과 요금을 지불할 돈이 부족하거나, 남편과 아내를 남녀 칸으로 분리한 것이 어떻게 파괴적인 폭력을 낳았는지를 묘사하는 내용으로 구성되었다. 가해자들은 항상 유럽인이나 유라시아인이었고, 그들은 식민 권위의 표시로 특징지어졌다. 즉, 회사 모자를 쓰거나 철도 봉사대 제복을 입었다.[49]

특히 한 여성의 사례는 철도를 평등화하려는 움직임의 중심이 되었다. 캘커타 일간지《암리타 바자르 파트리카Amrita Bazar Patrika》는 라자발라 다시Rajabala Dasi라는 이름의 어린 소녀가 기차에서 강제로 쫓겨난 후 유럽인 철도 공무원 4명에게 성폭행을 당한 과정을 묘사했다. 베어가 이 사건과 유사한 추행 일화를 상세히 설명한 기사들은 정숙한 여성에 대한 침해에 초점을 맞춰 반식민 감정을 조장하기 위한 것이었다.[50] 여성의 공공공간 진입은 철도의 사회적 효과에 대한 인도 내부 논의에서 가장 논쟁적인 영역 중 하나였다. 다시의 사례 같은 이야기들이 이러한 우려들을 부추기면서 철도는 반식민지적 정서를 표현하는 장소가 되었다.

광범위한 집단으로 간주되는 사회비평가들은 식민 기업에 맞서고자 인도 철도의 재정, 환경, 노동, 공공 조건에 초점을 맞추었다. 이 과정에서 그들은 열차의 의미를 진보의 상징에서 노예제를 포함한 착취의 상징으로 바꾸었다. 인도 신문에서 기자들은 자국어와 영어로 철도를 비난하면서, "철도의 연장은 쇠사슬을 의미한다"고 주장했다.[51] 1910년 《모던 리뷰》에 "인도계 미국인"이라는 필명으로 글을 쓴 평론가는 다음과 같이 주장했다.

20만 명의 외국인이 3억 명의 원주민을 복종시킬 수 있는 것은 철도, 전차, 전신 및 기타 기관을 통해서이며, 선견지명 있는 영국인은 이러한 비상 사태를 예견하고 인도 대륙에 철도 건설을 위한 추진력을 제공했다.[52]

역사학자 라즈팟 자가Lajpat Jagga는 이 시기의 정서를 다음과 같이 특징짓는다. "영국에게 〔철도는〕 영국 인도 통치의 상징이었지만,

인도인의 마음에는 그 반대인 식민지 현실, 착취, 굴욕, 그리고 유럽인들의 제국주의적 오만 등을 나타내게 되었다."[53] 철도의 이미지는 부상 중인 민족주의의 중심이었지만, 영국이 인도에서 하고 있는 일에 비판적인 영국 진보주의자들에게도 중요했다. 전체적으로 이 사회비평가 집단은 경제적 착취, 노예화, 도덕의 언어를 사용하여 진보, 해방, 문명을 포함한 인도 열차에 부착된 식민지적 의미를 대체했다. 그들은 인도가 식민주의 아래에서 지속 가능한 산업들을 잃어버리는 상황을 묘사하는 "배수drain"라는 단어와 기근의 조건에서 만들어진 생명의 희생을 나열하는 "가격price"이라는 단어를 포함하는 기술 발전에 대한 새로운 어휘를 제공했다. 그들은 주로 수작업으로 건설된 철도의 인간적인 면을 보여 주려고 했다. 궁극적으로 그들은 이동성이 해방과 같지 않다는 것을 보여 주었다. 비록 각자 겨냥한 대중과 정치적 목표는 달랐지만, 사회비평가들은 철도 이용의 불의를 주장함으로써 식민주의의 지배적인 수사학에 대항하는 19세기의 중요한 급진적 담론을 형성했다. 또 다른 집단인 정신주의자들은 기계의 본질에 맞서고자 더 멀리 나아갈 것이었다.

정신주의자들

19세기 후반과 20세기 초반 인도의 민족주의 운동은 몇 가지 다른 긴장들을 포함했다. 다양한 인도인 집단은 다른 유형의 지적·종교적 원천에서 이끌어 내거나 이러한 전통을 결합하면서 인도에 대한 각자의 비전을 제시했다. "배수이론가들"은 정치적 경제의 세속적인 전통에 기초했다. 사이드 아마드 칸Syed Ahmad Khan 같은 인물들은 (특히 인도 전역의 철도역에서 설교한) 다양한 종류의 이슬람 민족주의를 형성했다. 지역 민족주의는 1905년 영국의 벵골 지방 분할에 대한 저항 같은 19세기의 지적·정치적 관심에서 자라난 운동을 포함했는데, 6년 후 그 결정이 뒤집혔다. 수가타 보스Sugata Bose는 "인도의 반식민주의는 많은 지역의 애국심과 경쟁적인 버전의 민족주의, 종교적으로 알려진 보편주의의 치외법권적 친연성으로 인한 자양분으로 자라났다"[54]고 했다.

비베카난다, 오로빈도, 간디, 그리고 타고르는 종종 1880년대부터 20세기 초까지 이어진 힌두교 부흥주의에서 영감을 얻은 후기 민족주의 집단의 일부로 보인다. 그들은 기술 주도적인 근대화와 그에 따른 서구화로 인한 인도의 퇴화를 반대하는 정신적 인도의 비전을 옹호했다. 그들 사이에는 분명히 차이가 있었다. 예를 들어, 간디와 타고르는 다른 문화적 영감을 근거로 다른 민족주의 투쟁 방법을 주장했다.[55] 이러한 중요한 차이점에도 불구하고, 이 집단은 전체적으로 근대성을 비판했다. 서양의 상징으로서 철도는 그들이 비난했던 유럽 사회의 바로 그 측면, 즉 기계 이데올로기를 상징했다.[56] 철도 영역 내에 힌두교를 끌어들이려는 식민 담론과는 다르게, 이 작가들은 기차와 대립되는 힌두교의 정체성을 형성했다. 그들은 다시 한번 기차의 의미를 바꾸었다.

1863년에 태어난 스와미 비베카난다는 다른 작가들보다 일찍 작품 활동을 시작해 오로빈도, 간디, 타고르에게 영향을 미쳤다. 인도의 본질적 영혼에 대한 비전을 바탕으로, 비베카난다는 인도의 다른 언어, 종파, 지역, 심지어 종교를 통일하기 위해 힌두교에 기반한 인도의 영성을 찾았다. 비록 신비주의를 강조했으나, 비베카난다는 그 시대의 자유주의 개혁자들이 몰두한 사회문제들에 큰 관심을 가졌다. 게다가 인도의 근대적 형태를 인도의 정신적 과거를 되찾을 수 있는 수단으로 보았다. 그러나 비베카난다는 나오로지가 지지한 것과 같은 산업 중심의 사회개혁에 바탕한 민족주의 견해에 반대하고, 정신적 재생에 기반한 새로운 종류의 민족주의를 육성하고자 했다.

이 재생은 기계적 존재 방식을 비판하고 자연 세계에서 그 패러다임을 이끌어 내는 것이었다. 1898년 비베카난다의 영적 가르침을 담은 일련의 책들 중 벵골어로 수집되고 번역된 '우리들의 현재 사회문제Our Present Social Problems'라는 제목의 편지에서, 비베카난다는 기계문화에 사로잡힌 인도인들이 그것에 굴복되어 자치권을 상실할 것이라고 주장했다.

거대한 기선, 강력한 철도 엔진. 그것들은 지능적이지 못하다. 그것들은 움직이고, 돌고, 달리지만 지능이 없다. 그리고 생명을 구하기 위해 철도에서 멀리 떨어진 작은 벌레들, 왜 그것이 지능적인가? 기계에는 의지의 표시가 없으며, 기계는 결코 법을 위반하기를 바라지 않는다. 그 벌레는 법에 반대하기를 원한다. 성공하든 실패하든 법에 반대한다. 그러므로 그것은 지능적이다.[57]

이 에세이에서 비베카난다는 자연 상태의 자기결정과 자기보존에 기초하여 더 광범위한 정치적 자치를 주장한다. 비베카난다는 사회비평가들의 글을 특징짓는 경제 언어에서 벗어나 기계와 자연의 반대를 소환한다. 철도는 식민 지배의 힘인 "거대한 증기선"과 논리인 "철도 노선"을 상징한다. 그것은 결코 법에 반대하기를 원하지 않는 의심할 여지가 없는 주체를 재현한다. 비베카난다는 기차의 상징을 바꾼다. 그것은 더 이상 기계화를 통한 해방의 식민 상징이 아니라 지적 수동성의 화신이다.

비베카난다는 〈우리 사회의 현재 문제〉의 또 다른 대목에서 철도를 자동장치로 규정한다. "규칙만으로 사는 것이 우수성을 보장하고, 대대로 내려오는 규칙과 관습을 엄격히 지키는 것이 덕이라면, 나무보다 덕이 높은 사람이 누구이며, 철도보다 더 큰 헌신자, 거룩한 성자가 누구인가?"[58] 맹목적인 집착만을 중시하는 문화의 성자로서 기차의 아이러니한 이미지는 식민 통치를 비판하는 것은 물론이고 열차의 패러다임을 훼손하는 데에도 영성의 상像을 사용한다. 비판은 정치적이고 도덕적이지만, 또한 기계가 진실로 가는 길을 제공하는 과학적 인식론, 즉 계몽주의적 틀에 의문을 제기한다.

정신에 기반한 인도 민족주의의 또 다른 주요 인물인 오로빈도 고스는 철도를 구체적으로 논하기보다 일반적으로 기계에 대해 말했다. 오로빈도는 여러 면에서 비베카난다의 후계자였으며, 19세기 후반 급진적인 작가들이 부활시킨 스와라지swaraj 개념을 자세히 설명함으로써 자치권 개념을 다듬었다. 오로빈도에게 산스크리트 어원론에서 영혼 통치 개념에서 온 이 용어는 결과적으로 의식을 서구적 심적 상태로부터 해방시키는 자극을 가져왔다.[59] 오늘날의 일부 운동가들은 힌두교와 인도에 대한 그의 수사학을 선택적으로 사용하는 보수적인 힌두주의 운동 때문에 오로빈도를 상속받지 못했지만, 피터 히스Peter Heehs가 지적한 것처럼 이러한 진술은 탈식민 투쟁과 그에 따른 특정한 역사적·문화적 맥락에서 나온 것이다. 따라서 오로빈도는 힌두주의 믿음을 책임질 수 없다.[60] 게다가 오로빈도는 유럽의 낭만주의뿐 아니라 신성한 힌두교 문헌에서 영감을 받은 지적 혼종이었다(그것은 역설적으로 동양에 관한 유럽의 오리엔탈리즘 저술의 순환 경로로 그에게 전해졌다). 오로빈도의 저술은 반식민 투쟁에서 유럽의 "기계장치"에 대한 낭만적인 비평의 위치를 찾아내고, 사회 및 시민 통치와 비평의 관련성을 강조한다. 비록 그는 일찍이 급진적인 민족주의 운동의 지도자였지만, 1908년 투옥된 후에는 민족주의의 원인을 거의 언급하지 않았다. 이후 1914년과 1920년 사이에 오로빈도의 월간 평론《아리아Arya》에 처음 출판되었다가 나중에 여러 권의 책으로 수집된《신성한 삶The Life Divine》에서 그는 국가를 기계와 동일시한다.[61]

오로빈도는 "인도의 용어로 서양을 이해하려고 한다"[62]며 제1차 세계대전에서 대대적인 파괴를 초래한 기계화를 비난함으로써 식민주의의 문화적 침략을 다뤘다. 1940년 에세이 〈전쟁과 자기결정 War and Self-Determination〉에서 금욕적인 단념으로 유명한 이 인물은 기술적 패러다임을 바탕으로 한 지구적 분쟁 해결 위험성에 대한 정치적 폭로문을 썼다. 그는 국제연맹을 가리켜 동전으로 작동하는 기계라고 했다. "시계 작업을 계속하고, 여러분의 훌륭한 직업이나 합당한 좋은 의도의 1페니어치를 투입하면 모든 것이 잘될 것이다. 이것이 원칙인 것 같다."[63] 비베카난다처럼, 오로빈도는 기계에 특권을 부여하는 가치에 도전했다.

물리과학의 승리로 깨달은 만큼이나 맹목적이었던 현대적 정신에 의한 단 하나의 탈출구는 기계가 승인한 서양적 구원의 장치다. 올바른 종류의 기계를 작동시켜라. 그러면 모든 것이 이루어질 수 있다. 이것이 현대의 신조인 것 같다.[64]

"기계에 의한 구원"이라는 말과 함께, 오로빈도는 그의 반기계적 언사를 도덕 중심의 권위에 기초를 두고 있다. 신성한 절대자 개념은 정부보다 나은 도덕적 권위를 제공한다. 그것은 국가에 대한 강력한 도전이다.

오로빈도는 영성에 바탕한 개인의 자유 개념과 그의 기계 언어로 철도를 식민주의의 문화적·물질적 구속에 대한 은유로 사용한 간디를 예고했다. 간디의 반기술적 담론은 그의 글에서 매우 일찍 나타났다. 그는 1900년 친한 친구였던 남아프리카의 변호사 헨리 폴락Henry Polak에게 보낸 편지에서 이렇게 썼다. "인도를 통치하고 있는 것은 영국 사람들이 아니라 철도, 전신, 전화, 그리고 문명의 승리라고 주장된 거의 모든 발명품을 통한 현대문명이다."[65] 간디는 1909년

구자라티에서 출판되어 영어로 번역된 유명한 자치 위임통치권 선언인 《힌두 스와라지Hind Swaraj》에서 "철도가 없다면 영국인들은 그들이 지닌 것만큼 인도에 대한 지배권을 가질 수 없었다"[66]고 주장한다. 카를 마르크스는 "한때 멋진 나라가 실제로 서구 세계에 합병될 때" 철도의 발전을 예고했다.[67] 간디는 만약 인도가 정말로 서양에 묶인 공간이라면, 인도는 동등한 영토라기보다는 경제적으로 종속된 영토임을 인식했다. 간디는 그가 인도 정체성의 기본이라 여겼던 경제적·사회적 구조의 변화를 탄식했다. 철도는 물질적으로(생산과 유통 지형을 변화시켰다는 점에서) 그리고 상징적으로(진리의 달성보다 생산과 소비를 증가시켰다는 점에서) 이러한 변화의 중심이었다.

간디는 기계화를 비판하며 정의의 언어와 정신에 근거한 도덕을 주장했다. 《힌두 스와라지》에서 그는 "기계는 유럽을 황폐화시키기 시작했다. … 기계는 현대문명의 주요한 상징이다. 그것은 큰 죄악을 나타낸다"[68]고 썼다. 간디는 1909년 마드라스의 전 총독 암프틸경Lord Ampthill에게 보낸 편지에서 그의 이론을 확장시켰다. "철도, 기계, 그리고 그에 따른 방종한 습관의 증가는 유럽인과 같은 인도인의 진정한 노예 배지다."[69] 간디는 1926년 《영 인디아Young India》에 실린 '기계의 도덕The Morals of Machinery'이라는 제목의 글에서 기계의 보편적 권리 개념에 저항한다. "모든 이의 이익을 포함하는 기계의 사용은 합법적이며, 즉 사람의 더 큰 이익이 우선이고 기계가 그 목적에 엄격히 봉사할 때에만 기계가 합법성을 갖는다."[70]

간디는 철도를 죄악의 "상징"과 노예 "배지"로 묘사하며 철도의 상징적 지위에 초점을 맞췄다. 간디는 1931년에 다음과 같이 썼다. "기계는 웅장하면서도 끔찍한 발명품이다. 인간이 발명한 기계가 마침내 문명을 집어삼킬 수 있는 단계를 시각화할 수 있다. 만일 인간이 기계를 통제한다면, 기계는 그렇지 않을 것이다. 그러나 인간이 기계에 대한 통제력을 잃고 기계가 인간을 통제하도록 허용한다면, 기계는 분명히 문명과 모든 것을 집어삼킬 것이다."[71] 철도는 인도를 흡수했던 제국주의를 상기시키고, 인간 주체의 상실로 표시되는 세계를 예견하는 물질적 상징이었다.

"배수이론"을 주장하는 민족주의 지지자들처럼, 간디는 스와데시, 즉 경제적 자급자족의 반식민주의 전략을 고안하면서, 특히 나중에 쓴 글에서 때때로 이 기계를 착취적인 목적을 위해 사용되는 중립적인 도구라고 묘사했다. 일부 비판에 직면한 그는 1936년에 편지를 통해 일본 특파원에게 자신의 입장을 밝혔다. "나는 기계와 같은 것에 반대하지는 않지만, 기계가 우리를 지배할 때에는 전적으로 반대한다."[72] 게다가 간디는 민족주의 운동에 철도망을 광범위하게 이용했다. 그럼에도 불구하고, 간디는 기술 문제에 대해 나오로지와 같은 비평가들과 달랐다. 간디는 철도의 조건뿐만 아니라 기술 자체에도 반대하여 전략적으로 입장을 바꾸지 않았다. 예를 들어, 앞의 서술에서도 간디는 "그것" 즉, 기계를 식민 지배력이라기보다는 주인으로 묘사한다.

현대 학자들은 산업주의에 대해 간디가 한 비난의 상징적 성격을 강조해 왔다. 로버트 영Robert Young은 아쉬스 난디Ashis Nandy의 작품에 맞추어 간디의 공헌을 다음과 같이 묘사한다. "간디의 총명함은 식민주의 자체에 초점을 맞추는 것이 아니라 일반적으로 말하는 근대성이라는 근대 서구 문명 비판에 신학 사상을 이용한 것이다."[73] 파르타 채터지Partha Chatterjee는 간디의 선언이 "시민사회의 근본적인 측면에 대한 완전한 비판"으로 읽혀야 한다고 주장한다.[74] 그 측면이란 시장 감수성, 사유재산, 정치적 주체성의 표현에 기초한 의회의 중재, 과학의 혁신과 변화에 대한 지나친 욕망, 그리고 윤리와 미학의 문제에서 이성의 우월성에 기초한 부르주아 사회의 가치들이다.[75] 채터지가 보기에 간디는 계몽주의 이후 사상의 주제적 틀에서 벗어난 시민사회 비판을 통해 자신을 위치시킨다. 간디의 외적 지위는 더 나아가 민족주의 사상과 관련하여 "〔간디의 위치는〕〔민족주의 사상이〕 건설된 기본 전제에 도전하면서 동시에 민족주의 정치 과정에 그 자체로 개입하고자 추구되었던 방식으로"[76] 그를 양면적인 위치에 놓이게 한다.

간디가 자신을 끼워 넣은 주요 방법 중 하나는, 기계에 대한 글을 통해 과학적 지식의 인식론에 도전하는 것이었다. 간디는 과학 지식이 인간의 경험을 충분히 설명할 수 없다고 보았다.[77] 그 자체로 기계를 반대하는 입장을 취하면서, 간디는 기계가 오인이 아니라 오용되었다고 보는 배수이론 배수이론 옹호자들의 입장에서 멀어졌다.

라빈드라나트 타고르는 비베카난다, 오로빈도, 그리고 간디가 그들의 수필과 편지에서 설명한 문학적 영역에서 기계에 대한 몇 가지 생각을 받아들였다. 라빈드라나트는 아이러니하게도 철도 건설 첫

해에 철도 제국을 건설하려고 했던 인도 사업가 드와르카나트 타고르Dwarkanath Tagore의 손자였다. 그러나 벵골어로 쓰인 문학작품을 "전원적 서정성"[78]으로 묘사한 젊은 타고르는 영국 기술에 대해 완전히 양면성을 보였다. 타고르는 인도에서 주둔하는 영국인을 정당화하는 수사학 안에서 내세우는 철도의 위치만큼 식민주의와 철도의 밀접한 관계를 잘 이해했다. 간디처럼 그의 비판은 단순히 철도의 조건이 아니라 기계 자체의 문화에 대한 것이었다.[79] 타고르는 정치적 해방의 한 형태로서 국가에 대한 간디의 견해에 크게 동의하지 않았지만, 1921년 에세이에서 이 신성한 인물과 거리를 두면서도 간디의 입장을 확증했다. "마하트마 간디가 전 세계를 억압하고 있는 기계의 폭정에 맞서 전쟁을 선포한 곳에서, 우리는 모두 그의 깃발 아래 등록되었다."[80] 기계화에 대한 타고르의 반응은 철도의 가장 귀중한 공헌으로 예고된 시간과 공간의 변화에 초점을 맞추었다. 역사학자 마이클 에이더스Michael Adas에 따르면, "타고르는 서구의 기계로 가능해진 삶의 속도가 빨라지면서 방향감각 상실과 끊임없는 좌절, 개인과 사회가 자연, 서로, 그들의 신체 리듬과 동기화되지 않게 되었다고 결론지었다."[81] 이 인도 작가는 두 편의 희곡 작품 〈폭포The Waterfall〉(《무카다하라Muktadharaa》)와 〈붉은 협죽도Red Oleanders〉(《락타 카라비Rakta Karabi》)에서 이러한 정서를 표현했다.

1922년 타고르는 벵골어 희곡 《무카다하라》(자유 해류Free Current)를 직접 번역 출판했다. 제목은 '폭포The waterfall'였다. 이 희곡에서 타고르는 기계 논리에 의존하는 문명을 비판한다. 그는 "기계"를 숭배하는 우타라쿠트라는 왕국을 묘사한다. 기술적 경이로움이 폭포의 흐름을 멈추고, 쉬우타라이라는 왕국의 소수민족 공동체에서 물을 훔친다. 타고르는 "기계"를 기술의 결합체로 재현한다. 비록 그것은 댐이지만, 25년 공학의 위업은 기차와 닮았다. 예를 들어, 기술 추종자들은 기계에 경의를 표하며 "우르릉거리는 바퀴 소리와 함께 요란하게, /천둥처럼 빠르게"[82]라고 노래 부른다. 같은 노래에서 타고르는 "세계의 가슴으로 파고들어/ 송곳니를 쬔다./ 방해물에 부딪치며 /불같은 저항으로 /철을 녹이고, 바위를 부수고, 둔한 사람을 그 휴식에서 몰아낸다"[83]라며 철도 건설 현장의 발파, 제련, 굴착을 떠올리게 한다.

 분명히 타고르는 이런 재현으로 영국인이 건설한 철도를 상기시키고 싶었을 테지만, 그의 비평은 기술을 우상화하게 된 유럽 사회를 비난하는 쪽으로 더 확장되었다. 극의 주인공인 수석 기술자 비부티는 "기계의 위엄"[84]을 생각하는 기술 애호가들의 전형이다. 비부티는 철도를 만든 이들처럼 모래와 흙에 질식되거나 홍수로 물에 빠진 노동자들의 희생을 줄이고 프로젝트를 완료함으로써 자신의 목표를 달성했다고 말한다.[85] 그러나 아마도 사회비평가들의 입장을 암시하는 것 같은 이 기계는 쉬우타라이 지방에 기근을 가져왔다. 비부티는 영국의 기술 담론을 반영하는 언어를 사용하여 이러한 파괴에 무관심을 드러낸다. "내 목적은 인간을 거스르는 모래와 물과 돌에 대항하여 승리하는 것이었다. 나는 어떤 형편없는 경작자의 비참한 옥수수 밭이 여기저기서 어떻게 될지 고민할 시간이 없다."[86] 비부티의 극심한 무관심은 기술을 통해 인도를 발전시키겠다며 기근의 발생을 무시하는 영국 식민지 행정에 대한 사회비평가들의 특징을 떠올리게 한다. 기계는 종교 구조와 대조적으로 배치된다. "하늘 한가운데에 있는 고통의 경련처럼"[87] 기계 첨탑은 근처 신전과 경쟁한다. 극은 기계 제방이 파괴되고 강이 다시 자유로워지고 사원이 최고 지위에 군림하는 것으로 희망적으로 마무리된다. 이는 영적 전통에 대한 타고르의 이상화를 보여 주는 결말이다.

작가가 영어로 직접 번역해 1년 뒤《붉은 협죽도》로 출간한 1924년 연극《락타 카라비》에서, 타고르는 사람들에게 번호를 할당하고 지하로 몰아넣어 "돌, 철, 금 덩어리들"[88]을 수확하도록 강요하는 관료제 왕국의 통치에 반대하는 자연적 영성을 설정하며 비슷한 주제로 돌아갔다. "깨진 벽을 뚫고 나오는 빛"으로 묘사되는 매혹적인 여성 난디니의 캐릭터는 타고르의 비판적 정서에 목소리를 부여한다. 그녀는 이렇게 말한다. "도시 전체가 어둠 속에서 두 손으로 더듬거리며 머리를 땅속으로 들이밀고 있는 모습을 보니 어리둥절하다."[89] 네트워크 개념은 극의 주요 모티프를 형성하는데, 왕은 스크린과 네트워크라고 불리는 장벽에 의해 모든 것과 분리되어 있기 때문이다. 타고르는 이 구분을 통해 그의 유명한 소설《집과 세계The Home and the World》의 제목을 이루는 내부와 외부, 개르ghare(집)와 배르baire(밖) 이분법 작업에서 보인 지배적인 집착을 강조한다. 타고르는 왕의 잘못된 리더십에 대해 그를 내부 통치자로 배치해 언급하지만, 그를 가두는 스크린은 이 군주제에 대한 타고르의 비판을 철도 이데올로기와 연결시킨다. 학자이자 전통적인 인물이 피난처를 찾을 때, 과학에 심취한 또 다른 인물은 "당신은 우리 골동품 수집가가 날아가서 자신을 구해줄 것이라고 생각하면서 조용히 미끄러져 나가는 것을 보았다. 몇 단계를 거치고 나면 그는 곧 이 나라에서 저 나라로 전신망이 뻗어 있다는 것을 알게 될 것"[90]이라고 조롱한다. 타고르는 네트워크의 지배적인 상징을 철도를 따라 달린 전신 형태로 현대 기술과 분명히 연결시킨다. 왕국 내부에서 왕은 "네트워크의 안개에 싸여" 있지만, 광산 제국 밖에서는 "네트워크가 점점 더 멀리 퍼지고 있다." 타고르가 보기에 인간을 비인간화하는 기계 제국을 가능하게 하는 것은 개인의 의식이기 때문이다.

근대성의 안과 밖

근대화 이데올로기에 반대하는 글을 쓰면서 비베카난다, 오로빈도, 간디, 타고르는 과거 영국의 기원이었던 열차의 이미지를 포착했다. 그들은 근대성의 중요한 대항서사를 만들어 냈다. 종교에 뿌리를 두고 있지만 기술 주도적 발전에 대한 세속적·역사적·유물론적 비판에 바탕을 둔 근대에 대한 비판적 비전이었다. 작가들의 기술 비판은 그 자체가 근대적인 구성체인 국가의 형태로 자치를 획득하려는 투쟁에서 생겨났다. 따라서 비베카난다, 오로빈도, 간디, 타고르의 글을 반근대주의 또는 고립주의자로 보아서는 안 된다.

이는 다른 이유로도 사실이다. 이들의 작품은 초국가적 관계와 영향력에서 탄생했다. 이 모든 영적인 작가들은 유럽과 미국에 개인적인 연결이나 독자가 있었다. 나렌드라나트 다타에서 태어난 비베카난다는 캘커타 변호사 집안 출신으로 유럽식 법률 교육을 받았다. 그는 1893년 시카고 종교회의에서 연설하여 국제적인 명성을 얻었다. 그의 신비주의는 모더니즘에 대한 그들 비전의 일부로서 베다 철학의 본질적인 버전을 동쪽으로 보았던 막스 뮐러Max Müller와 같은 서구 작가들에 의해 입증되었다. 오로빈도는 7세 때 영국 맨체스터의 한 가정에서 자랐고, 세인트폴의 중등학교에 가서 나중에 케임브리지대학에 다녔다. 비베카난다처럼 간디는 변호사 교육을 받았다. 로버트 영Robert Young이 언급하듯, 간디의 견해는 "그의 확언에도 불구하고 회복할 수 없을 정도로 혼합적이었고, 종종 변증법적이었다."[91] 간디의 신성한 초역사적 수사학은 19세기 유럽 저술에서부터 힌두교에 대한 자국어적 해석에 이르기까지 광범위한 영향을 받았다. 데이비드 아놀드David Arnold는 그의 글이 《힌두 스와라지》에 인용된 에드워드 카펜터Edward Carpenter, 간디가 번역한 존 러스킨John Ruskin, 간디가 서신을 주고 받은 레오 톨스토이Leo Tolstoy에게 영향을 받았다고 주장했다.[92] 더욱이 간디는 인도 독자가 아닌 유럽인을 대상으로 수사학을 전개했다. 간디의 글 중 상당수는 유럽으로 보낸 편지에서 찾을 수 있다. 영이 주장했듯, 간디는 서구 세계에 깊은 인상을 주려고 카메라 기술을 사용해 전략적으로 의상과 미디어 출연을 선택한 스펙터클 사회의 초기 대가였다.[93]

운동과 영향력에 관한 개인적인 전기 외에도, 모든 정신주의자들은 초국가적인 의미가 있는 작품을 썼다. 비록 철도를 서구화의 상징으로 반대했지만, 그들의 반기술적 담론은 서구 작가들을 포함하는 기계화에 대한 더 넓고 세계적인 비평의 일부였다. 유럽의 저명한 모더니스트들처럼, 오로빈도와 타고르는 제1차 세계대전의 그늘에서 작품을 만들었고, 그들의 저술은 전쟁에 대한 세계적인 모더니즘 대응의 일부로 볼 수 있다.[94] 당대의 유럽 작가들은 이를 분명히 이해했다. 타고르의 연극 〈폭포〉는 프랑스 작가 마크 엘머Marc Elmer에 의해 유럽 관객에 홍보되었는데, 엘머는 세계대전 이후 기계화와 물질성에 대한 포기의 일환으로 타고르의 작품을 찬양했다.[95]

사회비평가들처럼 정신주의자들은 근대성의 조건 안에서 글을 썼다. 사회비평가들과 달리, 정신주의자들은 특히 신학적 텍스트의 과거로 눈을 돌림으로써 서구 근대성의 외부를 상상했다. 발터 벤야민Walter Benjamin의 역사의 천사처럼, 그들은 가차 없이 미래를 향해 나아가면서 뒤를 돌아보았다.[96] 그들의 현재 폭풍은 근대성의 특별한 표현으로 구성되었다. 철도의 공간적·시간적 패러다임이 그 조건을 구현한 식민지 근대성이었다. 마누 고스와미는 간디의 전통주의에 내재된 욕망이 이 식민지 근대성에 대한 그의 양가적 경험에 내재되어 있다고 주장했다.

식민 국가 공간의 모순된 짜임새―균질화의 다양한 효과와 함께 확산되는 경제적·문화적 구분―는 초월적인 유기적 시공간을 향한 열망을 불러일으켰다. 식민 시대의 불균등함에 대해 가장 열정적으로

느낀 반응 중에는 영원하고 유기적이며 자기폐쇄적인 형태의 공동체에 대한 간디의 표현이 있었다.[97]

따라서 이러한 정신주의자들의 작업은 근대성의 내부와 외부—기술적으로 현대적인 방식의 공간과 시간을 점유하는 동시에 더 자연스러운 존재 방식으로의 복귀를 지지하는— 모두에서 근대성의 대항서사라 부를 수 있는 것을 생산하고자 "합리적 유토피아"와 같은 근대적 개념을 교란하는 것으로 볼 수 있다.

타고르의 벵골어 시 〈철도역Railway Station〉은 이러한 내부/외부 위치와 근대성에 대한 역설의 미학을 제공한다. 시는 기차역이라는 공간으로 재현되는 변화의 방식에 깊은 불안감을 표현하고 있다. 화자는 우연성과 익명성의 이동하는 세계를 다음과 같이 묘사한다.

낮 — 밤 — 쨍그랑, 우르르
한 열차 분의 사람들이 큰 소리를 내며 나타난다.
모든 순간에 방향을 바꾸며,
동쪽, 서쪽, 폭풍처럼 빠르게.[98]

흐름에 대한 화자의 매혹은 역에 있는 사람들이 "성공하고, 실패하고, 탑승하거나 남아 있는"[99] 움직이고 멈추는 것을 관찰하면서 이 새로운 주관성에 대한 우려로 곧 대체된다. 승객들은 그들의 출발이 낳은 "〔하나의〕 기발한 게임, 자기망각"[100]에 참가한다. 철도 세계는 실체라기보다는 외향의 세계이며, 급속한 움직임은 일종의 기교로 나타난다. "서두름은 그들의 일과 슬픔을 숨긴다 /손익의 압박을 가면으로 만든다."[101] 화자에게 그들의 삶은 조각난 캔버스가 되고, 역에서 그들의 움직임은 세계의 가상 자연에 대한 은유가 된다.

〈철도역〉은 재현의 붓놀림으로 내면의 진실을 가릴 뿐인 세상을 보여 줌으로써 "영적 실패에 대한 이미지와 정의"로 읽혀 왔다.[102] 이 시의 화자는 "이리저리 떠돌아다니는 가운데 혼자"[103] 관찰하는 정지된 존재로서 자신을 다른 사람으로 본다. 그러나 화자의 자기 위치를 복잡하게 만드는 선은 "영원히 형성되고, 영원히 형성되지 않으며, /계속 오고, 계속 가는"[104] 기차와 언어의 우발적인 움직임 사이의 평행선을 설정한다. 여기서 타고르는 화자를 통해 자신의 시와 진실을 포착하지 못하는 시를 암묵적으로 비판한다. 화자가 철도 공간이라는 덧없는 세계 안에 위치하는 것처럼, 작가 역시 근대성의 내부에 "영원히 형성되고, 영원히 변질되지 않는" 위치에 있기 때문이다. 철도 공간과 관련된 타고르 화자의 내부/외부 위치는 이 장에 기술된 모든 정신주의자들의 이데올로기적 위치에 대한 공간적 비유로 작용한다. 화자가 언어의 틀 안에서 자신을 발견하듯이, 정신주의자들은 식민주의의 기계 내부에서 글을 썼고, 서구 교육을 받은 작가로서 그 패러다임 안에서 글을 썼다. 타고르, 비베카난다, 오로빈도, 간디 같은 화자는 철도 세계로 대표되는 영구적이지 않은 우연 밖의 자아를 상상한다.

새로운 문화적 기원

사회비평가들의 정치적 담론은 기근과 같은 조건을 야기한 것은 철도가 아니라 영국인이 철도를 사용한 방식이라고 명시했다. 이와 대조적으로 식민 담론은 철도를 기술로 물질화된 새로운 형태의 지식, 즉 세속적 지식을 통한 사회변혁 수단으로 삼았기 때문에, 정신주의자들은 철도의 인식론, 철도의 존재 방식과 앎에 반대했다. 그러나 이데올로기, 정치 프로그램, 심지어 인종 차이에도 불구하고, 사회개혁자들과 정신주의자들은 기계에 초점을 맞추는 것 이상을 공유했다. 두 집단 모두 정의와 도덕적 진실성에 대한 관심을 공유했다. 그들의 언어는 다음과 같은 공통점을 반영했다. 앞서 설명한 사회비평가들은 주로 세속적 근거에 바탕해 철도관을 폈지만 주로 도덕의 언어를 사용했다. 비록 정신주의자들이 계몽주의에 영향을 받은 사회비평가들의 인식론에서 벗어났다고 해도, 비베카난다, 오로빈도, 간디, 타고르는 이 초기 비평가 집단이 정리한 공간에 근거해 정치적 · 사회적 · 미적 논평을 제기했다. 다시 말해, 정신주의자들은 비록 전통의 도덕적 권위 안에서 글을 썼지만, 사회비평가들과 같은 경제적 · 정치적 상황에서 동기를 부여받았고, 사회비평가들의 작업을 연구함으로써 이러한 상황을 배웠다.

모한다스 간디는 철도를 인도의 빈곤과 연결시킨 로메쉬 더트의 《인도 경제사Economic History of India》를 읽고 눈물을 흘렸다.[105] 기근에 대한 논의는 인도를 탈식민화하려는 민족주의자들의 정치 프로그램에 중요한 동기가 되었다. 간디는 1909년 자치를 촉구한 《힌두 스와라지》에서 기근의 빈발과 이 문제에서 철도의 역할을 언급했다.[106] 사회비평가들은 그들의 "정치경제학의 반란 문법"[107]에서 3등석 철도 객차에서 명백한 구별이 낳은 바로 그 조건을 분명하게 표현할 수 있었다. 철도 경험의 모순된 성격은 간디가 자서전 세 번째 장을 철도에 대한 분노에 할애하고 마을을 지지하는 인도 정체성 모델로서 기차 패러다임을 거부하도록 만들었다. 마지막으로, 사회비평가들처럼, 그러나 다른 일련의 도구를 사용하여, 정신주의자들은 철도의 지배적 담론과 그것이 나타내는 모든 것에 도전했다.

이 인도 작가들과 그들의 영국 동조자들은 개발의 식민 수사학에 반응했다. 그 수사학은 철도를 변화의 수단이자 상징으로 제시했다. 철도는 인도에서 영국의 통치를 비판하거나 노골적으로 반대하는 사람들을 위한 상징으로서 중심점이 되었다. 일부 사람들에게 그것은 부의 불평등한 분배와 인도 자원의 "배수drain"를 의미했다. 그 공공공간은 식민지 인도의 차별이 선명하게 눈에 보이는 장소였다. 이 작가들 중 다수는 독립 통치 하의 시민사회를 추구하면서 기술 진보의 수사학에 대한 믿음을 유지했다. 그러나 다른 작가들은 새로운 존재 방식의 상징으로서 기차의 의미를 살피고 기술적 이상에 기초한 사회의 위험을 경고했다. 대신 이 작가들은 기계에 대한 대항마로서 영적인 가르침에 기초한 윤리적 이상에 눈을 돌렸다. 유럽 정치경제에서 파생된 사상과 글쓰기 방식을 쓰든, 영성과 도덕의 언어를 쓰든, 민족주의자와 반체제 영국 작가들은 열차의 상징적 의미에 도전해 열차의 문화적 기원에 반대했다. 인도의 분할(분단)과 독립의 순간, 기차는 많은 인도인들에게 새로운 독립국가의 상징이었다. 철도의 무수한 상징이 세속적 이상의 실패라는 또 다른 새로운 의미를 얻었기 때문에, 철도는 인도 근대사에서 가장 격렬한 종교적 폭력이 발생한 현장이기도 하다.

3장

분할과 죽음의 기차

신사 숙녀 여러분, 사과 드립니다. 이번 열차의 도착 소식이 지연되었습니다.
우리가 여러분을 환대하지 못한 이유입니다. 우리가 원하던 방식으로요.

_ 사다트 하산 만토Saadat Hasan Manto, 〈지연된 환대Hospitality Delayed〉

1947년 우르두어 작가 사다트 하산 만토의 소품문인 〈지연된 환대〉(《카스리 나피시Kasri-Nafisi》)[1]는 철도 여행의 패러다임적 순간(새로운 장소로 오는 여행자들에 대한 공식적 환영)을 취하여 이를 시민의식의 악몽으로 바꿔 놓는다. 암살자는 학살을 목격한 군중에게 유쾌한 연설을 하며, 생존자들이 다른 이름 없는 공동체에 대해 목격한 잔혹함을 암시하고, 이 전시조차 그들이 바라던 것에 훨씬 미치지 못한다고 주장한다. 만토는 남아시아의 여행과 예의의 두 가지 서사를 모방하고 왜곡한다. 바로 손님을 접대하는 적절한 주최자의 의무와 국가 관료 공간으로서 철도의 공식적인 담론이다. 인도 분할을 특징짓는 집단폭력의 공포는 아이러니한 무서움을 자아낸다. 여기서 다시 쓰이고 있는 것은 삶의 평범함뿐만 아니라 민족적 독립 약속의 중심이었던 안전하고 세속적인 근대성 개념도 포함한다. 만토의 삽화가 암시하듯, 이러한 이상과 그 부정은 철도로 대표되게 되었고, 그 과정은 근대성의 불안정한 성격을 드러내는 과정이었다.

분할, 폭력, 그리고 국가적 주체성

1947년 사이릴 래드클리프 경Sir Cyril Radcliffe이 남아시아에 있는 옛 영국 식민지를 인도와 동파키스탄과 서파키스탄으로 나누는 선을 그었을 때, 그의 행동을 둘러싼 정치적 결정은 20세기의 가장 격렬한 퇴거, 인종 간 폭력 및 조직적인 성폭력을 야기했다. 추정치에 따르면, 사망자 수는 10만 명에서 50만 명 사이다(비공식 및 공식 출처 간의 편차, 그리고 공식 출처 내의 편향을 반영하는 크나큰 차이). 우르바시 부탈리아, 리투 메논, 캄라 바신의 학술 저작 같은 최근의 역사는 강간, 신체 절단 및 납치의 희생자였던 7만 5천여 명의 여성 중 일부의 경험을 회복시켰다.[2] 정치적 결정과 곧 닥칠 폭력 사태로 1천만에서 1,200만 명(비공식 집계로는 1,600만 명[3])이 집을 떠나야 했다. 부유층 난민들은 비행기나 자동차를 타고 이동했고, 카라치에서 봄베이로 향하는 사람들 중 일부는 배를 탔지만, 대다수의 사람들은 수 마일에 걸쳐 뻗어 있는 거대한 캐러밴을 타고 황소 수레(황소가 끄는 이륜 목제 수레)를 탔다. 많은 수는 버스와 철도로도 이동했다(그림 6). 기차는 1947년 8월부터 11월까지 힌두교도와 시크교도 25만 명 이상을 파키스탄에서 인도로 실어 날랐다.[4] 수백 명을 태울 기차에 5천 명이 기차에 짓눌렸고, 승객의 3분의 1은 지붕으로 강등되었다.[5] 1947년 11월 한 열차는 다른 방향으로 가는 비슷한 대규모 이주를 반영하여 6,550명의 이슬람 난민과 정부 직원을 파키스탄으로 향했다.[6]

　정치 지도자들은 철도를 분할에 대한 구체적인 정치 계획을 수립살 수단으로 보고 이전移轉 노력의 일환으로 특별 열차를 마련했다. 분할 후 처음 몇 달 동안 70만 명 이상의 피난민이 이 난민열차에 실

그림 6 1947년 10월 분할 기간에 암리차르의 기차에 몰린 난민들. (AFP/INP/Getty Images 사진 제공)

렸다.[7] 두 주에서는 이 작전을 인도와 파키스탄 군사 철수 기구 정부의 책임 하에 두었다. 철도 관계자들은 식민 시대의 유산인 근대성의 수사학이 약속한 내용, 즉 철도의 국가 공간이 국지적 폭력으로 보이는 것을 대체할 것이라는 약속을 믿었기 때문에 열차를 안전한 이전 수단으로 여겼다. 많은 난민들은 철도 시스템이 불가침이라는 비전, 즉 철도를 시민의 영역으로 보는 개념과 다시 연결될 것이라고 믿음을 굳게 믿었다. 파키스탄 서부 국경에서 국가가 지원하는 난민열차는 국가의 보호를 상징했다. 상징적으로, 서쪽으로 달아나는 이슬람교도와 동쪽으로 달아나는 힌두교도들은 난민열차에 탑승하면서 그 나라에 피난처를 찾았다. 그들은 철도를 폭력으로 드러난 종교적 차이를 초월할 수 있는 국가적이고 세속적인 공간으로 보았다.

그러나 열차들은 적절한 국가적 보호 장치가 없었고, 기차를 자주 탔던 군인들이 종종 그들만의 공동체에 충성을 다했기 때문에 안전하지 않았다. 1947년 10월호 《브리티시 레일웨이 가제트British Railway Gazette》는 암리차르에서 무슬림 난민열차에서 3천 명의 승객이 사망했다고 보도했다.[8] 미국 사진작가 마거릿 부르크 화이트Margaret Bourke-White는 철로를 따라 누워 있는 시신 사진과 《라이프Life》 잡지 독자를 위해 대량 이주를 개인화한 난민 이미지와 함께 이 폭력의 스냅샷을 제공했다(그림 7).[9] 많은 인도인들과 파키스탄인들에게 열차의 이미지는 폭력의 목격자인 할머니와 삼촌, 심지어 실종된 어린이와 이모가 있는 실향민 가족의 집단적인 기억에 훨씬 더 친밀하게 남아 있었다.[10] 열차 안과 주변에서 벌어진 학살과 구타, 강간은 세속 국가의 이상을 침식하고 근대성에 대한 시민의 꿈을 무너뜨렸다.

힌두교, 이슬람교, 영국 지도자들의 정치적 결정은 분할 선언을 촉발시켰다. 비록 무슬림 연맹은 20세기 초부터 존재했지만, 1946년 전국적으로 폭동이 일어난 후 무슬림들 사이에서 더 많은 지지를 얻었다. 이 조직은 그 후 무슬림 형제애brotherhood라는 꿈을 실현할 별도의 국가를 만드는 데 집중했다.[11] 인도 정치에서 가장 강력한 정당인 인도국민회의Indian National Congress는 펀자브와 벵골의 힌두교와 시크교 종파 단체들의 요구에 굴복하여 모한다스 간디의 희망에 반하는 분할에 동의했다. 마침내 영국 총독 마운트배튼 경Lord Mountbatten

그림 7 1947년 8월 7일 파키스탄으로 가는 열차를 탑승한 무슬림 난민들을 촬영한 마가렛 부르크 화이트의 사진. (Keystone Features/Stringer/Hulton Archive/Getty Images 사진 제공)

은 영국이 권력을 버릴 준비를 하자 분할을 발표하고 이를 제도화했고, 많은 인도인과 파키스탄인들은 이 과정이 폭력으로 치닫자 그가 이에 대한 책임을 포기했다고 느꼈다. 이러한 인과적 요인의 상대적 중요성에 대해서는 남아시아 학자들 사이에서 많은 논란이 있지만, 한 가지 사실은 탈식민 운동의 위기에 대한 설명에서 분명히 드러난다. 즉, 식민지 시대에 고조되어 탈식민 운동으로 위기에 봉착한 공동체적 긴장을 해소할 방안으로 주장된 근대국가의 우위성이 위기에 처한 것이다. 국가 형태의 근대성은 종파적 폭력을 피할 도피처를 제공할 것으로 여겨졌다. 그러나 파키스탄의 두 지역 사이에 묶인 독립 인도의 출현으로 이 폭력은 절정에 이르렀다.

분할Partition은 이러한 하향식 정치적 결정으로 촉진되었지만, 지역적이고 즉각적인 방법으로 현실화되었다. 국가의 이름으로 행해진 폭력은 폭동, 매복, 개인적인 배신에서 그 힘을 찾았다. 민족적 민족주의는 또한 국가의 젠더화된 서사를 동원하여 성적 폭력으로 상징적 힘을 모았다. 여성 개념은 민족주의 투쟁에서 강력한 기표로 주입되었다.[12] 분할이 진행되는 동안, 여성들은 문화적 민족주의에 대한 격렬한 투쟁 속에서 문화적 정체성의 상징적인 자리가 되었다. 강간과 신체 절단은 무엇보다도 다른 공동체의 재생산 활력을 전유하거나 파괴하는 전쟁 무기로 양쪽 모두에서 사용되었다. 폭력은 또한 남성성 자체를 향했다. 많은 회고록은 전투 동안 남성들이 공동의 정체성을 증명하는 방법으로 어떻게 성기를 보여 주도록 강요당했는지 기록한다(남아시아 공동체에서 할례를 받은 사람들은 대부분 이슬람 남성이었다). 거세도 신체 절단으로 사용되었다. "자발적인" 젠더 폭력은 다른 종류의 무력에 부수되는 것이 아니라 분할과 새로운 국가 건설을 구성했다.[13]

공동체주의라는 이름으로 행해지는 폭력은 단순한 종교적 적대감보다 더 복잡했다. 학자들은 "공동체주의"의 정의를 놓고 논쟁을 벌이지만, 영국의 통치 범주로 거슬러 올라가는 이 용어는 오늘날 인도에서 일반적으로 사용되고 있다.[14] 데이비드 러든David Ludden은 인도의 공동체주의가 이슬람교와 힌두교가 별개의 적대적 공동체를 구성한다는 생각에 근거한다고 정의한다.[15] 아친 바나이크Achin Vanaik는 이 현상의 원인이 부분적으로만 종교적인 정서에 있다고 주장한다. 바나이크는 이러한 것들이 비종교적 요소들과 결합되어 종교 공동체 사이의 분열과 긴장을 증가시키고 권력을 공고히 한다고 주장한다.[16] 확실히, 공동체주의는 정치운동의 형태로 힘을 얻었고, 민족주의 형태로 정당성을 취했다. 에티엔 발리바르Etienne Balibar는 경쟁적인 이데올로기 형성이 궁극적으로 국가 봉사에 어떻게 도구화되는지 설명한다.

명백히 국가 이데올로기는 종교 공동체를 굳건히 한 신성한 의미와 사랑, 존경, 희생, 두려움의 영향을 전달할 수 있는 이상적인 기표(무엇보다도 국가 또는 "조국"이라는 이름)를 포함한다. 그러나 또 다른 유형의 공동체가 여기에 관련되어 있기 때문에 이전이 이뤄진다. 그 비유 자체는 더 깊은 차이에 기초한다. 그렇지 않다면, 종교 정체성의 형태를 다소 완전히 통합한 국가 정체성이 결국 그것을 대체하는 경향이 생기고, 강제로 "국유화"되는 이유를 이해할 수 없을 것이다.[17]

발리바르는 국가 이데올로기와 종교 이데올로기를 구분하고 그 차이를 모호하게 한다. 종교의 도구화는 종교가 별개의 범주로 존재하기 때문에 일어날 수 있다. 그가 묘사한 모델은 "차이"에서 "통합"으로, "대체"로 이동한다. 그러나 종교는 전유되고 대체되는 과정에 의해 침묵되지 않는다. 여기서 종교 공동체의 강력한 감정(사랑, 존경, 희생, 두려움)은 국가 이념을 통해 분명하게 드러난다. 발리바르 모델은 분단 당시 국가적 주체성에 공동체 정체성이 어떻게 자리

잡았는지 이해하는 데 사용될 수 있다. 그 순간, 종교적 소속이 국가 형태를 통해 발언하면서, 공동체 정체성은 국가 정체성(분할 결정이 내려지면서) 아래에 포섭되었다.

분할 폭력의 장면은 단순히 "근대"에서 "전통"으로 회귀했다는 증거가 아니다. 남아시아의 분할 기간 동안, 공동체 정체성은 원래의 분할로 소급하여 주조되어 우선권이 주어졌다. 이러한 경우 역설적으로, 공동체 정체성은 민족국가와 동시에 공식화되는데, 서면과 구전 역사는 마을이나 계급의 정체성 같은 지역적 정체성이 위기의 그 순간까지 종종 다른 것들보다 어떻게 우선했는지를 묘사한다. 인도가 갈라지는 역사적인 순간에 두 개의 국가를 만들기로 결정하면서 모든 정체성은 국가 정체성에 종속되었고, 동시에 종교적 소속은 한 국가 형태로 목소리를 냈다.[18] 따라서 국가와 지역, 일반 대중과 공동체의 범주는 서로를 통해 명확하게 구분되었다. 분할 담론이 폭력을 오로지 종교적 적대감으로 특징지은 방식을 고려할 때 이 복잡성에 주목해야 한다. 더욱이 이러한 이진법들은 절대적인 것이 아니며 분할의 재현에서 쉽게 드러난다는 것을 기억해야 한다.

분할의 서면적·시각적 문화

분할과 관련된 편지, 소설, 회고록 및 영화의 보관 기간은 60년이 넘으며 계속 증가하고 있다. 회고록은 당시의 폭력에 대한 가장 즉각적인 설명을 제공한다. 예를 들어, 자히다 암자드 알리Zahida Amjad

Ali 박사는 자서전에서, 자신이 어떻게 공포에 질린 난민들로 가득 차고 무기는 압수당한 기차 객차를 타고 델리에서 파키스탄으로 여행했는지를 회상한다. 그녀는 기차 창문에서 무시무시한 풍경을 바라보았다. "살이 없는 인간의 두개골은 잔인한 학살이 있었다는 명백한 증거였다. 여러 곳에서 시체들이 서로 누워 있는 것을 볼 수 있었고 아무도 관심을 갖지 않는 것 같았다."[19] 바깥의 무시무시한 공포는 곧 폭도들의 모습으로 객실로 들어왔다. 박사는 공격자들이 무슬림 여성과 아이들을 죽이려고 찾는 것을 목격했다. 그들은 그녀의 어머니와 6개월 된 여동생을 잔인하게 찔렀다. 그들의 존재는 작고 쨍그렁거리는 발찌로 배신당했다.

공식 기록에 따르면 잔혹해진 시민들은 정부에 사법 처리를 요청했지만, 기껏해야 문제를 처리하지 못하거나, 최악의 경우 폭력에 가담할 뿐이었다. 므리둘라 사라바이Mridula Sarabhai라는 여성이 인도 철도교통부에 보낸 편지에는 1947년 9월 23일 암리차르 근처에서 무슬림 열차가 탈선하여 공격을 당했다고 되어 있다. 그녀는 역장이 어떻게 난민들에게 물을 제공하는 것을 망설였는지 자세히 설명한다. 군과 공공기관은 "편파적으로 변한 것처럼 보였고" "내키지 않으며 꺼리는"[20] 의료진은 구급차를 보내지 않았다. 사라바이는 특히 인상적인 대목에서 구호단체 회원으로 추정되는 공격자들이 대학살 후 남은 난민들을 살해하는 동안 군이 어떻게 방관했는지를 묘사했다.

우리는 세와사미티Seawa-samiti〔봉사단체〕 자원봉사자들의 활동을 볼 기회가 있었다. 그들 중 일부는 시체를 치우며 기차 화물칸에 던지고 있었다. 나는 그들이 보복을 믿는 같은 단체에 속해 있어서 놀랐다. 그래서 나는 그들을 지켜봤고 그들이 반쯤 살아 있는 난민의 숨통을 끊고, 내가 구한 시체들 사이에 살아 있던 아이를 던지고, 그 재산을 찾아 객실을 뒤지고 있는 것을 발견했다.[21]

사라바이는 공식적인 지위가 없는 사람이었는데, 그는 이 편지를 쓰면서 인도 정부의 가시적인 얼굴인 국영 시스템인 철도 관리를 감독하는 국영 채널로 눈을 돌렸다. 누군가에게 책임을 묻겠다는 그녀의 몸짓은 국가의 실패와 붕괴에도 불구하고 일부 개인이 보여 준 끈질긴 경계심을 모두 숨긴 채로, 그러나 끈질긴 기억으로 인도 국립문서보관소에 자리잡고 있다. 그녀의 편지에 대한 공식적인 응답도 기록되어 있는데, 한 철도청 직원은 "식수 부족" 대목을 "대중이 놋쇠로 된 수도꼭지를 공공연히 훔쳤다"고 비난하고, 해당 의사는 "사건에 대한 심각성을 인지하지 못했다"고 했다.[22] 므리둘라 사라바이처럼 고통 받은 사람들의 편지 기록 보관소는 일반 시민들이 관료적 경로에 신뢰하는 방식으로 폭력에 대응했음을 보여 준다. 우르바시 부탈리아Urvashi Butalia는 이 편지들이 "새로운 국가와 새롭게 형성되는 국가에 대한 헌신적인 의미를 담고 있다"[23]고 말한다. 또한 국가가 시민들을 보호해야 할 의무를 다했다고 주장한다.

분할에 대한 이 방대한 글과 시각문화를 보면, 장르가 이 작품들의 의도와 영향을 어떻게 형성했는지 알 수 있다. 회고록, 증언, 편지 등은 이주 경험을 원점에서 볼 수 있게 해 준다. 소설은 작가들에게 숨겨진 역사를 폭로할 기회를 주었다. 분할 시대의 소설, 단편, 희곡, 시는 증언문학으로 작용한다. 이 작품들은 개인적 지형이 위치지워지면서 많은 이들이 경험한 상실감과 혼란만큼 대량학살, 강간, 훼손, 자살 등의 무서운 경험을 드러낸다. 이 작품들은 쇼나 싱 볼드윈Shauna Singh Baldwin의 소설 제목처럼 "몸이 기억하는 것"을 재현한다.[24] 이렇게 쓰인 작품들은 또한 이러한 결정을 내린 지도자들과 그것을 실행한 일반인 간의 불협화음을 상세히 기술한다. 영화, 특히 인기 있는 힌디어 영화는 다양한 언어와 빈번한 문맹이 시각문화를 국가 대중을 형성하는 강력한 방법으로 만드는 이 나라에서 훨씬 더 광범위한 관객에게 다가갈 수 있었다.[25] 분할 문제를 다루는 영화는 민족주의의 오랜 문제를 해결하는 강력한 매개체가 되었다.[26]

장르 간의 변주뿐 아니라 1947년 이후 수십 년 동안 다양한 역사적 생산조건은 분할에 대해 다양한 반응을 불러일으켰다. 1950년대 사닷 하산 만토의 우르두어 소품문, 쿠스완트 싱의 소설 《파키스탄행 열차》, 비샴 사니Bhisham Sahni의 힌디어 단편 〈우리는 암리차르에 도착했다We Have Arrived in Amritsar〉(《암리차르 아 가야 하이Amritsar Aa Gaya Hai》) 등 단편과 소설이, 마찬가지로 만모한 데사이의 1960년 힌디어 영화 〈샬리아Chhalia〉는 폭력이 아직까지 최근 기억으로 남아 있을 때 제작되었다. 이 작품들은 인도와 파키스탄 관객들이 인도와 파키스탄이 독립국으로서 각자의 미래를 향해 질주하면서 공식 역사에 기록되지 않은 살인, 강간, 납치에 직면하게끔 했다. 그것은 많은 사람들이 희생자를 알고 있거나, 피해자이거나, 폭력의 가해자였던 관객들에게 사회적으로 중요한 문화적 재현이었다.

이 시기의 대표적인 작품은 국가적 결의를 담은 영화이다. 대표적인 영화인 만모한 데사이 감독의 〈샨티아〉는 분할 이후 남아 있던 국가적 소속감 문제를 해결하려고 한다. "평화"를 뜻하는 이름인 샨티Shanti는 파키스탄 라호르에서 델리로 가는 여성용 객차를 타고 폭력이 수반되는 수년 동안 납치된 여성들을 국가 간에 의무적으로 교환한 조치와 관계된 분할 이후의 송환 프로그램으로 다른 힌두교, 시크교 여성들과 함께 안전하게 이동한다. 영화는 풍경을 가로질러 달리는 기차의 외부 샷으로 시작된다. 유선형 열차의 속도와 모양은 인도의 근대를 암시하며, 카메라가 창밖을 내다보는 샨티의 시점으로 전환되면서 인도와 국가의 연결이 빠르게 확립된다. 카메라가 객차 창에서 보이는 확 트인 시선을 포착하며 샨티가 다른 여성들에게 말한다. "여기 인도, 우리의 인도가 왔어요." 객차 창에서 바라본 풍경이 국가 상징으로 합쳐지는 순간이다. 영화 후반부에서 여성용 객차의 행복한 내부는 납치된 여성의 "고향" 장면과 병치된다. 절망의 장소는 거리로 거의 개방되어 있어 열차 객차의 감정적 · 공간적 대조를 동시에 제시한다. 영화가 진행되는 동안, 샨티의 인도 점유는 종교 축제의 마지막 장면에서 마침내 근대성이 아닌 전통을 통해 국가 주체성이 회복될 때까지 상실된다.

비록 종교를 고양시키기는 하지만, 데사이는 앞으로 나아가는 길로서 집단적 국가 비전과 상징으로서 기차에 도전하지는 않는다. 또 다른 장면에서 파탄(무슬림)은 파키스탄으로 돌아가는 기차 안에서 시크교도를 만난다. 이상한 운명의 뒤틀림 속에서, 시크교도은 파탄의 실종된 여동생과 함께 파탄의 가족에게 그녀를 돌려보내는 여행을 하고 있다. 이 순간, 분할의 여파로 3등석 객차는 남매의 원래 이별을 초래한 내재된 사회적 관계를 초월할 수 있는 가능성의 장소가 된다. 데사이의 작업은 분할 이후의 민족적 화합 중 하나이며, 제4장에서 논의된 탈식민주의 기간 동안 주장된 저술의 지배적인 변형을 나타낸다. 그러나 분할을 직접 다루는 대부분의 작품에서는 근대국가 사상의 실패가 전면에 드러난다. 바로 이 장에서 다룰 작품들이다.

비록 하이데라바드를 제외하고, 상대적으로 남쪽에는 직접적인 폭력과 실향이 거의 영향을 미치지 않았지만, 분할의 영향은 인도 사회 모든 부분에 미쳤다. "1947년의 분할은 인도의 현대 생활을 계속 괴롭히고 있다. 이는 인도에서 종교의 위치를 논하는 담론뿐만 아니라 정의와 소수민족에 대한 역사적 해석, 그리고 아대륙에서 일반 대중의 민족문화 생산을 둘러싼 긴장감 넘치는 투쟁에도 해당된다"[27]고 카비타 다이야Kavita Daiya는 주장한다. 국경과 국가 정체성은 여전히 논쟁 중이기 때문에, 문제를 일으키는 것은 단순히 과거 시기가 현 시점에 미치는 영향이 아니라 진행 중인 과정이다. 분할은 친숙한 상징성을 가진 지속적인 담론의 관점에서 지속된다. 그것은 또한 종교, 정의, 선거구, 세속주의, 젠더, 민족, 시민권과 같은 통합적 개념들이 여전히 폭력 경험에 영향을 받는다는 의미로 남아 있다. 분할은 주체성을 변화시켰다. 수비르 카울Suvir Kaul이 말했듯이, "완전히 달라진 것은 자아와 사회의 친숙한 관계였다."[28]

몇몇 주목할 만한 예외인 1973년 비샴 사니Bhisham Sahni의 힌디어 소설《타마스Tamas》와 1975년 샤만 나할Chaman Nahal의 영어 소설《아자디Azadi》를 제외하고, 1960년대 중반부터 1980년대까지 분할을 다룬 작품은 적었다. 1980년대의 집단폭력을 지나 독립기념일이 되어서야 분할을 다룬 작품들이 눈에 띄게 급증했다.[29] 오늘날 인도에서 공동체주의가 차지하는 불확실한 위치는 이 계속되는 불안을 야기시키고, 분할을 다룬 영화와 허구적이고 학구적인 글에 대한 동시대의 관심을 불러일으켰다. 1995년 무쿨 케사반Mukul Kesavan의 소설《유리 사이로 들여다보며Looking through Glass》, 1998년 디파 메타의 영화〈대지Earth〉, 2001년 아닐 샤르마Anil Sharma의 힌디어 영화〈가다르: 에크 프렘 카타Gadar: Ek Prem Katha〉같은 최근의 창작물들은 분할의 종파 갈등에 초점을 맞추고 초기의 집단폭력을 최근 부상 중인 이슬람교와 힌두교 근본주의와 연결시킨다.

분할은 과거의 사건을 재구성하는 담론으로 남아 있다. 분할의 수사학은 사회-종교 집단 간의 집단폭력과 국경을 둘러싼 논쟁을 다룬다. 그런 의미에서 분할은 끝나지 않았다. 이 책의 결론에서 설명하듯, 2007년 삼조타 급행열차나 인도와 파키스탄을 잇는 프렌드십 급행열차에 대한 폭탄테러 같은 현대의 폭력에 대한 저널리즘 기사는 분할의 역사를 환기시킨다.[30] 이러한 연결을 구축하는 데에 이러한 설명은 동시대의 폭력은 요즘의 세계화 시대의 긴장감에서 비롯된 것이 아니라 재발된 것으로 이해한다. 인도 언론은 분할을 인도 국가 건설의 불안정한 초석으로 설정한다. 게다가, 그 역사적 순간을 폭력의 종교적 측면으로 축소시키고, 계급 차이로 악화되고, 카스트 차별로 매개되고, 젠더에 기초하여 행해지는 방법은 제쳐 두고 있다.[31] 종교가 분할 폭력의 유일한 원인은 아니었지만, 그 시대를 설명할 때 차이의 주요 기표가 되었다. 이와 대조적으로, 〈샬리아〉 같은 초기 작품들은 탈식민지화와 국가 건설의 다른 측면을 강조했다. 간단히 말해서, 현재의 대중문화에서 폭력을 기억하는 주된 방법은 믿음의 공동체 간의 분쟁이다. 이 장에서는 열차의 이미지를 읽음으로써 분할 기간 동안 붕괴로 재현된 철도 공간의 식민지적·민족주의적 이상과 관련해 근대성의 변화하는 의미를 분석하여 이러한 이해를 보완하고자 한다.

분할의 아이콘으로서의 기차

앞서 설명한 모든 서면과 시각문화에 나타난 열차의 이미지는 신흥국의 약속과 근대성의 실패를 탐구하는 방법이 된다. 물론 열차는 분할에 대한 작품들에서 반복되는 여러 기초 중 하나일 뿐이다. 예를 들어, 많은 문학과 영화 작품들은 양쪽이 다른 공동체의 구성원을 강간하고, 장애인으로 만들고, 살해했다는 사실을 입증하는 면에서 신중하다. 보복 개념은 이들 작업에서 균형을 맞추는 이미지로 나타난다. 다른 비유들은 경험의 신체적인 측면을 강조한다. 만토의 〈귀환The Return〉(《콜도Khol-do》) 같은 단편소설은 성폭행이 유괴된 여성의 몸에 기억되는 기계적인 과정이 된다(그녀는 아버지를 위해 기계적으로 다리를 벌린다). 이 작품은 신체에 트라우마가 어떻게 새겨지는를 보여 준다. 허구적이면서도 자전적인 수많은 초기 서사들은 다른 종교 간의 사랑을 폭력의 피해자로 기억에 새겼다. 반면에 후기 작품들에서는 이 로맨스가 공동체의 균열을 회복시키는 상징적인 해결책이 된다. 단편소설에서 이 버려진 집은 이제는 이국이 되어 버린 토양에 남아 있는 잃어버린 가족사의 물질적인 흔적을 제공한다. 제정신이 아닌 남자와 납치된 여자 같은 인물들은 분할의 조건 하에서 사람들이 변화하는 것을 보여 준다.[32] 이러한 장면과 캐릭터는 분할의 공유된 문화적 기억을 만들며 여러 작품에서 반복된다. 열차 장면ㅇ은 여러 반복된 이미지 중 하나일 뿐만 아니라 개별적인 예술적 결정들을 반영한다. 예를 들어, 1998년 파멜라 룩스Pamela Rooks의 힌디어 영화 버전 〈파키스탄행 열차〉는 원작인 싱의 소설과 달리 열차가 중요하게 다뤄지지 않는다. 반면에 1987년 고빈드 니할라니Govind Nihalani가 감독한 힌디어 텔레비전 시리즈 〈타마스Tamas〉는 원작인 사니의 소설보다 기차를 더 강조한다. 그러나 난민열차가 동파키스탄 분할에서 훨씬 덜 중요한 역사적 역할을 했음에도 불구하고, 난민열차는 분할의 폭력을 대표하는 지배적인 비유가 되었다.[33]

열차는 남아시아 지역에서 상징적인 공명을 일으키기 때문에 분할의 주요 아이콘이 되었다. 식민지 작가들은 철도를 문화적 변화의 힘으로, 인도를 현대화할 기술혁신 모델로 구상했다. 민족주의적 관점은 정치적으로 달랐지만, 독립을 쟁취한 사람들에게도 철도는 여전히 상징적 중요성을 유지했다. 19세기 후반의 정치·경제 이론가들은 식민주의의 일부였던 경제적 착취의 표시로 철도를 고정시켰다. 20세기 초까지 간디는 기차를 그가 이질적이며 파괴적이라고 여긴 기계문화의 선구자로 특징지었다. 그러나 이러한 해석에도 불구하고, 혹은 철도의 상징적 지위를 유지한 방식 때문인지 몰라도, 열차를 변화의 신호로 묘사한 식민 담론은 여전히 강력한 유산을 남겼다. 1947년까지 기차는 많은 이들에게 근대국가로 가는 여정을 상징했다.

국가에 대한 은유로서 열차의 특별한 역할은 인도의 새로운 위상을 반영하는 중요한 장소가 되었다. 문학적·시각적 표현에서 기차는 우표, 소설, 여행과 같은 다양한 매체에서 국가를 재현한다. 순환 시스템인 철도는 지리적 공간을 동시적 공동체로 역동적으로 변화시킨다. 그것은 무역과 여행을 통해 지속적으로 그 국가 공간을 결속시킨다. 국가와의 관계를 더욱 공고히 하기 위해, 공공공간으로서 철도 객차에 대한 문화적 해석은 역사적으로 국가의 이념과 위계, 분열을 새김으로써 국가의 재생산을 시도해 왔다. 철도는 이 논리를 드러낼 뿐만 아니라 생산한다. 그렇게 함으로써 모든 것을 국가의 안보 안에 포함시키겠다고 약속하는 국가의 사절 역할을 한다. "들어가라! 이건 정부의 일이다." 러디어드 키플링의 1901년 작

품《킴》에서 한 인물이 티베트 라마에게 외친다.[34] 탈식민 투쟁 중에
자와할랄 네루가 철도를 인도의 가장 큰 국가 자산이라고 부를 때도
같은 감정이 여전히 반복된다.[35]

열차의 지배적인 패러다임은 장소의 친밀함에서 익명성에 의존
하는 추상적이고 상징적인 용어로의 변형, 즉 국가 선거구와 평행을
이루는 과정이 유예된 공간이다. 지나가는 기차를 보는 사람들에게
열차 차량은 추상적인 집단 정체성의 구체적인 표시로 나타난다.
내부 승객들에게 기차는 상상된 실현을 향해 나아가는 국가를 상징
한다. 이동을 통해 시공간을 재구성할 수 있는 능력이 있는 철도의
능력은 새로운 국가적 정체성을 형성하는 일차적 공간이 되었다.
열차는 탈영화의 대리인이기 때문에, 탑승자들을 원래의 지역적 맥
락에서 새로운 집단성으로 옮겼다. 그 과정에서 열차는 복잡한 위
치에서 추출한 정체성을 생성했다. 그 집단성은 종교를 초월하여
오랫동안 관계를 유지해 온 마을에서보다 더 많은 위험에 사람들을
빠뜨리는 익명의 집단성이다.

앤서니 기든스Anthony Giddens에 따르면, 서구 근대성의 핵심에는 사
회적 관계가 해체되는 과정이 있다.[36] 분할 당시의 기차는 국가의 상
징일 뿐만 아니라 이동성으로 형성된 근대성을 대표하는 중심 장소
였다. 사람들이 철도를 국가의 환유로 믿었기 때문에 분리된 이동
하는 정체성은 분할 기간 동안 확실히 국가적 성격을 띠었다. 그러
나 역설적이게도, 그 근대적 모빌리티, 즉 국가 선거구 내의 합병은
또한 공동체주의를 증가시켰다. 이동은 계급과 카스트 정체성, 가

족 우정, 경제적 관계를 포함하는 훨씬 더 복잡한 자아를 점유한 가정에서 사람들을 제거함으로써 사람들을 그들의 공동체적 정체성으로 축소시켰다. 열차의 방향이 승객들의 신분을 나타내고 공격에 취약하게 만들면서 열차 자체가 공동체의 정체성을 나타내게 되었다. 국경 근처에서 동쪽으로 이동하는 기차는 힌두교의 상징이 되었고, 서쪽으로 이동하는 기차는 무슬림의 상징이 되었다. 여기서 중요한 것은 "힌두 열차"나 "무슬림 열차"의 지정이 완전히 정확한지 (때로는 그렇지 않았기 때문에)가 아니라, 폭력이 일어날 수 있었던 이동성으로 생성된 추상화를 보여 주는 것이다. 앞에서 주장했듯이, 이 해체 과정은 근대성과 국가를 모두 대표했고, 따라서 이 작품들에서 근대국가는 탈합리화되고, 공동체적이었으며, 구체화되었다.

그렇다면 분할 기간 동안 기차가 근대국가의 실패를 알리는 신호로 느껴진 것은 우연이 아니다. 물질적 형태로 표현된 기차는 세속적 근대성을 약속했고, 안전과 자유의 이러한 이상의 실패를 보여 주었다. 분할을 다룬 문학과 영화는 혼란스러운 외부로부터 분리된 이상화된 규제의 공간인 "합리적 유토피아"[37]로서의 열차 객차의 이상을 무너뜨리는 순간을 묘사한다. 나는 이 개념이 식민 담론에서 근대적 공간으로서의 철도 건설의 중심이었다고 주장한다. 이 작품들은 근대의 미래지향성에 도전하고, 국경을 투과성이 있는 것으로, 국가 정체성을 유동적인 것으로 보여 주며, 기술의 합리성과 대조되는 불가사의한 이미지를 제시하며, 국가 구성에 대한 구체화된 그림을 제공함으로써 근대성의 불안정한 측면을 나타낸다.

분할(분단)문학은 열차의 이미지를 이용하여 근대성의 식민 서사의 중심에 놓인 임박한 변화 개념에 맞닥뜨린다. 열차는 종종 전향적인 근대성의 상징이자 진보적 역사의 화신으로 묘사된다. 그러나 열차를 배경으로 한 남아시아 분할문학은 진보 개념을 훼손하지는 않더라도 종종 그에 도전한다. 분할의 기간은 그 시간성의 본질을 변화시킨다. 인도와 파키스탄 둘 다 국가주권을 획득하면서 기차 여행의 이미지는 영구적인 반전 중 하나로 바뀐다. 바뀐 근대성의 연대표는 앞으로 나아가기보다 폭력과 보복 속에서 앞뒤로 덜컹거리는 기차, 벡터가 아닌 추의 형태로 서사에 나타난다.

문화 작품이 철도에 고정된 이유는 단순히 철도가 근대국가의 상징이기 때문이 아니라, 이동 공간으로서 열차의 성격이 분할의 일부인 이동을 나타내기 때문이다. 역사적으로, 기차는 인도의 분할에 중요한 역할을 했다. 그것은 국경을 넘어 사람들을 이동시킴으로써 그 분할을 일어나게 했고, 또한 선을 넘나드는 이동으로 바로 그 분리를 연결시켰다. 이 때문에 기차는 분단의 폭력과 그 분리의 잠재적 가역성을 모두 표현하게 되었다. 게다가 이동은 기차가 국경을 통과할 때 처음에는 한 공동체에, 다음에는 다른 공동체에 "속할" 수 있도록 열차에 유동성을 부여했다. 예를 들어, 진보작가운동의 샤히드 아마드Shahid Ahmad는 자서전에 기차 여행을 다음과 같이 기록한다. "30분 후 기차는 마치 죽은 사람이 새 생명을 얻은 것처럼 출발했다. '파키스탄 진다바드Pakistan Zindabad'(파키스탄이여 영원하라)와 '콰이드-이-아잠 진다바드Quaid-e-Azam Zindabad'(위대한 지도자여 영원하라) 구호가 나오기 시작했다. 우리는 이제 파키스탄 국경에 진입했다는 것을 이해했다."[38] 이동성은 또한 국경 지역의 불분명한 상태를 상징하는 불확실성을 열차에 부여했다. 바차얀S. H. Vatsayan(아즈네야Ajneya)은 힌두교인이 시크교도에게 집이 어디냐고 묻는 힌디어 단편 〈되갚아주기Getting Even〉에서 이러한 소속감 없음을 잘 담아냈다.

"셰쿠푸라Shekhupura에 있었다. 이제 여기 있는 게 나을 것 같다."
"여기? 무슨 뜻인가?"
"내가 어디에 있든 내 집이 있다! 기차 칸의 한쪽 구석."[39]

이 작품들은 국경선이 다시 그려지면서 한 국가에서 다른 국가로 집이 "이동"될 수 있는 분할 경험의 중심이었던 경계 상태를 반영한다.

작가와 감독들은 분할 기간 및 이후 근대성과 세속주의, 및 국가의 본질에 도전하고자 기차를 근대, 세속 국가의 상징으로 동원했다. 이를 위해서 그들은 기차의 상징을 변화시켰다. 그들의 작품은 역사를 목격하고 열차의 설정을 이용하여 근대성의 폭력적인 면을 드러냄으로써 철도 공간의 문화적 의미를 다시 쓴다. 분할문학은 근대성의 대항서사를 생산했다. 이러한 대항서사들은 시간을 거꾸로 돌리고, 기술을 신체로 바꾸고, 기계에 기이한 존재감을 부여하고, 기차 객차를 그 주변 지역 세계에 내장된 공동의 공간으로 표시한다. 이들은 한때 이동성을 통한 해방의 상징이었던 열차 객차를 사람들이 죽음을 기다리는 감옥의 공간으로 탈바꿈시킨다. 이러한 대항서사는 근대성의 변증법적 표현으로 만들어지며, 근대성과 기술, 합리성, 일반 대중 국가에 대한 주요 서사를 불안정하게 하는 동시에 근대성의 무사한 형태 안에서 출현한다. 다음 절에서는 이 과정이 어떻게 작동하는지 방식을 조사하고자 이러한 창작물 중 일부를 더 자세히 살펴본다.

쿠사완트 싱의 《파키스탄행 열차》

《파키스탄행 열차》에서 열차의 이미지는 변화하는 지역 및 국가 정체성을 상징적인 형태로 표현하는 데 사용된다. 분할 작품으로 가장 널리 알려진 이 소설의 저자인 싱은 1947년 여름, 수백만 명의 사람들이 집단폭력을 피해 이주해야만 했던 북서부 국경의 마노 마즈라 마을을 작품의 배경으로 삼았다. 이상화된 마노 마즈라는 인도가 독립과 분할로 접어들면서 시크교도와 이슬람교도의 관계가 붕괴될 때까지 "평화의 오아시스"로 존재한다. 계층과 종교가 다른 마을 주민들 사이에는 상대적인 조화가 있으며, 싱은 도시 지역에서 온 외부인과 마주치는 그들의 공통점을 나타낸다. 마을 사람들은 모두 현지의 신을 상징하는 사암砂巖을 숭배하고, 지도자인 싱이 주재하지만 이맘imam〔이슬람 교단의 지도자〕도 환영하는 시크교 사원에 모인다. 많은 분할 서사들처럼 싱의 소설도 1947년 이전의 삶과 공동체 관계를 이상화한다.

그러나 싱의 목가적인 이상향에서, 집단 정체성을 키워 주는 것은 지나가는 열차들이다. 철도 소리는 "마노 마즈라를 매우 의식적으로"[40] 만들었다. 이 의식은 마을 사람들의 일상을 구성한다. 아침 기차 소리와 함께 물라는 기도를 시작하고, 그 소리를 듣고 힌두교 사제는 목욕재계한다. 심지어 지역의 도둑들도 기차 시간표대로 야간 급습을 한다. 이러한 "철도 시간"은 일상생활에 정착되어 통합된 지역 철도의 의식을 불러일으켰다. 지나가는 기차들이 종교의식의 시간표를 알려 주는 것처럼, 철도에 대한 진술은 다른 종류의 상호작용을 대체한다. 화자는 다음과 같이 말한다. "화물열차가 증기를 내뿜으면" 마을 사람들은 "서로 '화물열차가 있다'고 말한다. 마치 밤인사를 하듯이."[41] 싱의 재현에서 철도 의식은 지역 생활에 스며들어 있고, 지역 정체성은 철도라는 용어로 표현된다.

소설에서 시간은 지역과 국가의 교차점을 보여 주는 조직적 구조로 작용한다. 그것은 또한 철도의 시간으로 구현된 진보의 패러다임을 불러일으킨다. 철도는 종종 근대성과 관련된 새로운 시간성, 즉 주변의 사회적 세계를 구성하는 측정된 시간을 부과하는 것으로 표현된다.[42] 그것은 국가를 환기시키는 분리된 동시적 시간이라는 관점에서 배열한다. 싱의 소설에서 마노 마즈라에 폭력이 발생하면서 마을 사람들의 일상생활을 조직했던 철도 시간표는 요동치기 시작한다.

어떤 날은 자명종 시계가 엉뚱한 시간에 맞춰진 것 같았다. 어떤 면에서는 마치 아무도 그것을 감아야 한다는 것을 기억하지 못하는 것

처럼 … 화물열차는 운행을 완전히 멈췄고, 마을 사람들을 달래 줄 자
장가도 없었다. 대신 유령 열차가 자정부터 새벽 사이의 이상한 시간
에 지나가며 마노 마즈라의 꿈을 어지럽혔다.[43]

"철도 시간"이 국가를 의미한다면, 국가 자체의 질서 안에서 무언
가가 변하고 있는 것이다. 열차의 "자장가"가 불안정해지면서, 마을
은 지금까지 야간열차의 꿈 세계에 잠재되어 있던 국가 정체성에 눈
을 뜬다. 화자는 이 의식에 수반되는 점진적 퇴화를 무엇인가가 잘
못(잘못된 시간으로 설정)되거나 잊힌 어떤 것이 마을의 "꿈을 방해하
는" 것이 되기 때문이라고 특징짓는다.

싱은 열차의 이미지를 변화시키면서 근대성 개념의 중심인 시간
의 선형성을 파괴한다. 끊임없이 전진하는 기차는 진보의 상징으로
기능하며, 종종 여행의 이미지를 통해 예술적 형태로 표현되는 개념
이다. 기차는 보통 어디로 가는지를 상징한다. 기차의 미래는 선로
를 따라 앞으로 나아가는 것이다. 싱은 독립 당시 자와할랄 네루 총
리의 연설 중 유명한 대사를 떠올리는 경감인 하쿰 찬드라는 캐릭터
를 통해 이 지향을 언급한다. "오래전에 우리는 운명에 도전했고 이
제는 우리가 서약을 완전히 또는 전부가 아니라 매우 실질적으로 상
환할 때가 왔다."[44] 네루의 은유는 현재 임박한 미래를 인식하는 미
래지향적인 근대성 패러다임을 제안한다. 그러나 소설에서 경감은
갈증으로 죽는 것을 막고자 멈춰 선 열차 안에서 아내와 아이들을
죽인 한 남자를 기억하며 앞이 아닌 뒤를 돌아본다. "그는 기차로 그

의 시련에 왔다."[45] 텍스트의 중심 이미지인 유령 열차는 이전 사건과 같은 종류의 참조를 제공한다. 이미 일어나 버린 학살이다. 집단적 시선이 미래로부터 시선을 돌려 상상의 과거를 되돌아보게 되면서, 이 과거는 현재의 역사적 우연 아래 새로운 형태로 다시 나타난다. 따라서 변경되는 것은 열차의 시간성만이 아니라 근대성 자체의 시간성이다. 이 기술은 초월적인 세속적인 미래가 아니라 유령의 형태로 상상된 공동체의 과거를 소환한다.

근대와 관련된 시간 개념을 변화시키는 것 외에도, 분할 기차의 이미지는 또한 기계적인 것과 공동체적인 것을 융합하여 기술의 이상적인 버전에 도전한다. 기차는 문학에서 종종 의인화되었다. 이 비유는 〈페샤와르 급행열차Peshawar Express〉라는 크리샨 찬더Krishan Chander의 유명한 우르두어 단편소설에 등장하는데, 여기서 난민들을 태운 채 페샤와르를 떠난 기차는 그들의 살인을 목격하고 다른 끔찍한 사건들에 대해 이야기한다.[46] 《파키스탄행 열차》에서 기차는 공동체적 조직의 환유로 기능한다. 싱은 신체-기계의 혼종 이미지를 통해 이러한 효과를 얻는다. 난민들이 기차로 국경을 넘어갈 때 열차는 드 "화물" 정체성과 합쳐진다. 싱은 라호르에서 출발한 급행열차가 새로운 국경을 넘어 인도로 들어가는 모습을 묘사한다. "모든 열차가 그렇듯이 만원이었다. 지붕에서 다리들이 문과 창문 양쪽으로 늘어져 있었다. 문과 창문은 머리와 팔로 꽉 채워져 있었다."[47] 저자는 난민열차를 군중과 기계의 교차점으로 표현한다. 소설 후반부에서 싱은 또 다른 난민열차를 "인간의 단단한 껍질"[48]을 가지고 있다고 묘사한다. 또 다른 이미지에서는 승객과 기관사의 분위기를 기차 자체에 옮겨 놓으면서 열차가 승객을 대신한다.

델리에서 오는 모든 기차는 파키스탄으로 이동하기 전에 멈춰서 운전사와 경비원을 바꿨다. 파키스탄에서 온 사람들은 엔진을 끄고 안도의 비명을 지르며 달려갔다.[49]

싱은 가치중립적인 차량에서부터 인간-기계 이미지로 복잡하고 구체화된 사회적 공간으로 기차의 이미지를 다시 개념화한다. 이전에는 국가 상징이었던 기차는 이제 공동 부호가 된 차량, 즉 파키스탄으로 여행하는 무슬림의, 혹은 시크교도의, 그리고 인도로 여행하는 힌두교도의 캐러밴을 상징한다. 그것은 그들 정체성의 바로 그 몸체가 된다. 첫 "죽음의 열차"가 국경 너머에 도착했을 때, "그것에 대해 불안한 점이 있었다. 그것은 굉장한 우수했다."[50] 기차의 성격은 이성의 도구(시계)에서 육체, 그리고 유령으로 바뀌었다.

소설의 절정에서 농민 주가는 기차를 탈선시키려는 밧줄을 타고 올라가 기계와 마주하고 밧줄을 자른다. 그가 진행 중인 열차에 치여도 난민들의 기차가 파키스탄으로 갈 수 있도록 말이다. 카비타 다이아Kavita Daiya는 "민족 간의 사랑으로 묘사되는 세속주의의 승리가 새겨진 것은 〔주가의〕 짓밟히고, 농촌적이며, 남성적인 신체에 있다"[51]며 이 장면을 통찰력 있게 읽어 낸다. 인도의 독립으로 얻은 세속주의의 승리는 역사적으로 문제가 많았다. 주가를 죽이는 서사적 선택은 확실히 이 승리를 위해 처러진 불공평한 희생을 강조하지만, 사고 자체도 열차의 목적지인 이 국가적 근대성에 도전장을 던진다. 내가 이 책의 결론에서 주장하듯이, 사고의 이미지는 신체과 기계의 융합을 보여 준다. 이 충돌은 육체적인 것과 기계적인 것의 분리에서 시작되는 근대성의 문화를 뒤엎는다.[52]

　결론적으로 싱은 철도에 대한 몇 가지 서사를 불러들이고 재구성하며, 이를 통해 근대성의 재현 영역을 변화시킨다. 우선, 그는 시간 개념을 바꾼다. 근대의 특징이자 "철도의 시간"으로 상징되는 선형적인 시간은 비이성적이고 이상한 것이 된다. 싱이 독자의 시선을 거꾸로 돌려 죽음의 열차의 기원을 향해 선로를 따라 내려갈 때, 그는 시간적 지향을 미래에서 가까운 과거로 옮긴다. 소설을 마무리하는 싱의 파키스탄행 열차는 미래를 향한 시선을 되돌리지만, 운명과의 시련이라는 개념은 이미 철저하게 비판받았다. 분할의 맥락에서 이러한 진보에 대한 바로 그 생각에 의문이 제기된다. 두 번째로 싱은 기차의 기계적 시각에서 처음에는 의인화된 시각으로, 그 다음에는 기이한 시각으로 바꾸면서, 기술 서사를 변경하여 식민지 근대성의 수사학을 상쇄한다. 레모 세세라니Remo Ceserani는 유럽의 문맥에서 이 기이한 기차가 파괴적이면서 동시에 진보적인 산업 근대성에 대한 경쟁적인 사회적 개념을 함께 봉합하는 것으로 묘사한다.[53] 싱은 이러한 국가 구이라는의 특별한 맥락에서 근대성이 무엇을 의미하는지 개념을 바꾸기 위해, 즉 의인화된 기계, 근대의 기이한 존재라는 근대성의 대항서사를 창조한다.

〈가다르〉와 〈지구〉

이러한 국가적 근대성의 붕괴는 2001년 아닐 샤르마의 블록버스터 힌디어 영화 〈가다르: 에크 프렘 카타〉(《봉기: 사랑 이야기》)에서 철도 공간의 질서의 붕괴와 유령 열차의 출현으로 볼 수 있다. 이 영화는 두 가지 기차 학살 장면을 보여 준다. 막 파키스탄의 일부가 된 피플란 마을에서 힌두교도와 시크교도에 대한 이슬람교도들의 첫 번째 학살 장면이다. 한 시크교도 가족이 인도로 도망가려 하지만, 열차 객실에 들어갔다가 폭도의 폭력을 만나 부모는 살해당하고 자매는 강간당한다. 여주인공 사키나의 무슬림 가족이 파키스탄으로 피신하려 힌두교도와 시크교도들의 집단 공격을 받으면서 암리차르에서 두 번째 열차 학살이 벌어진다. 그들은 라호르에 도착하지만, 그녀는 그렇지 않다. 그녀는 밤에 기차 승강장에 있는 시체들 사이에서 깨어난 후, 불만을 품은 피난민들의 황량한 야영지를 통해 한 무리의 강간범들에게 추격당한다. 그녀는 궁극적으로 그녀가 절실히 필요로 하는 기차처럼 선로 한가운데에 신호등을 들고 서 있는 시크교도 타라 싱에게 구조된다.

이 영화는 로맨스를 이용하여 공동의 갈등을 해결하는데, 이는 분할에 대한 작품에서 흔히 볼 수 있는 비유이다. 평등이라는 노골적인 메시지에도 불구하고, 영화는 궁극적으로 인도의 관점을 고양시킨다. 열차 학살 장면에서 미묘하게 드러나는 공동체의 충성 속에서 이를 볼 수 있다. 첫 장면에서는 폭력이 노골적으로 클로즈업

된다. 시청자로서 우리는 아버지의 목이 잘리는 것을 보고, 카메라는 기차 안에서의 마지막 장면에서 강간당하는 시크교 여성의 얼굴에 초점을 맞춘다. 피투성이가 된 기차가 암리차르역으로 들어오고, 그곳에서 타라 싱은 "인도는 우리에게서 배운다"는 우르두어 단어를 읽는다. 두 번째 기차 학살 장면은 덜 노골적이다. 카메라는 열차에 탑승하려는 사람들에게 초점을 맞추고 장면 사이를 빠르게 오간다. 폭력은 카메라 초점 주변과 뒤에서 일어난다. 따라서 두 장면 모두 열차 학살 장면이지만, 힌두교와 시크교의 보복 장면이 아니라 살인을 저지르는 무슬림들이 등장하는 장면에 즉각적인 우선수위가 부여된다. 이 정서를 노골적으로 비난하면서도 무슬림에 대한 관객의 감정을 자극하려는 재현적 재현적 결정이다.

두 시퀀스의 공통 캐릭터는 기차이다. 두 장면 모두에서 기차의 기적 소리는 그것이 포함하는 피해자 집단의 구현이 되며 울린다. 이 기계는 또한 난민들의 욕망을 나타낸다. 두 장면 모두에서, 카메라는 이동하려 움직이지만 짐 때문에 느려지는 열차 바퀴에 초점을 맞춘다. 두 장면 모두 싱이 사용한 유령 같은 "죽음의 열차" 이미지를 재현한 폭력의 여파를 보여 준다. 첫 장면에서 기차는 마치 섬뜩한 여행을 하는 승객들처럼 시체들이 객차 창가 좌석에 그대로 놓인 채로 조용히 역 안으로 들어온다. 암리차르 승강장 대학살의 두 번째 장면은 도살된 시체들의 야경을 보여 준다. 샤르마는 소리의 부재를 이용해 귀신이 나타나는 듯한 분위기를 만들어 낸다. 타라의 발자국에서 나는 뽀드득거리는 소리, 사키나가 거친 숨소리, 멀리서 들려오는 기차 소리 등 고립된 소리들이 현장에 생명을 불어넣는다.

유령 열차의 이미지는 영화 〈지구〉에서 기차 대학살을 묘사한 디파 메타의 잊히지 않는 묘사로 다시 등장한다. 이슬람교도인 딜 나바즈는 밤에 기차역에서 난민열차에 탑승한 친척들을 초조하게 기다린다. 기차가 도착했을 때, 그는 학살된 시체들의 끔찍한 광경을 발견한다. 쿠쉬완트 싱은 소설에서 단일 인물이 아니라 한 마을의 죽음의 열차에 대한 집단적인 경험을 보여 주었다. 그러나 메타는 집단폭력을 야기시키는 개인적인 변화의 관점에서 분할의 정치를 표현한다. 오프닝 장면은 딜 나바즈의 얼굴에 초점이 맞춰져 있는데, 승강장 전체가 대기하는 모습을 보여 주려 카메라가 뒤로 이동해도 다른 캐릭터는 카메라를 마주하지 않는다. 시청자로서 우리는 아미르 칸의 섬세한 연기로 능숙하게 전해지는 이 캐릭터의 경험에 밀접하게 연결된다.

개인의 주체성에 중점을 두고 있음에도 불구하고, 메타는 싱이 개발한 죽음 열차의 문화적 모티브를 포착해 영화 장르가 제공하는 가능성을 사용하여 기이한 경험을 발전시킨다. 그 장면은 고요하고 일상적인 소리가 없는 것이 특징이다. 혼잡한 승강장의 소음 대신, 감독은 음소거된 장면을 해석하는 방법으로 사운드트랙을 사용한다. 배경음악은 특히 중요하다. 그 가사는 임박한 죽음의 분위기에서 기다리는 불안한 마음과 기차의 고동을 연결한다.[54] 기차가 역 안으로 미끄러질 때 기차의 기계적인 소음을 중단시키는 천상의 선율이 생겨나며, 느린 음악의 리듬이 만들어진다. 기차의 부드러운 쉿

하는 소리는 규칙적인 반복 속에서 보는 이의 기차 경험이 되는 노래 뒤에서 인식된다. 장면의 소리는 기차를 섬뜩하게 만드는데, 메타는 조명을 통해서도 그 효과를 얻는다. 밤 풍경은 대부분 어둡고, 들어오는 열차는 처음에는 나바즈의 어깨 너머로 빛의 달로 나타나 유령의 은밀한 모습을 하고 역 안으로 미끄러진다. 기차가 들어오는 것을 본 나바즈는 열차 칸 문으로 달려간다. 이 장면에서 카메라는 실내 어둠 속에 위치하고, 관객은 눈으로 바닥에 흐른 피를 보는 것이 아니라 파리 소리로 인식하게 되고, 그 다음에 등장인물의 얼굴로 인식하게 된다. 이는 메타가 카메라를 돌려 장면에 조명을 비춰 어른과 아이들의 몸으로 가득 찬 열차 칸과 복도를 보여 주고 나서야 비로소 가능해진다.

싱의 소설에서처럼, 메타가 폭력의 광란적인 이미지보다는 잊히지 않는 이미지를 보여 주면서 고요함이 강조된다. 만토의 "지연된 환대"나 샤르마의 〈가다르〉처럼, 메타의 〈지구〉는 철도 여행의 정상적인 장면을 왜곡함으로써 그 충격적인 특성을 어느 정도 달성한다. 이 작가들과 감독들은 다른 서사 흐름을 이용해 이 역사적 맥락에서 근대성 내부의 모순을 표현한다. 그들은 분할의 맥락에서 근대성의 지배적인 서사에 도전하고자 이러한 대항서사, 즉 기이함 대 이성적 기술, 의인화 대 기계론의 비유를 되살린다.

투과성의 경계들

분할 작품들은 또한 폭력이 가져온 질서라는 의미에서 파열된 곳을 보여 주는 방법으로 열차의 독특한 공간 구조를 사용한다. 내가 1장에서 주장했듯이, 철도의 공간화는 특정한 종류의 관계를 강조한다. 이 결합은 철도 공간을 구성하는 주요한 이분법 중 하나인 내부와 외부의 패러다임을 중심으로 회전한다. 내부와 외부의 분열은 미셸 드 세르토가 말한 "폐쇄적이고 자율적인 편협성"을 만들어 낸다. 이는 열차가 많은 승객들이 결코 걸어다니지 않을 도시 공간의 뒷문을 통해 여행하면서 중요해지는 환상이다. 비평가들은 이 철도 객차를 "모든 것을 한눈에 볼 수 있고 분류적인 권력의 거품, 질서의 생산을 가능하게 하는 감옥의 모듈, 폐쇄적이고 자율적인 편협성, 즉 공간을 초월하고 지역적 뿌리에서 독립할 수 있는 것"[55]이라고 비유한다. 철도 공간은 근대성의 질서를 약속한다. 철도 차량의 규제된 등급 안에 들어가는 것은 국가에 보호되는 것과 동시에 "합리적 유토피아"[56]인 근대성의 약속에 보호되는 것이다.

내부와 외부의 이분법은 배제라는 근대성 수사학의 중심에 있으며 열차의 재현적 공간에 도표화된다. 열차 객차의 경계선은 외부와 내부를 구분한다. 경계는 또한 외부의 지역 공간으로부터 내부의 국가 공간을 표시하고 나눈다. 철도의 구조는 금속 껍질로 보호되는 고양된 세계관과 함께 관음적 가능성을 제공한다. 철도의 내부와 외부 공간의 구분은 이미 시행된 위계질서의 지속적인 재현과 강화가 된다. 물론, 기차는 여행한 지역으로부터 성공적으로 분리되지 않았다. 내부와 외부의 이러한 공간은 별도의 공간으로 표시되지만, 이들 사이의 경계와 거주자 간의 관계는 처음에 보이는 것보다 더 유동적이다. 이런 경계의 투과성을 가리키는 불안감을 이해하려면 관찰하는 여행자와 관찰되는 원주민 사이의 불안한 관계, 또는 바깥의 위협적인 테러리스트와 객차에 갇힌 취약한 승객 사이의 관계를 생각하면 된다. 객차는 그것이 여행하는 땅에서 떨어져 있는 것처럼 보일 수 있고, 승객은 바깥 세계의 멀리 떨어진 관찰자로 보일 수 있지만 그들은 국가 공공공간과 지역 공간의 일부이며, 그들이 처한 현실 모두에 영향을 받는다. 분할 기간 동안 일어난 철도 폭력은 경계선의 투과성을 드러내어 이 분리의 오류를 드러낸다. 인도 분할 당시 열차의 폭력 현장으로서 열차의 재현에서 외부 지역 공간 위에 문자 그대로 그리고 은유적으로 내부가 정지된 장소로서의 이미지가 중요해진다. 그것은 작가와 감독들이 즉각적인 정체성과 국가적 정체성의 관계를 논평할 수 있게 한다.

싱의《파키스탄행 열차》, 샤르마의〈가다르〉, 메타의〈지구〉는 주로 열차 밖이나 정차된 열차 안에 관점을 위치시킨다. 다른 분할 서사들은 이동하는 열차의 객차 내에서 변화하는 역학 관계에 초점을 맞춘다. 비샵 사니의 단편〈우리는 암리차르에 도착했다〉는 움직이는 열차 안에서 분할의 유동적인 풍경을 보여 준다. 다양성은 사니의 단편에서 현재 파키스탄의 서편자브에서 델리까지 이동하는 철도 차량의 내부를 나타낸다. 객실 칸은 여러 승객들이 혼합되어 있으며, 화자에 의해 그들의 민족성 또는 언어로 설명된다. 사령관, 파탄 상인 3명, 파슈토어 연설가(페샤와르 출신) 등이다. 한편, 화자는 알려지지 않은 배경을 가지고 있으며, 이는 그를 사건의 "객관적인 관찰자"로 위치시키는 요소이다. 단편의 서두에서 승객들은 분할에 대해 들었지만, 이슬람 지도자 모하마드 알리 진나가 봄베이에 계속 살 것인지 아니면 파키스탄으로 이주할 것인지 등의 질문을 던진다. 저자는 분할이 가져온 변화에 대한 사람들의 무지를 분명히 강조하고 싶어 한다.

《파키스탄행 열차》처럼, 〈우리는 암리차르에 도착했다〉는 폭력으로 전락한 이야기를 말한다. 폭력은 처음에는 보이지 않는 외관을 특징짓는 전지전능한 기운으로 나타난다. 기차가 문제 지역을 지날 때, 그 움직임을 이용하여 인지된 취약성을 극복한다.[57] 이 이야기의 핵심적 측면은 외부의 예측 불가능한 변화에 매달려 있는 중립 공간으로서 철도 운송의 "합리적 유토피아"를 구성하는 것이다.[58] 철도 차량의 내부 사정이 악화되면서, 객차 공간이 불가침의 것이 아님이 명백해진다. 승객들의 잡담에도 불구하고, 긴장감은 "정상적인" 철도 동지애의 표면 바로 밑에 놓여 있다. 사건은 그 긴장감을 악화시키는 폭력배 집단에 의해 촉진된다. 몇몇 소란스러운 파탄 상인들은 정체불명의 붉은 고기를 내놓는데, 이는 이 이슬람교도들의 관대함에 대한 의심스러운 표시로, 곧 그 칸에 있는 사람들의 공동체적 관계를 묘사하는 의식으로 바뀐다. 페샤와르에서 온 남자가 고기를 거부하자, 그들은 그를 조롱한다. "오 잘림, 우리 손으로 받는 것이 싫으면 당신 손으로 받아요. 이것은 다른 어떤 동물도 아닌 염소 고기입니다."[59] 이는 힌두교의 특정한 음식 금지를 언급하는 진술이다.[60] 이를 계기로 철도 공간의 공동화가 시작된다.

열차 내 승객들이 공적 공간의 투과성에 대한 새로운 인식을 갖게 되면서, 점점 더 취약해지는 느낌이 생긴다. 객차가 차량 내부(특히 블라인드를 내릴 때)에서 보면 고립된 것처럼 보이지만, 열차는 빠르게 이동하는 외부 공간의 일부이다. 그 공간을 지배하는 역학은 내부도 지배한다. 예를 들어, 폭력의 가시적인 징후는 극도로 흥분한 힌두교 신자와 그의 가족이 트렁크와 간이침대를 가지고 군중 밖으로 도망치는 것처럼 가장하는 것으로 구체화된다. 파탄이 남자를 향해 발길질을 하고, 대신 남자의 아내를 발로 차서 밖에 있게 하면, "외부의" 공동의 긴장감은 그들 역시 열차 칸 안에 있다는 것을 드러낸다.

기차는 내부 질서나 변화하는 외부 질서를 모두 따르기 때문에 고정된 공공공간이 할 수 없는 방식으로 권력의 지형을 극화한다. 이야기에서, 열차의 위치에 따라 차량 내부의 권력 역학이 이동하기 시작한다. 열차가 이동하는 도시의 권력 균형은 외견상 분리된 공간 안에 반영된다. 사니는 힌두교와 시크교도 승객들이 긴장하고, 파탄인 승객들이 자신들이 방금 지나온 황폐한 마을이 주로 무슬림 마을이었음을 알게 되면서 긴장을 푸는 방법을 묘사한다.[61] 열차가 동쪽으로 이동하면서 다수의 권력이 바뀌는데, 철도 차량 내부의 역학 관계도 비슷하게 외부의 동력을 반영한다.

국경을 넘은 후, 이전에 괴롭힘을 당하고 겁에 질렸던 힌두교 남성은 무명의 무슬림 남자와 그의 아내가 움직이는 기차에 접근하려 하자, 그(그의 종교는 "알라의 이름으로"라는 언어로 확인됨)에게 쇠막대를 던진다. 권력의 이동하는 지형과 내부와 외부 공간 사이의 특별한 관계는 힌두교인의 성격에 아이러니한 변화를 가능하게 한다. 궁지에 몰린 사람은 보이지 않는 공간을 지나갈 때 갑자기 권위를 얻는다. 그는 어딘가에 권력이 있는 사람을 지명하며 국가 및 공동체의 정체성으로 지도가 그려진 상상 속 국가의 지지를 받는다. 열차 객차는 "중립" 공간으로 분리되어 있음에도 불구하고, 바깥 세계의 위상을 나타낸다.

사니는 움직이는 기차에 자신의 이야기를 담음으로써 이동하는 공간의 역동성을 보여 준다. 그의 이야기는 내부와 외부 공간의 관계가 무슬림, 시크교도, 힌두교도의 상대적 힘을 결정함에 따라 유동적인 힘의 지형을 제공한다. 사니는 근대성의 원리를 상징하는 철도에 대한 지배적인 비유인 내부와 외부의 이분법을 불러온다. 그러나 싱과 마찬가지로, 그 또한 철도 테러의 중심에 놓여 있는 침투 가능한 경계선의 불안함인 대항서사를 소개한다. 따라서 근대성의 상상력을 변화시킨다.

분할에 대한 현대 작품들

남아시아의 문학과 영화에서 기차의 현대적 묘사는 분할 시대를 대표하는 근대성의 수사학에 계속해서 의문을 제기한다. 최근의 사건들은 신성한 것과 세속적인 것의 대립에 관심을 돌렸고, 작가들과 영화감독들은 둘의 이분법을 다시 생각하게 되었다. 지난 20년 동안 제작된 분할문학의 증가는 1984년 반시크교 폭동과 1992년 바브리 마지드 파괴 이후 벌어진 폭력 등 현대 인도 내 공동체주의 폭력에 대한 우려가 높아졌기 때문일 가능성이 높다. 1988년 소설 《인도 부수기Cracking India》(《아이스 캔디 맨Ice Candy Man》)가 영화 〈지구〉로 리메이크된 바프시 시드와Bapsi Sidhwa와 같은 인도 작가들과 1999년 소설 《몸이 기억하는 것What the Body Remembers》의 쇼나 싱 볼드윈과 같은 디아스포라 작가들에 의해 이러한 우려가 제기되었다. 우르바시 부탈리아Urvashi Butalia, 리투 메논Ritu Menon, 캄라 바신Kamla Bhasin의 학문적 작업은 여성의 경험을 회복하고 기록하는 데 기여했다. 이러한 현대문학 및 학술 텍스트들은 분할 직후에 제작된 작품들이 시작한 근대국가와 씨름 프로젝트를 계속하고 있다.

철도의 재현은 그 개념이 무엇을 의미하는지 다시 검토할 수 있는 공간을 열어 주기도 하지만, 일부 문학작품에서는 근대국가의 대리인 역할을 한다. 예를 들어, 무쿨 케사반의 1995년 소설 《유리 사이로 들여다보며》는 철도의 상징을 사용하여 현대의 순간을 분할 이전의 시기와 연결시킨다. 철도는 두 시대를 잇는 도관이다. 케사반의 이름 없는 주인공은 러크나우 직전 다리 위에 멈추는 델리에서 출발하는 기차에서 잠시 뛰어내린다. 위태로운 관측대에 선 이 남성은 망원경을 통해 자신을 돌아보는 강물 속의 한 남성의 모습을 필름에 담으려 한다. 망원렌즈의 무게로 대들보 사이에 끼어 강물에 빠진 주인공은 1932년으로 추락한다. 이 장면에서 케사반은 역사적 주제에 대한 작가 자신의 관심의 힘을 상상적으로 표현하고, 작품 전반에 걸쳐 재현과 객체에 대한 생각이 재생된다. 특히 주인공은 시간적 진보의 상징인 기차를 지나 실제로 대들보 사이를 지나가면서 시간을 거슬러 떨어진다.

이제 독립을 앞둔 세월을 살고 있는 주인공은 철도와의 불편한 관계를 계속 이어 간다. 기차는 배반으로 점철된 역사적 시기가 될 첫 번째 배신을 제공한다. 그는 인도 독립운동에 대한 군부의 탄압으로 정기《데일리 메일Daily Mail》이 취소된 것을 발견하면서 "나는 기차가 내 시대로 돌아가지 않을 가능성을 한 번도 고려하지 않았다. 나의 시간 이동은 되돌릴 수 없을지도 모른다. … 어떤 것은 믿음의 문제이고 나에게 《데일리 메일》은 신성했다"[62]고 말한다. 여기서 드러난 비틀린 감정은 열차의 규칙성에 기반한 분할 이전 세계에 대한 싱의 재현을 떠올리게 한다. 다시 선로로 돌아온 주인공은 영국이 마련한 공동체 간의 크리켓 경기를 막기 위해 노선을 폭파하려는 민족주의(그리고 반종교적) 음모에 자신도 모르는 연루된다. 그의 동료인 아샤르피가 침목 위를 걸으면서, 그 재현은 철도의 유령 같은 특징을 불러일으킨다.

아샤르피는 다가오는 기차의 방향으로 더 나아가서 멈춰 섰다. 기차는 흔들거리며 시야에 들어왔고, 그 얼굴은 검고 둥글고 빛나는 눈을 가졌다. 구름 둑이 갈라지고 그 사이로 갈라진 틈이 고요한 분홍빛 번개처럼 은은한 태양의 광채로 빛났다. 구름은 굴뚝에서 피어오르는 연기 속으로 그늘져 갔다. 날숨마다 다가오는 기차가 하늘을 뿜어내고 있었다.[63]

이 구절에서 자연화되고 유령화된 열차는 어둠 속에서 선로를 따라 움직이는 파키스탄으로 가는 싱의 열차를 떠올리게 한다. 바로 뒤이어 나오는 이미지는 이 열차에 할당된 신과 같은 기관을 강화하는데, 화자는 그것을 "눈이 부시게, 탐색하고, 움직이는 태양"[64]이라고 부른다. 사진작가인 주인공은 이 이미지에서 기차의 시선의 대상이 된다. 실제로 "지시를 기다리는 자살 장면의 여주인공 같은"[65] 여인의 등 뒤에서 빛나는 열차는 이 구절에서 카메라 역할을 한다. 그러므로 케사반은 화자의 입장에서 그리고 기차의 입장에서 현재 사진작가가 망원렌즈를 통해 1932년 남자를 바라보는, 앞에서 언급한 구절을 회상하는 이미지라는 이중적 표현의 관점을 창조한다. 분할에 이르기까지 공동체의 정체성을 탐구하는 소설이라는 맥락에서, 이 이중적 관점은 정체성과 지리의 경계가 된 역사적인 순간(1947년) 양쪽에서 인도의 역사를 바라볼 필요성을 상징적으로 묘사한다.

케사반은 또한 철도역을 사용해 종교적인 것과 세속적인 것 사이의 복잡한 관계를 표현한다. 소설 속의 풍토적 장면에서 케사반은 철도 교차로 트랙 사이에 세워진 모스크를 상상한다. 주인공은 다리를 지나며 이상한 위치에 있는 모스크를 힐끗 본다.

그것은 1번 승강장과 2번 승강장 사이에 정확히 자리잡고 있어서 눈에 띄지 않아 거의 보이지 않았다. 사실, 그 다리는 선명하게 잘 보이며, 3개의 뭉툭하고 하얗게 칠해진 돔과 내 관점에서 볼 때 조금 납작한 작은 안뜰이 보인다. 내가 올라간 곳에서, 나는 수염을 기른 몰라나$_{maulana}$와 그의 신도들이 기도하면서 몸을 굽혔다 세우는 것을 볼 수 있었다.[66]

기도의 "높고 날카로운 아랍어 소리"[67]는 기차 사이 소강 상태에서 모스크에 대한 화자의 주의를 환기시킨다. 기차가 도착하면서, 기도의 첫마디는 엔진의 기계적 소리와 결합되어 신성한 것과 세속적인 것을 융합하는 자연적으로 혼합된 공간을 만든다.

저자는 철도 승강장 사이에 있는 모스크의 이미지로 종교를 근대성의 지배적 서사 안에 위치시키고, 경직된 발전 구조에 묶인 틈새 공간 은유로 근대성에 대한 대항서사를 만들어 낸다. 모스크는 눈에 잘 띄지 않으며, 신성한 의식의 소리가 밖으로 나와 신성과 세속이 근대성의 공간에서 함께 어우러지는 기술의 소리와 융합한다. 케사반의 철도역 선택은 열차와 분할의 밀접한 관계를 상기시킨다. 더 넓은 차원에서, 이 설정은 기차와 근대성 서사의 훨씬 더 오래된 연관성에 영향을 미친다. 이 장에서 논의된 다른 작가들과 감독들처럼, 케사반은 근대성의 지배적인 이야기를 다시 쓰고자 이러한 서사를 선택한다. 케사반의 1990년대 소설은 20세기 중반 분할문학의 대부분에 내재된 무언가 아주 선명한 이미지, 즉 근대성의 대항서사를 만들어 낼 철도를 호출한다.

　분할 서사는 합리적인 유토피아라는 식민지적 이상에서 벗어나 기차 이야기를 다시 썼다. 이를 위해 그들은 식민 지배의 근거에 매우 중심적인 서사 요소들을 불러냈다. 이 식민적 설명의 주요한 측면은 상징적인 국가로서의 기차에 대한 생각이었다. 러디어드 키플링의 소설 《킴》의 기차 안에서 상상 속의 공동체를 이루는 다양한 인물들에 대한 비전은 일찍이 이를 보여 주었다. 기차가 자신을 국가의 상징으로 내세운 이유 중 하나는 그 공간의 사회적 구성이었다. 철도의 추상화된 공간에서, 정체성은 그 위치에서 배제되고 알레고리적 상징으로 제시되는 것처럼 보였다. 열차의 시간적·공간적 특성(철로를 따라 전진하는 방식)은 진보에 대한 생각을 시각적으로 표현했다. 기술은 기계적인 것과 신체적인 것의 이상적인 분리를 나타내었다. 기차는 세속적인 것처럼 보였고, 그러한 종교적 관계들이 국가의 더 넓은 질서에 흡수된 곳이었다. 이 모든 생각들은 기차를 하나의 신체로 만들고, 근대성의 전진 패러다임을 뒤집고, 신성한 것과 세속적인 것의 중첩을 보여 주는 분할 이야기에서 도구화되고 변화되었다. 아이러니하게도, 이러한 대항서사를 통해 "근대성의 초동의어"는 식민지와 민족주의 과거의 수사학에서 비롯된 인도의 세속적 근대성의 중심 세입자에게 도전하는 방법이 되었다.

4장

새로운 도착지

: 탈식민적 철도의 이미지

국가가 위임하고 이동하는 상품 형태로 보급되는 시각문화의 한 측면인 우표는 국가의 수사학과 국가의 정체성이 융합되는 문화적 도상학을 동시에 반영한다. 다른 곳과 마찬가지로 인도에서도 이 작은 물체는 종종 기차를 국가의 상징으로 사용해 왔다. 철도의 우위는 이 특정 기술이 시민 공간 내에서 우편물을 유통시킴으로써 공시적 공동체를 구성하는데 도움을 주었다는 사실에서 기인한다. 인도의 우표는 시각적으로 제국 통치를 국가적 이동성과 결합시키며 1937년 식민지 시대에 우편열차와 가까이 있는 조지 6세의 사진과 함께 발행되었다. 그러나 철도 우표가 우편열차만 나타낸 것은 아니다. 독립 후 5년 만에 발행된 첫 번째 여객열차 100주년 기념 우표에는 진보를 나타내는 1953년의 새롭고 날렵한 엔진과 함께 낡은 증기기관차가 나란히 붙어 있었다. 1982년에 발행된 우표도 오래된 증기기관차 그림자가 드리워진 구식 4륜 객차 형태로 역사를 표현함으로써 식민지 시대의 과거를 회상한다. 국가주권("인도"라는 이름)은 영어와 힌디어로 그 이미지에 새겨져 있다. 두 열차의 그림과 국가 명칭은 두 개의 현대적 개념을 하나의 이미지로 결합하여 기술과 국가 간의 관계를 자연화하고 이동성에 권위를 부여한 식민지 과거의 관점에서 현대의 발전을 정당화한다.

이동은 인도에서 탈식민 국가를 만드는 데 도움을 주었다. 이것은 이동성이 아대륙에 새로워서가 아니라 몇 가지 연관된 이유 때문이다. 첫째, 조직된 이동은 근대성의 강력한 수사학을 구성했다. 논리에 따르면, 이동성을 갖는 것은 근대적이 되는 것이고, 근대적인 것은 국가에 속해야 하는 것이었다. 둘째, 이동은 민족주의 운동에 필수적이었다. 이는 간디의 끊임없는 인도 철도 여행으로 가장 잘 대표되는 지점이지만, 민족주의 작가들이 기차라는 주체에 초점을 맞춘 것에서도 분명히 드러난다. 셋째, 국가로서의 인도는 부분적으로는 분할의 대이동으로 실현되었기 때문에 이동의 기원을 가지고 있다. 넷째, 이동성은 적극적인 공간 건설로 나라를 존재하게 하는데 도움을 주었다. 마지막으로, 우표의 예에서 알 수 있듯이 문화적 사물들은 재현의 힘을 통해 이동성, 근대성, 국가 간의 상관관계를 확보했다.

이동성으로서의 근대성 수사학은 일반적으로 기술을 장려하는 식민 담론과, 특히 철도를 근대국가를 성취하는 수단으로 장려한 식민 담론에서 확실히 계승되었다. 식민 시대의 수사학은 진보의 한 방법으로 철도에 초점을 맞추었다. 식민 국가를 확보할 수단으로서, 인도 철도는 항상 신흥 정치체에 연결돼 있었다. 식민 시대 기술 발전의 중심성을 고려할 때, 독립 후에도 철도가 인도 내에서 주요한 이념적 역할을 유지한 것은 놀라운 일이 아니다. 과거 식민 지배의 상징이던 열차는 독립과 산업화된 국가의 상징이 되었다.

이동성에 대한 국가적 서사는 인도의 독특한 역사 안에서 구체화되었기 때문에 단순히 영국의 잔재라고 볼 수 없다. 식민 수사학의 유산 외에도, 철도로 구현된 이 국가 정체성은 다다바이 나오로지와 모한다스 간디 같은 사람들이 전파한 경제적 저개발 비판을 포함한 독립운동 투쟁을 이끌어 냈다. 게다가 국가로서의 열차 상징은 여러 민족의 거대한 이동을 포함한 인도의 특정 역사에서 나왔다. 인도 공론장의 초기 중요한 논쟁 중 하나, 즉 새로운 국가의 농촌과 도시 지역의 관계는 열차의 문화적 역할을 형성했다. 마침내 기차는 엄청난 수의 다양한 민족, 종교, 카스트, 계급, 언어를 통합하려는 국가에서 계속된 차이에 대한 협상의 도구로 여겨졌다.

20세기 중반에 철도는 인도인들이 상상력으로 이해할 수 있게 했다. 운동을 통해 국가 정체성을 구축한 상징적 참조, 아이콘, 서사뿐 아니라 공식적 수사학에서도 그렇게 했다. 새롭게 독립한 인도를 발전의 꿈에 초점을 맞춘 시기로 이끈 자와할랄 네루 총리는 철도를 통해 인도의 비전을 제시했다. 1947년부터 1964년까지의 임기 동안, 네루는 식민지 확장의 초석이 된 기술 발전에 대한 약속을 갱신했다. 네루는 "이러한 공학적인 경이로움의 형태로 근대의 새로운 사원을 건설하기 위해"[1] 전통적인 인도를 변화시키기를 열망했다.

이러한 경이로움에는 수력발전, 홍수 방지, 관개 공사 같은 대규모 프로젝트가 포함되어 있었다. 그러나 이러한 개발 계획 중 상징적인 우위를 유지한 것은, 네루가 인도의 "가장 위대한 국가 자산"[2]이라고 부른 철도였다. 간디와 달리, 네루는 결코 이 기계를 착취의 상징으로 보지 않았다. 그는 다다바이 나오로지와 로메쉬 더트와 같은 민족주의 작가 집단에서 영감을 얻어 철도에 대한 정치경제적 비판을 공식화했지만 산업화 이상에 전념했다. 1939년《내셔널 헤럴드National Herald》기사에서, 10년 안에 총리가 될 이 사람은 "대규모 기계산업의 급속한 발전이 국가의 시급한 필요"[3]라고 강조했다. 신생 독립국에게, 철도의 국가적 특성은 독립을 정의하는 수사적 · 전략적 상상력의 핵심 요소가 되었다.

인도 철도의 행정 관행에서 국가에 대한 이러한 강조를 인식할 수 있다. 이러한 관행에는 국가 이사회가 이끄는 국영 기관인 인도철도Indian Railways(IR)로 제도화된 네트워크의 관료적 조직이 포함된다.[4] 네루 정권 아래 새로운 건설은 국가적 우선순위도 드러냈다. 대부분의 주요 열차 노선은 식민 통치 하에서 건설되었지만, 독립 이후 일부 지역, 특히 국가안보와 관련된 지역에서 확장되었다. 이 노선은 분할로 끊겼고, 인도는 카슈미르와 아쌈의 전략적 위치로 노선을 변경할 필요가 있었다. 인도는 자체 천연자원을 장악함에 따라 항구를 건설하기 위해 노선을 확장했다.[5] IR은 국가 내 경제적 동질성을 이념적으로 추구하는 수단이 되었다.[6]

국가는 공간의 적극적인 사회적 건설과 수사적 · 행정적 정책으로 실현되었다. 선로의 "영구적인 길"은 국가 공간을 표시하고, 그 위를 운행하는 열차의 이동은 인도의 일부 지역을 상호 연결함으로써 시민들의 선거구를 계속해서 새롭게 만들었다. 철도는 또한 신체와 상품을 순환하는 시스템으로 지리적인 공간을 동적으로 재구성했다. 상품뿐만 아니라 사람들의 주요 교통수단으로서, 열차는 주요 도시를 오가며 장거리 출장을 가는 사람들뿐만 아니라 지역 시장으로 짧은 여행을 하는 사람들을 포함하는 국가경제를 지탱하는 수단이었다. 군대도 기차로 인도 전역으로 이동했다. 철도는 많은 사람들의 정체성의 필수적인 측면인 순례 의식을 가능하게 했다(그

그림 8 뭄바이 중앙역에 정차한 기차에서 한 힌두교 여행자가 가네쉬상을 들고 창밖을 내다보고 있다. (세바스천 디수자Sebastian D'Souza/AFP/게티 이미지 사진 제공)

림 8).[7] 마지막으로, 여행객들은 창문을 통해 전경을 살피면서 인도를 일종의 전경으로 인식하는 방법으로 철도를 이용했다. 이런 식으로 식민지 이후의 철도는 경제와 이동의 실천을 통해 국가를 만들어 냈다.

작가들과 감독들은 기차를 이용해 인도 고유의 버전을 만들면서 인도의 특정 역사를 반영했다. 초기 탈식민 시대에 나라얀R. K. Narayan과 사티아지트 레이Satyajit Ray는 철도로 봉합된 역동적인 관계로서 인도의 농촌과 도시의 연결을 명확히 하려고 했다. 아니타 네어와 슈마 푸트할리를 포함한 현대 작가들은 근대국가의 틀 안에서 새로운 주체성을 저술하기 위해 계속해서 이동성의 이미지를 사용했다. 그들의 작업에서 열차 객차는 서로 다른 신앙, 다른 성별, 다양한 카스트, 다양한 계급 사람들로 구성된 사회의 축소판 역할을 하는 움직이는 상자가 된다.

통합국가라는 상징적 이상에도 불구하고, 인도에서는 국가 통합이 항상 문제가 되어 왔다. 분할이라는 파괴적인 이미지와 근대성의 지배적 서사에 대한 강력한 도전은 잊히지 않았고, 유령 열차는 여전히 현대 인도 소설에서 철도의 이미지를 맴돌고 있다. 철도 표현에서 분할을 직접 언급하지 않는 작품들조차 국가적 지지 확보에 사용되는 동일한 이동성 패러다임을 통해 역설적으로 다른 종류의 국가적 균열을 제시한다. 철도의 재현은 이동성을 통해 국가가 어떻게 형성되는지를 전달하지만, 이러한 묘사는 철도의 설정과 이미지가 국가 비판에 어떻게 사용되는지를 보여 주는 근대성의 대항서사를 만들어 낸다.

이 장에서 나는 기차를 통해 국가 정체성의 구성을 보여 주는 철도의 탈식민적 재현을 읽고, 국가가 그 안에 여러 개의 정체성을 포함하지 못하는 방법을 폭로한다. 첫 부분에서는 국가를 만들고 도전하게 된 다양한 철도 이동성을 살펴본다. 식민지 이후의 첫 수십 년 동안 네트워크가 다른 지역 사이를 연결함에 따라 철도의 존재가 어떻게 새로운 주체성을 만들었는지를 살핀다. 나라얀, 사티아지트 레이, 파니쉬와르 나트 레누Phanishwar Nath Renu의 작품을 해석하면서, 나는 이러한 이동성 관행이 어떻게 인도 국가성을 정의하는 특징이

된 농촌과 도시의 관계를 각인시켰는지 구체적으로 살펴본다. 나아가 이 작가들과 감독들이 어떻게 초기 탈식민 국가를 규정하는 양가적인 이동하는 주체성을 보여 주는지 검토한다. 두 번째 부분은 철도 여행이 내레이션과 병행되는 과정인 이동을 통해 개인적 변화를 배양하는 방법을 탐구한다. 또한 철도 객차의 독특한 공간화가 어떻게 작가와 감독들에게 국가의 경계와 그 안의 단층선을 탐험하는 패러다임을 제공하는지도 보여 준다. 마지막 부분은 인도 이외의 지역에서 제작된 문학 및 영화 작품에서 기차의 묘사로 나타나는 인도의 국제적 시각으로 간략하게 전환된다. 해외 관광객에게 인도 철도의 이미지는 차이로 구성된 외부에 반대되는 자아를 동원하는 방법으로 식민 시대와 같은 기능을 한다. 반면에, 이 디아스포라 작가에게 열차의 이미지는 상상 속의 고국을 떠나는 자신의 이동에 대한 반영을 가능하게 한다.

새로운 국가의 농촌과 도시의 주체성

의식과 사회적 관계로서의 교통

비록 네트워크 지점들 사이를 이동하는 것처럼 보이지만, 기차는 이러한 지점을 장소로 적극적으로 정의한다. 여행자에게 기차역은 시골 지역에 정체성을 부여한다. 농촌을 주제로 기차는 이러한 작은 장소들과 다른 지점들의 관계를 발전시켜 국가로서 완전히 상상된 네트워크를 만든다. 철도는 국가를 압축하는 것으로 보이며, 기차 근처에 사는 사람들뿐만 아니라 여행객들도 다른 환경에 인접한 자신을 상상할 수 있게 한다. 기차를 한 번도 타 본 적이 없는 인도인들도 철도를 만나면서 국가와의 관계를 실감하게 된다. 문학적 재현들은 이러한 경험을 너무 자주 목격하기 때문에 그러한 각성 장면들이 만연한 문화적 이미지가 되었다. 예를 들어, 나라얀의 첫 소설 《스와미와 친구들Swami and Friends》의 마지막 부분에서 한 어린 소년이 기차가 떠나는 것을 친구와 함께 지켜보고, 기차와 연결된 다른 장소를 상상하기 시작한다. 이와 같은 작품에서 국가는 더 큰 네트워크 내의 관계로 표현되며, 그 시스템의 지점들에 대해서는 이러한 연결이 약속된 변화의 원천으로 간주된다. 이러한 임박한 변화 개념을 통해 근대성 개념이 국가와 밀접한 관련이 있다고 느끼게 된다. 이 열차는 역에서 오거나 갈 수도 있고, 집 근처의 익숙한 풍경을 지나갈 수도 있지만, 두 경우 모두 평행선이 수렴되는 지평선 바로 너머의 바깥 세상에 신호를 보낸다.

철도를 도시 현상으로 생각하는 것은 꽤 흔한 일이고, 사람들은 종종 철로를 도시 외부가 아닌 외부로 통하는 것으로 생각한다. 실제로 유럽 산업화에 그 기원이 있기 때문에, 철도 개발의 개념은 항상 자본주의 개발과 관련된 도시화와 밀접하게 연결되어 있다. 마이클 프리먼Michael Freeman은 19세기 영국을 저술하면서 1830년대 이전에 확실히 도시화가 있었지만, 철도는 농촌에서 도시로의 문화적 변화에 근본적인 역할을 했다고 주장한다. 그가 말한대로 "자본주의 도시화에서 철도의 작인作因agency은 피할 수 없다."[8]

그러나 저 너머 세계와의 이러한 관계는 도시에 대한 끊임없는 강박이 아니다. 영국에서도 열차가 매개하는 근대성의 경험은 도시화가 아니라 농촌과 도시의 관계였다. 누군가는 레이먼드 윌리엄스의 작품《시골과 도시The Country and the City》에 의지해 근대의 이러한 측면을 이론화할 수도 있다. 윌리엄스는 "교통은 단순한 기술이 아니라, 의식과 사회적 관계의 한 형태"[9]라고 했다. 그는 20세기 초 영국의 모더니즘 작가들에게 이동의 상징적 중요성을 강조하지만, 그의 말은 식민지 이후 인도의 맥락에도 적용될 수 있다. 윌리엄스는 1913년 로렌스의 소설《아들과 연인Sons and Lovers》을 읽으면서 영국의 시골과 도시의 분리를 포기하고 로렌스가 둘의 교차점을 어떻게 탐구하는지 보여 준다. 윌리엄스는 로렌스를 "[시골과 도시의] 연결을 주장하는" 작가로 꼽으며 "자아의 긴장을 부각시키는 것은 이동성, 즉 이동성의 가능성"[10]이라고 말한다. 이 패러다임에서 이동 개념은 궁극적인 종점인 텔로스telos로서의 도시 개념에 기초하지 않는다. 오히려, 새로운 주체성과 더 넓은 사회질서를 해석하는 장소로서의 연결 자체에 중점을 둔다. 이 관계는 윌리엄스의 표현대로 "복잡한 상호작용과 가치 충돌"로 구성된 운송의 주체성이라 부를 수 있는 것으로 양가적으로 경험된다.[11] 도시와 농촌의 관계가 식민주의 경험과 독립 이후의 국가적 의제를 모두 반영하는 식민지 이후의 공간에서 이러한 의식은 더욱 불협화음을 가져왔다.

1950년대와 1960년대 인도에서 철도는 국가 발전 기간 동안 특정한 종류의 사회적 관계와 새로운 종류의 의식을 나타냈다. 특히 인도 통합에 대한 네루 총리의 비전을 반영한 연결 고리인 농촌과 도시, 인구 간의 연결 고리를 더 많이 구축했다. 네루는 경제성장, 특히 산업화 수단으로 국가계획에 초점을 맞췄다. 그러나 총리는 산업화와 도시화를 동일시하지 않았고, 농업이 "우리 계획의 핵심 … 우리가 건설해야 할 견고한 기반"[12]이라고 주장했다. 그는 이 목표를 통합으로 보고, 1차 5개년 계획을 "농업, 산업, 사회, 경제 등 인도의 전체 모습을 '한 가지 사고 틀'로 가져오려는 시도"라고 설명했다.[13] 대부분의 철도망은 식민지 시대부터 존재했고, 농촌과 도시의 연결이 반드시 새로운 이동 노선을 나타내는 것은 아니지만, 사람들이 자신의 위치, 새롭게 독립한 국가 내에서 상상하는 미래에 대한 이해의 변화를 표시했다.

그러므로 기차를 도시의 상징으로 보기보다는 일종의 봉합선으로 볼 수 있다. 철도는 존재하지 않는 관계적 공간을 만들어 내고, 농촌과 도시 공간을 연결하고 도시와 국가를 연결한다. 결국, 기차는 두 방향으로 이동한다. 기차가 통과하는 작은 역과 국가의 일부는 철도 세계의 필수적인 부분이다. 예를 들어, 나라얀의 1958년 소설《안내자The Guide》에서 철도는 마을과 주민의 삶뿐만 아니라 그곳에 도착한 여행자들의 삶도 변화시키는 매개체이다. 승객들은 폐허, 폭포, 전망으로 구성된 진정한 인도를 찾으러 작은 역에 내린다. 비록 그들이 스스로 전통에 발을 들여놓는다고 상상할지라도, 그 역은 실제로 도시와 농촌의 만남 장소인 근대적인 장소를 나타낸다. 영화 〈파테르 판찰리Pather Panchali〉에서 사티아지트 레이Satyajit Ray는 기관차를 처음 본 어린 소년의 임박한 변화의 상징으로 들판을 지나는 철도 노선을 보여 준다. 비록 나중에 소년에게도 그렇지만, 기차는 단순히 도시의 목적지를 나타내는 것이 아니다. 두 세계를 연결시키는 좀 더 복잡하고 양면적인 교통의 주체성을 나타낸다.

나라얀과 레이와 같은 식민지 이후의 초기 작가들과 감독들은 이동의 가능성에 매혹되거나 변형된 마을에서 온 젊은 남성들(적은 빈도로 여성들)을 보여 준다. 그 잠재력은 도시 목적지의 형태를 취할 수도 있지만, 더 일반적으로 이동성 자체의 "의식 형태"를 반영하여 국가 발전 시기에 출현하는 일련의 사회관계를 나타낸다. 이러한 작품에서 교통의 대상이 주로 남성이라는 사실은 국가 건설 시기에 이러한 의식의 젠더화된 성격을 보여 준다는 점에서 의미가 크다. 다음 부분이 보여 주듯이, 1990년대까지 문학과 영화 텍스트는 때로 인도 열차의 특징적인 부분인 "여성용 객차 끝 칸"이라는 젠더화된 철도 공간을 통해 여성들이 이동의 노예 신세가 되는 것을 보여 준다. 그러나 1950년대와 1960년대에는 대부분의 작품들이 철도의 이동성을 통해 떠오르는 남성적 자아를 재현한다. 국가 발전 기간에 이동의 관계에서 생겨난 주체성을 조사하는 방법으로 이러한 소설 작품의 본문을 더 자세히 살펴보려 한다.

R. K. 나라얀의《안내자》

나라얀은 소설《안내자》에서 말구디 마을이 문자 그대로 그리고 은유적으로 새로운 철도 건설로 둘로 갈라지는 것을 묘사한다. 철로가 놓이고 정거장이 완성되자, "철로 만들어진 기찻길은 햇빛에 반짝인다. 신호 기둥이 붉은색과 초록색 줄무늬와 화려한 등불을 들고 서 있다. 우리 세상은 철길의 이쪽과 저쪽이 깔끔하게 나뉘었다."[14] 주인공인 라주의 아버지는 두 개의 가게를 가지고 있는데, 이 것은 작은 마을에서 양측의 상징이 된다. 오래된 가게에서 라주의 아버지는 일용품을 팔고, 마을 친구들은 남아서 수다를 떤다. 철도 가 생기면서 아버지는 새로운 역에 가게를 열 기회를 잡는데, 상품이 시멘트 바닥 건물의 붙박이 선반의 4분의 1밖에 채워지지 않는다 는 사실을 알고 매우 이상하다고 생각한다. 마을 상점에서 잡담을 나누던 라주의 친구들은 지나치게 세련된 곳이라며 새로운 장소를 피한다.[15] 나라얀은 마을의 사회적 관계, 특히 상품뿐만 아니라 맛의 원천인 외부로의 재지향을 재현한다. 여기서 교통 의식의 양면성은 가치의 충돌로 재현된다.

아버지는 이상하게도 인위적인 공간과 존재의 일시적인 방식으로 철도 세계와 맞지 않는다. 그가 성취를 통해 본 것에 의문을 제기 하게 만들 뿐이다. 그러나 라주는 이 새로운 곳에 너무 잘 어울려서 '철도 라주'라는 이름을 갖게 되면서 그의 정체성은 새로운 이동 방식과 교감하게 된다.[16] 동일화는 일찍 시작된다. 첫 번째 철로가 깔리자, 당시 어린아이였던 라주는 그것을 껴안고, 제방이 새로운 "흥미로운" 관점을 만들어 내며 풍경을 재창조하는 방식에 흥분을 느낀다. 그는 철도의 잔해인 "한쪽 끝이 절단된 금속 조각, 너트, 볼트"를 어머니의 사리와 함께 트렁크에 실어 나른다.[17] 소년은 나이가 들면서 기차역에서 승객들을 태우고 유람하며 철도의 존재를 이용하지만, '철도 라주'는 기차 안에서 추가 수입 수단을 찾는 것 이상으로 철도와 깊은 관계를 맺고 있다. 나중에 이 관계를 돌이켜보면서, 그는 생각에 잠긴다.

철도는 아주 일찍부터 내 피 속으로 들어왔다. 엔진이 엄청나게 쨍그랑 소리를 내며 연기를 뿜어 감각을 자극했다. 나는 기차 승강장에서 편안함을 느꼈고, 역장과 짐꾼이 인간에게 가장 좋은 동료라고 생각했고, 그들이 철도에 대해 하는 이야기는 가장 계몽적인 것이었다.[18]

라주는 철도가 한편으로는 마술적이고 육체적으로 유혹적이며, 다른 한편으로는 배움의 현장이라고 묘사한다. 기차역 승강장은 말 그대로 그가 기차들 사이에 앉아서 물건을 포장하는 데 사용하는 인쇄물을 분류하고 읽는 그의 새로운 학교이다. 철도에 노출되면서 라주는 정착할 수 없고, 전통적인 가족이나 마을의 요구를 들어줄 수 없는 사람으로 발전한다.

그러나 라주의 차분하지 못한 성격과 소외를 너무 도시화된 결과로 읽는 것은 실수일 것이다. 라주는 교통의 주체성, 즉 윌리엄스가 묘사한 의식을 낳는 이동과 덧없음의 삶을 취한다. 주인공은 책 전체에 걸쳐 형성되고 변형되어 사람들이 보는 대상이 된다. 처음에는 안내자, 다음에는 구루가 된다. 나라얀은 라주를 약속 없이 떠나는 이 주체성에 비판적이며, 라주는 사랑하는 가족과 여자가 없는 감옥에 가게 된다. 소설이 끝날 무렵, 라주는 마지못해 영적 지도자가 되고, 그의 거짓말로 마을에 비를 내리기 위해 널리 알려진 단식투쟁에 참여하게 된다. 라주가 결국 죽었는지는 불분명하지만, 확실한 것은 라주가 더 이상 움직이지 않는다는 것이다.

나라얀은 라주의 정체성, 즉 철도가 말구디라는 작은 마을의 사회적 관계를 어떻게 변화시켰는지를 다룬 개발 서사를 교통의 주체성 탐구로 강화하는 서사적 선택을 강조한다. 라주는 그가 그의 마을처럼 철도로 둘로 쪼개져 두 배가 된 만큼 도시화되지 못했다. 그는 여전히 시골의 주체로 남아 있지만, 관광객을 안내하는 문자 그대로 이동과 자아의 끊임없이 변화하는 감각으로 재현되는 은유적 이동으로 구성된 모빌리티로 장소 감각을 잃은 사람이다.

사트야지트 레이의 "아푸 3부작"

영화감독 사티아지트 레이의 유명한 "아푸 3부작Apu Trilogy"은 이동성으로 형성된 새로운 의식과 사회적 관계를 보여 주는 또 다른 훌륭한 사례로, 이번에는 시골집을 떠나는 캐릭터가 등장한다. 여기서 열차는 〈파테르 판찰리Pather Panchali〉(좁은 길의 노래/길의 비가, 1955), 〈아파라지토Aparajito〉(정복되지 않은 자, 1956), 〈아푸르 산사르Apur Sansar〉(아푸의 세계, 1959) 등 벵골어로 된 3부작의 모든 작품에서 중심적인 위치를 차지한다.[19] 사실, 이 영화들은 인도 영화계에서 가장 유명한 기차 이미지를 제공한다. 영화의 순서는 시골에서 도시로, 또는 전통에서 근대성에 이르는 이동을 나타내는 것으로 독해되어 왔다. 벤

나이스Ben Nyce 같은 비평가들에게 기차는 이러한 변화의 상징으로 작용하며, 근대성의 영향을 도시 현상으로 표시한다고 평한다.[20] 그러나 레이는 도시와 산업으로서 열차의 종착점을 설정하고 선형적인 발전 서사를 제시하지 않는다. 오히려 이 영화는 기차를 이용해 교통의 양가적 의식과 사회적 관계의 생산을 나타낸다. 이를 보려면 3편의 영화에 등장하는 기차의 이미지를 추적해야 한다.

1955년 영화 〈파테르 판찰리〉에서 기차는 20세기의 첫 20년 동안 벵골 시골 조상 마을의 작은 세계와 훨씬 더 작은 지역의 세계를 상징한다. 더 구체적으로는 가난에 허덕이는 가정, 즉 영원히 일하는 어머니 사르바자야에게 주어진 변화의 가능성을 나타낸다. 그녀의 남편인 브라만 사제 하리하르는 가끔씩만 일거리를 찾고 종종 가족과 떨어져 있다. 두 명의 어린 자식인 두르가와 아푸, 그리고 아이들을 보살피는 나이 든 친척 인디르 타크룬이 나온다. 기차는 밤에 가족이 함께 앉아 있을 때 어둠을 가르는 기적 소리로 영화에 처음 등장한다. 야간열차는 이미 그들 삶의 일부이다. 이런 식으로 기차의 세계는 단 하나의 기계도 없는 이 가정집과 거리가 멀어 보이지만, 그것은 틀림없이 가정 세계에 필수적인 부분이다.

밤마다 들려오는 기차 소리는 어머니의 불만을 의식적으로 반영하는 방법이다. 열차와 한 여성을 동일시하는 레이의 선택은 남성과 철도 이동성이라는 일반적인 동일화를 거스르는 중요한 예외를 제공한다. 한 장면에서 사르바자야와 하리하르가 경제적 전망을 논할 때, 기차가 배경에서 소리를 낸다. 그러자 아내는 남편에게 그가 살았던 베나레스에 대해 묻는다. "나도 꿈을 꿨어." 그녀는 기차 소음으로 시작되는 일련의 질문에서 말한다. 그러나 그 지속성에도 불구하고, 기차는 수몰된 자유의 상징으로 표현되지 않는다. 가족의 문제 중 일부가 새로운 형태의 예술처럼 근대적 변화라고 불릴 만한 것에 뿌리를 두고 있다는 것을 감안할 때, 레이는 전통적이고 억압적인 그리고 근대적이고 해방적인 도시적 삶이라는 쉬운 이분법을 제시하지 않는다. 더욱이 주요한 모티프로서 기차는 고립과 죽음의 이미지에 대응된다. 이 장면에서 밤 기차의 소리는 나이 든 친척인 인디르의 카메라 밖 노래로 바뀌는데, 이 노래는 그녀 이전에 존재했던 모든 이들에게 버림받은 것을 한탄한다. 열차를 해방과 변혁의 상징으로 보여 주기보다는, 표면 아래에 잠재되어 있지만 열차를 통해 선악 간 의식 속으로 들어온 이 세상에 대한 변화 개념을 제시한다.

〈파테르 판찰리〉의 기차는 소년 아푸라는 캐릭터와 가장 밀접하게 동일시된다. 이 영화에서 레이는 기차와 아푸의 주체성의 밀접한 관계를 설정하는데, 그는 이 세 편의 영화를 통해 이를 내내 유지한다. 아푸는 기차로 재현되는 가능성을 기꺼이 명명하고 찾아내는 사람이다. 모든 등장인물이 기차 소리를 들어도 소년만이 기차를 노골적으로 언급하며, 여동생 두르가에게 그 기계를 본 적이 있는지 묻는다. 소년과 소년의 여동생이 기차를 보는 순서는 〈파테르 판찰리〉의 중심부를 형성하는데, 레이가 연작의 첫 영화인 이 영화의 자금을 확보하려고 할 때 찍은 첫 장면이었다. 잃어버린 송아지를 찾으며 아이들은 마을 끝의 긴 풀밭을 헤맨다. 그곳에서 아이들은 웅웅거리는 소리에 견딜 수 없어 새로운 전기 철탑 쪽으로 이끌려 간다. 아이들은 차례로 막대에 머리를 기대고 그 소리를 주의 깊게 듣는다. 기계음이 그들을 익숙한 자연 풍경에서 멀어지게 한다.

기차가 가까이 다가올 때 레이는 우선 소리를 재배치한다. 관객들은 기차 소리를 듣고 나서 어디서 나는 소리인지 찾느라 정신없이 뛰어다니는 아이들을 본다. 열차는 이파리들 사이로 모습을 드러내며, 기차 수증기가 위로 솟아오른다. 완전히 모습을 드러낸 열차의 모습이 화면을 가로지르며 프레임을 수평으로 양분한다. 이 기계는 영화 속 다른 어떤 것과도 완전히 다른 시끄러운 기계이다. 게다가 그 속도와 단단함은 솜털 같은 흰 꽃의 최면 파도와 현저한 대조를 이룬다. 기차의 긴박감은 그것을 만나기 위해 들판을 가로질러 달리는 작은 소년에 의해 반영된다. 기차가 소년을 지나칠 때, 우리는 처음에는 아푸의 시각에서 그것을 본다고 믿지만, 기차가 지나갈 때까지 관객에게 보이지 않기 때문에, 레이는 카메라를 선로의 반대편으로 옮긴다. 우리는 기차 반대편에서 아푸가 보고 있는 이미지를 본다. 그러므로 기차에 의해 문자 그대로 액자에 담긴, 기차의 몸체와 선로 사이에 조각조각 보이는 소년의 사진을 보게 된다.

수라얀 강굴리Surajan Ganguly는 기차가 마을에 미치는 영향의 측면에서 우리가 그 장면을 이해할 수 있게 하는 이 카메라 각도에 대한 설득력 있는 독해를 제공한다. 그는 원근법의 변화가 우리가 이 장면을 에피파니epiphany 이상의 것으로 보도록 강요한다고 주장한다. 레이는 열차의 사회적 · 역사적 장소를 강조한다. 이 장면에서 감독은 "상대적으로 양립할 수 없는 문제들과 경험을 통합한〔근대의〕복합적인 본질을 부각시키려 한다."[21] 여기서 사회적 관계 지적에는 동의하지만, 나는 이 순간 기차가 새로운 것에 대한 지속적인 상징이기 때문에 새로운 것이 아니라는 점을 분명히 할 것이다. 벵골에 있는 대부분의 선로가 19세기 후반에 만들어졌기 때문에, 이 기차는 아마 아푸의 아버지 곁을 지나쳤을 것이다.

이 장면에서 그리고 특히 움직이는 열차를 통해 아푸를 보여 주는 놀라운 카메라 앵글에서, 감독은 또한 소년이 세 편의 영화를 통해 어떻게 되고 남아 있을 것인지를 상징한다. 이는 농촌과 도시의 관계에서 생겨난 가치관의 충돌로 위기에 처한 교통 문제이다. 비록 레이는 이를 1편에서만 암시하지만, 2편 〈아파라지토〉가 끝날 때쯤, 시청자들은 아푸가 기차를 보기 전에 가졌던 일관된 세상을 결코 되찾지 못한다는 것을 이해한다.[22] 아푸가 기차 프레임 사이로 보이는 교통의 단편적인 대상이 되면서, 레이는 그가 어떤 사람이었는지와 어떤 사람이 될지를 구분하는 것으로 아푸를 표현한다. 감독이 〈파테르 판찰리〉가 끝날 때까지 설정한 것은 아직 정의되지 않은 외부 세계에 대한 언급이자 변화를 위한 상징적인 자극이다. 이후 두 편의 영화에서, 그 제안은 도시와의 연결 고리로 구체화된다. 그러나 이 지점에서, 기차는 순전히 소년의 마법과도 같으며, 이는 사람들의 삶의 가장 깊은 곳에서 느껴지는 흐릿한 형태의 변화에 나타나는 근대성에 대해 들여온 참조이다.

세 편의 영화 중, 이 열차는 1956년에 제작된 두 번째 영화인 〈아파라지토〉에서 가장 명백한 역할을 한다. 시작하는 쇼트에서는 다리 위를 지나 베나레스로 가는 기차의 풍경을 보여 준다. 시청자로서 우리는 다리의 금속 트러스 사이로 절단된 기차 창문으로 둘러싸인 도시를 본다. 이 쇼트 이후, 성직자로서 아버지의 역할을 보여 주면서 베나레스의 신성한 면에 관객을 몰입시키는 영화의 첫 부분에서는 기차가 완전히 보이지 않는다. 아버지 하리하르가 세상을 떠난 후 다시 등장하는 열차는 〈파테르 판찰리〉의 밤 열차 소리를 떠올리게 한다. 사르바자야는 아들이 노는 것을 보려고 계단에서 멈추는데, 아마도 그녀의 두 가지 선택을 숙고했을 것이다. 그녀와 그녀의 아들은 하인으로 일하는 가족과 계속 함께 살 수도 있고, 만사포타 마을에서 친척과 함께 살러 여행을 할 수도 있다. 카메라가 그녀의 얼굴을 클로즈업한 것에 초점을 맞추며 무수한 뚜렷하지 않은 생각들을 비추자, 열차가 배경에서 비명을 지른다. 그것은 그녀에게 필요한 변화를 요구하는 부름으로, 그녀의 얼굴은 그녀가 결정을 내렸음을 보여 준다. 거대한 기차 바퀴를 낮은 각도로 클로즈업하는 다음 쇼트는 그녀가 계획을 실행에 옮기는 역동성을 부여한다.

　열차 내부에서 바라본 다음 풍경은 도시에서 떨어진 다리를 가로질러 다시 이동함으로써 오프닝 장면의 경로를 반전시킨다. 이번에는 베나레스에 있는 어머니, 그녀의 나이 든 친척, 아들 아푸 등 승객들의 관점이다. 도시는 지나가는 다리의 흐릿한 트러스로 액자화되어, 기차가 어머니에게 제공하는 감정적인 거리를 느낄 수 있다.

비평가들은 종종 다음에 설명되는 이유들로 철도를 어머니의 적대자로 읽지만, 사실 열차는 여행 내내 사르바자야의 내면 상태와 밀접한 관계가 있다. 레이는 창문에서 보이는 전경을 사용하여 공간과 시간의 흐름을 재현한다. 대낮의 황량한 농장에서 새벽의 산으로, 그리고 하루가 지나면 열대 지방의 울창한 농장으로 풍경은 진화한다. 철도는 사르바자야에게 남편의 죽음과 거리를 느끼게 하며, 그녀는 기차 창밖을 바라보면서 두 영화에서 처음으로 미소를 짓는다.

만사포타 마을에 있는 모자의 새 집에서는 〈파테르 판찰리〉 마을인 니스친디푸르에서처럼 매일 기차가 나타나지만, 전작과 달리 이제는 가족의 집에서 보인다. 그들의 주거지 문틈을 통해, 그들은 새로운 삶의 지평선을 형성하는 철도 선로를 볼 수 있다. 아푸는 항상 기차에 매료되어 왔지만, 이제는 기차가 그의 일상 의식의 일부가 되어 정기적으로 그를 불러 지나가는 것을 지켜본다. 〈파테르 판찰리〉에서 열차는 변화의 가능성을 제시하는 비정형적인 외부를 재현한다. 그것은 목적지에 대해 뚜렷한 의미를 갖지 않는다. 하지만 〈아파라지토〉에서는 아푸의 외부 형태가 형성되고, 이전 영화에서 철도로 구현된 모호한 약속이 캘커타로 가는 길로 구체화된다. 아푸가 엄마에게 캘커타에서 공부할 가능성을 언급하자, 기차는 뒤에서 기적을 울린다. 나중에, 아푸는 그의 삶의 길을 나타내는 선로 한가운데를 걷는다.

아푸가 캘커타로 이사한 후, 기차는 어머니의 집과 그의 학교가 있는 도시를 왔다 갔다 하는 통로가 된다. 레이는 아푸의 출구 전략으로서 열차를 강조하지만, 철도는 출발뿐만 아니라 반환을 나타낸다. 그것은 또한 농촌의 의식을 지속적으로 형성한다. 감독은 교통 방식을 통해 비극적인 방식으로 정의되는 사르바자야의 삶을 보여 준다. 어머니에게 기차는 아들을 떠올리게 하지만, 그것은 아들이 어머니로부터 멀어지는 방식을 나타낸다. 그녀는 아푸의 출발을 한탄하거나 아들의 귀환을 기대하며 기차가 지나갈 때 애타게 바라본다. 아들이 오기로 한 날, 그녀는 아들의 임박한 도착을 준비하려 서두르기 전에 기차를 살핀다. 강굴리가 말하듯, "긴 쇼트에서 열차의 통과, 즉 지평선 위의 움직이는 선은 그가 오고 가는 것을 결정하는 상징적인 시곗바늘이 된다. … 그것은 그〔아푸〕의 부재 속에서 그녀의 존재를 불러일으킨다."[23] 기차를 통해 시골의 사르바자야는 캘커타 도시와 관계를 맺는다. 그 연결은 그녀가 죽기 직전에 기차 소리를 듣고 기차가 건너는 것을 보고 아들이 마침내 집에 돌아올 것이라고 잘못 상상하기 때문에 어머니에게 비극이 된다.

아푸에게도 기차의 세계는 모든 병을 치료한다고 행상인이 파는 마법의 연고만큼이나 거짓된 약속에 속한다. 아푸의 열차가 캘커타에 진입하면서, 아푸의 선로는 여러 노선과 연결되며, 이는 약속된 모든 것을 이행하기에는 너무나 많은 길들이 모여 있음을 보여 준다. 붐비는 역 안에서 아푸는 단지 약속된 성공의 목적지를 향해 나아가는 많은 젊은이들 중 하나이다. 〈아파라지토〉의 이 부분에서, 레이는 3부작 마지막 편에서 등장할 기차의 기능을 예상하는데, 첫 번째 영화에서 소년에게 암시하고, 두 번째 영화에서 젊은이를 위한 도시 교육이 성숙한 아푸에게 실망스러운 결실을 맺게 한다.

3부작의 세 번째 영화인 1959년 〈아푸르 산사르〉에서 기차는 더 이상 아푸에게 자유가 아니라 그를 끝없는 길로 묶는 선로로 표현된다. 역 구내가 내려다보이는 그의 침실 창문 밖에서는 기차의 소음이 젊은이에게 영감을 주기보다는 오히려 방해를 한다. 〈아파라지토〉에서처럼 기차는 시간과 일상의 분열과 연결되어 있지만, 이제는 그와 같은 규정이 그의 마을 집에서 제공하는 즐거움을 주지 못한다. 기차는 여전히 외부를 재현하지만, 여기서는 외부 세계가 그가 상상하는 삶에 대한 약속이라기보다는 부담이다. 열차가 큰 소리를 내자 발코니에서 귀를 막고 달려오는 아푸의 새 부인 아파르나와 함께 기차는 아푸가 꾸린 가정 세계의 평온함도 방해한다.

이 세 번째 영화에서 기차는 아푸의 실망에도 불구하고 그의 필수적인 부분으로 남아 있다. 3부작의 다른 영화들에서처럼 철도는 계속해서 삶의 길과 변화 가능성을 나타낸다. 어느 야간 장면에서, 아푸는 가장 친한 친구인 풀루와 함께 선로를 따라 걸어 돌아온다. 그들은 아푸의 꿈과 소설을 쓰려는 그의 포부에 대해 이야기한다. 아푸가 결혼을 하고 아파르나와 함께 그의 작은 세상을 발전시키려 해도 기차는 여전히 그를 정의한다. 한 아름다운 쇼트에서 그의 두 세계는 합쳐진다. 아파르나가 발코니에 화로를 가득 채운 후, 하얀 연기가 피어올라 집과 세계를 하나로 모으며 기차의 증기를 만난다.

아푸가 아파르나가 출산 중 사망했다는 소식을 접한 후 기차는 결정적인 장면으로 돌아간다. 선로를 저각으로 잡은 쇼트는 마주 오는 열차를 보여 준다. 감독이 아푸의 얼굴을 클로즈업하면서, 우리는 그가 선로에 몸을 던질 생각을 하고 있다는 것을 알아차린다. 레이는 기차가 뒤에서 울부짖을 때 아푸의 표정에 초점을 맞춘다. 그 장면은 사르바자야가 급진적인 변화를 만들고 그녀의 아들을 마을로 데려가기로 결심했던 전작 〈아파라지토〉의 한 장면을 반영한다. 하지만 그 장면과 달리, 열차는 이 3편 대부분에서 더 이상 새로운 전망을 손짓하지 않는다. 이제 기차는 그것이 주로 생명에 미치는 영향을 재현한다. 어린 아푸를 매료시키고 사춘기로 데려가 기차의 기적 소리는 이제 그를 젊은이로 강요한다. 레이는 기차에 치이는 돼지가 나오는 폭력적인 장면으로 카메라를 옮기기 전에 구석에 있는 증기의 흔적을 담아 아푸의 얼굴에서 하늘로 앵글을 옮긴다. 영화의 나머지 시간 동안, 아푸는 자연에 의지해 바다, 산, 숲을 여행하며 위안을 얻는다. 그러나 그곳에 가려고 해도 기차를 타야만 한다. 따라서 레이는 이 기술을 가장하여 3부작의 첫 번째 영화 제목을 형성하는 매혹적이고 강제적인 "길의 노래"를 제공하는 근대성의 수사학과 상반된 관계로 영화를 해결한다.

"아푸 3부작"에서 레이는 20세기 초를 그리지만, 그의 영화는 그가 영화를 만들었던 1950년대의 변화에 대한 집착을 반영한다. 네루의 1차 5개년 계획과 2차 5개년 계획 사이 중간에 나온 그의 첫 번째 영화는 인도의 발전 순간을 반영한다. 레이의 이야기는 철도 가장자리에 존재하는 한 가족이 철도 노선으로 변화되는 동시에 철도 세계의 일부가 되는 것을 보여 준다. 이것은 사라브자야에게도 사실이지만, 그녀도 기차의 부름에 주의를 기울이기 때문에, 레이는 바로 아푸를 통해 의식 형태로서 교통을 완전히 발전시킨다. 처음에는 움직여야 한다는 아푸의 충동은 영감을 주고 나중에는 억압한다. 도망치고 싶은 삶을 상징하는 바로 그 기차에서 곤경에서 벗어나려는 그 젊은이는 결국 그 교통의 주체성 속에 갇힌 자신을 발견한다.

파니쉬와르 나트 레누의 〈원시적 밤의 향기〉

〈아푸르 산사르〉 이후 8년 만인 1967년, 비하르어 작가 파니쉬와르 나트 레누는 네루의 국가개혁 프로그램에서 주된 이념적 위치를 차지했던 농촌 지역에서 벗어나 항의의 목소리를 낸다. 이 기차역은 파니쉬와르 나트 레누Phanishwar Nath Renu의 힌디어 단편〈원시적 밤의 향기The Fragrance of a Primitive Night〉에서 가난했던 시골 지역과 더 넓은 나라의 연결 고리를 형성한다. 나라얀의《안내자》의 라주와 레이의 3부작에 나오는 아푸처럼, 이 이야기의 주인공인 12세 카르마는 교통의 주체다. 이동성은 그의 의식과 주변의 사회적 관계를 형성한다. 레누는 이러한 주체성의 포로로서의 특성을 보여 주며, 근대성의 이러한 형식의 강제적 측면을 표현한다. 아삼에서 출발한 화물열차에서 나무 상자 안에서 갓난아기로 발견된 카르마는 "꼬리표도 없고 라벨도 없다. 소유주 불명의 재산!"[24] 카르마를 운송 상품과 동일시함으로써, 레누는 철도로 가능해진 자본주의적 상품 유통 체계 내에서 인물의 강탈을 강조한다. 카르마는 어느 곳에도 속하지 않으며, 단순히 "K"라는 코드로 표현되는 그의 가명은 심지어 그에게 "아무 라벨도 없다"고 남겨 둔다. 그는 집이 없으며, 시골 기차역에서 임시 구조원으로 일하는 역무원들을 도우며 음식을 얻는다.

《안내자》의 라주처럼, 카르마는 그의 상황의 덧없음을 받아들이려고 노력한다. "내 몸이 있는 곳, 그곳이 바로 내 집이 있는 곳이다."[25] 그러나 이 이야기의 주요 주제에서 알 수 있듯이, 그는 이 교통 방식을 궁극적으로 불만족스러워한다. 그의 존재의 모순은 악몽 속에서 강조되는데, 이 악몽은 그가 선로에 붙어 있다가 마주 오는 기차에 치여 갈가리 찢기는 이야기의 중심을 이룬다.[26] 이 악몽은 카르마가 레이의 3부작 〈아푸르 산사르〉의 마지막 영화에 나온 아푸처럼 철도에 끝없이 얽매이는 느낌을 분명히 한다. 이야기의 클라이맥스에서, 카르마는 집으로 가는 철도가 정말로 집이 아니라는 것을 깨닫고, 한 장소에 머물고자 기차에서 뛰어내린다. 카르마는 근대성의 꿈인 이동 양식을 재현하지만, 나라얀의 이야기 속 라주나 아푸의 영화처럼 장소의 안정성을 갈망한다. 레누는 궁극적으로 이동이 일정불변하다는 것을 인정한다. 그러나 그의 위치는 잃어버린 시골의 기원에 대한 단순한 향수가 아니다. 레누의 이야기는 모두 이 국가 발전 시기를 특징짓는 교통 의식과 사회적 관계 속에서 불안하게 존재하는 모습을 보여 주는 의미에서 나라얀과 레이의 이야기에 반향한다.[27]

독립 후 수십 년 동안 제작된 예술 작품은 도시와 시골의 관계를 묘사하는 개발 이야기가 강요한 변화 중인 인도를 재현한다. 근대성과 열차 모두 보통 시골의 현상보다는 도시적인 것으로 여겨져 왔지만, 이동하는 열차는 이러한 공간들 사이의 동적 관계를 나타낸다. 철도로 정립된 지리적 상상력의 연결, 즉 시골과 도시의 연결, 또는 두 종류의 장소와 국가의 연결은 근대성의 풍경을 다시 생각하게 한다. 노선 아래에 있는 장소는 목적지로 손짓한다. 나라얀의 소설에 나오는 승객들은 시골과 연관되어 있는 고풍스러움과 자연스러움을 추구하는 반면, 레이의 영화 3부작에 나오는 아푸는 도시의 약속된 변화를 추구한다. 그러나 아무리 원점이나 목적지가 중요하더라도 근대성의 패러다임을 동원하는 것이 그들 사이의 선이다. 교통의 주체성은 영화 〈안내자〉의 라주, 〈아푸 산사르〉의 아푸나 레누의 〈원시적 밤의 향기〉의 카르마와 같은 등장인물들에게 불안한 의식을 고취시키고, 이로 인해 가족을 파괴하고, 이전의 우정을 잃게 하고, 경제를 변화시킨다. 하지만 교통은 또한 라빈드라나트 타고르가 벵골어 시 〈철도역Railway Station〉에서 묘사한 "영원히 형성되고, 영원히 부서지고, /계속해서 오고, 계속 가는"[28] 것을 활성화시킨다. 이러한 창조 및 취소에 대한 감각으로 인해 이동하는 근대성은 문제가 있는 만큼이나 매력적이다.

이동하는 정체성과 국가 서사

철도의 이동성은 공간의 사회적 건설을 통해 국가를 구성했다.

관광객은 기차 여행을 통해 인도를 알게 되었다. 그 과정에서 철도 여행은 국내외 관광객들이 소비하는 인도를 형성했다. 1930년대에 일련의 투자홍보IR "인도 방문" 포스터는 해외 잠재 소비자들을 겨냥했다. 이러한 투자홍보 포스터는 일반적으로 열차가 아니라 타지마할이나 엘로라, 부다 가야 같은 고대 인도를 모더니즘적 철도 포스터의 독특한 심미성으로 묘사하여 세계인들의 취향에 어필했다. 이 포스터들은 기차 여행으로 감상할 수 있는 인도의 특징을 보여주면서, 국가 이동성과 관련된 더 넓은 상징적 분야의 일부가 되었다. 인도 국민들에게는 이러한 문화적 관계항이 기차 여행과 국가 정체성 실현의 상징적인 관계를 강조한 인도 전 노선 실행에서 나타났다. "인도를 발견하라, 자신을 발견하라"라는 슬로건으로, 인도 관광부는 기차 여행을 자신과 국가 개념에 변화를 가져오는 것으로 홍보했다.

인도의 철도 재현에는 주체성과 이동성 및 서술이 정렬되어 있다. 충실함은 세 가지 방식으로 나타난다. 첫째, 이동은 독자들을 앞으로 가게 만드는 것 같은 이야기에 대한 은유로서 작동한다. 둘째, 철도 객차 내 공간의 독특한 구성은 스토리텔링 가능성을 촉진한다. 이곳은 단독적이면서도 집합적인 공간이다. 그것은 갑자기 친밀한 낯선 사람들로 구성된 청중을 포함한다. 열차 객차는 또한 주변 세계로부터 중단된 것처럼 보이는 외부 세계에 대한 반영을 허용한다. 마지막으로, 열차의 움직임 자체가 상상력과 기억을 자극하는 독특한 현상학적 특성을 띠게 된다. 이러한 마지막 특성은 살만 루슈디Salman Rushdie의 《한밤의 아이들Midnight's Children》에 나오는 기차에서 등장인물 살림이 "바퀴의 5음절 단조로움 속에서 … 다음과 같은 비밀 단어를 들었다. 아브라카다브라 아브라카다브라 아브라카다브라가 우리를 봄베이로 돌려보내 지루하게 하며 바퀴를 노래했다."[29]고 한 것처럼 때로 기차의 마법으로 표현된다.

대지를 횡단하거나 교차하는 여행은 이동을 통해 상징적으로 상상해야 할 것으로 나라를 상징한다. 식민 후기 문학과 영화는 이것을 재현한다. 사트야지트 레이의 〈나야크Nayak〉에 나오는 유명한 배우의 육로 통행은 변화하는 인도와 예술의 관계를 되돌아보는 수단을 제공한다. 불행한 젊은 여성이 아니타 네어의 《여성용 객차 끝 칸Ladies Coupé》에 나오는 인도의 끝으로 여행을 가거나 아니타 라우 바다미Anita Rau Badami의 소설 《타마린드 멤Tamarind Mem》에 나오는 나이든 부인이 마침내 남편이 생전에 계약한 노선을 타게 되면서, 이 인물들은 인도를 그들의 권리로 이해하고 상상적으로 인도 전체를 일관성 있는 전체로 만들어 낸다. 《봄베이의 사랑과 그리움》 전집에 있는 비크람 찬드라Vikram Chandra의 1997년 단편소설 〈평화Shanti〉에서 나오는 한 구절은 이러한 인도의 과정이 철도를 통해 아름답게 이루어지는 것으로 표현한다. 이 이야기에서 한 젊은 여성의 기차 여행 이야기는 사랑에 빠진 젊은 남자의 역동적인 새로운 국가를 보여 준다. "쉬브는 기차의 이야기를 듣고 북쪽의 거대한 평원을 가로질러 북쪽으로, 그리고 남쪽의 바위 고원을 가로지르며, 현기증 나는 능선의 급커브를 넘고 검은 사막을 통과하는 선로를 상상했다."[30] 비록 탈식민 이후 인도 철도에 대한 재현들은 종종 이동 과정을 통해 부상하는 국가를 보여 주지만, 동시에 철도 공간에 설정한 서사를 젠더, 공동체 정체성, 계급의 줄무늬로 이러한 구조의 단층선을 보여 줌으로써 국가를 비판하는 수단으로 사용한다.

사티아지트 레이 감독은 1966년 벵골어 영화 〈나야크〉로 기차 배경으로 돌아왔다. 거의 영화 전체가 기차를 배경으로 한 이 영화는 기차라는 설정을 사용하여 산업으로서의 영화가 어떻게 예술, 특히 연기에 대한 개념을 재구성하고 유명 인사들과 예술을 동일시하는 새로운 국가 대중을 창조했는지 살피고자 기차라는 배경을 사용하여 철도와 영화라는 근대성과 연관된 두 가지 기술적 변화를 병치한다. 레이는 철도 공간의 독특한 사회구조를 사용해 인도 사회의 축소판을 보여 주기 때문에 그것은 기차에 나타난 지역사회다. 이러한 방식으로 레이의 초기 작업에 매우 중요한 철도는 책임자가 자신의 작업을 이동성과 서사의 접점 내에 배치하면서, 변화가 진행 중인 국가를 들여다보는 방법을 계속 제공한다.

서사에서 흔히 볼 수 있듯이, 〈나야크〉에서는 기차 경험이 낯선 사람에게 이야기를 들려준다. 유명 배우인 아린담은 유부녀를 두고 공개적으로 말다툼을 벌여 창피를 당한 후 상을 받기 위해 기차를 타고 여행을 떠난다. 그는 식당차에서 아디티라는 얌전한 기자를 만나 그녀에게 자신의 출세, 배신, 그리고 그 여자와의 불륜 이야기를 들려준다. 식당칸이라는 중립적인 공간은 서로 다른 등급으로 여행하는 두 승객이 만날 수 있도록 해 주며, 거의 다른 어떤 배경에서도 불가능할 개방성을 조성한다. 아린담과 아디티는 각자 다른 배경과 도덕규범을 극복하고 우정을 쌓지만, 레이 특유의 리얼리즘에 따라 기차 밖에서는 불가능한 로맨스를 중간에 멈춘다. 대신에 기차 여행은 고백으로 길러지는 또 다른 종류의 친밀감을 유발한다.

기차를 배경으로 한 것은 레이가 국가 대중이라는 복잡한 범주의 섬세한 특성을 드러내는 것을 허락한다. 기차 여행을 하면서 아린담은 그를 인기 영화배우로서 의존하는 대중과 강제로 접촉하게 된다. 기차에 탄 각 사람은 주로 자신의 삶에 관심이 있다. 아버지와 어머니는 아픈 아이를 데리고 여행하고, 한 부부의 남편은 부도덕한 남자(그 거래를 성사시키려 아내까지 제공하며)에게 자신의 광고를 팔려 하고, 나이 든 유명 작가는 퇴폐적인 젊은이들과의 접촉을 피하고, 아디티는 자신이 일하는 여성잡지의 구독권을 팔려고 수도로 여행한다. 다양한 승객들은 이 유명 배우에게 여러 가지 이유로 반하지만, 호기심과 사인을 받고 싶은 마음에도 불구하고 배우의 퇴폐적인 삶과는 거리를 유지하려 한다. 그들은 배우의 행동에 비판적인 발언을 하고, 철도칸 내에서 반‡사적인 가족 공간을 유지한다. 그래서 기차는 레이가 대중이 지닌 친밀감의 한계를 보여 주는 방법이 된다. 기차 승객들은 그 빠른 우정에도 불구하고 궁극적으로는 각자의 길을 가게 되는데, 이는 관객이 그들이 이상화하는 배우와 분리된 삶을 사는 것에 대한 은유이다. 아린담이 의존하는 대중의 부서지기 쉬운 성격과 한계는 그를 거의 자살에 이르게 한다(이 장면은 책의 결론에서 더 자세히 설명된다). 영화의 마지막 장면에서 주인공들이 하차하는 역 옆에는 더 넓은 세계가 귀환하여 아린담과 아디티가 발전시킨 친밀함을 방해한다.

레이는 여러 장면에서 기차 창유리를 사용하는데, 내부와 외부를 가르는 이 "가느다란 칼날"[31]로 사적인 것과 공적인 것을 병치시킨다. 그 과정에서 그는 사적인 것, 즉 기억과 고백을 국가라는 넓은 맥락과 연관시킨다. 한 인상적인 장면에서 아린담과 아디티는 열차가 부르드완역에 정차했을 때 식당칸 창가 앞에 앉아 있다(그림 9). 밖에 있는 팬들이 아린담을 알아보고 창문을 쾅쾅 두드리자, 카메라는 통로 건너편 승객의 시선으로 친밀한 대화를 방해받은 남녀를 바라보는 듯 관객을 마주한다. 이 장면은 표면적으로는 겸손한 아디티와 세계시민적인 아린담의 문화적 차이를 다룬다. 그녀는 자신이 전시되자 불안해하지만, 배우는 조사 대상이 되는 것에 익숙하다. 하지만 이 장면은 관객으로 하여금 관객과 주체의 관계를 숙고하게 한다. 아린담과 아디티처럼 우리는 기차를 바라보는 시선과 마주하게 되며, 이는 기차와 영화 서사의 중심에 놓인 파노라마적 인식에 도전하는 관점이다. 관객의 시선은 우리의 시선을 반영한다. 이 영화에는 두 명의 외부 관객이 있는데, 승강장에 있는 관객과 우리 자신이다. 우리는 이 국가적 대중과 관련하여 영화 속에서 우리 자신을 볼 수밖에 없다. 이 장면에서 레이는 철도 서사를 국가 전체에 연결하는 수단으로, 철도 공간의 특유의 관계인 내부와 외부의 관계를 발전시킨다. 내부와 외부의 대립은 철도 서사가 국가의 한계를 해석하는 패러다임이 된다.

식민지 이후의 작품에서는 이러한 정치적 논평이 명백할 수 있지만, 더 자주 그것은 자아의 변화를 통해 재현된다. 개인에게 이동은 자신의 삶을 구성하는 주체성과 사회적 관계를 보는 방식이 된다. 앞서 언급했듯이, 나라얀과 레누 이야기 같은 초기 식민 시대 이후 문학과 영화에서는 사트야지트 레이의 사르바자야라는 주목할 만한 예외를 제외하고는 이동하는 인물은 거의 젊은 남성이었다. 하지만 5장에서 논의된 대중 영화 같은 1970년대와 1980년대의 대표작들은 철도 공간을 여성을 위한 양면적인 공간으로 보여 준다. 철도는 공적 공간을 통해 사회적 제한을 대체할 기회를 제공하는 공간이자, 위협적이며 잠재적 위반이 도사리는 위험한 장소이기도 하다. 철도 공간에 대한 이러한 정의는 여전히 지속되고 있지만, 열차를 배경으로 사용하는 최근 작가들은 철도를 남성뿐 아니라 여성에게도 이동성을 제공하는 것으로 그린다.

여성과 모빌리티

몇몇 현대 여성 작가들은 집 밖으로의 이동을 통해 초래된 변화, 즉 이동성으로 대표되는 자아의 혁명을 묘사하는 방식으로 여성의 연대기를 철도에 배치한다. 그들은 또한 1990년대에 등장한 새로운 인도 내의 가족, 새로운 성적 가능성, 카스트, 계급, 젠더의 정치를 보여 주는 데 기차를 이용한다. 이 페미니스트 작가들에게 이동은 내레이션을 통한 여성해방을 가능하게 한다. 2001년 소설 《여성용

그림 9 열차 객차 창밖의 관점을 보여 주는 사트야지트 레이의 영화 〈나야크〉 속 한 장면. (산타크루즈 캘리포니아대학에 있는 사트야지트 레이 센터 아이다 소프얀Aida Sofyan 컬렉션)

객차 끝 칸》에서 아니타 네어는 철도 객차를 여성이 전하지 못한 이야기를 들려주는 장소로, 철도 여행을 계속 나아가는 여정으로 은유한다. 주인공인 아킬라는 원래 탈출구로 기차를 타지만, 이 여행은 그녀가 이야기를 통해 자기 삶을 인식하고 마침내 연인에 대한 욕망과 육체적 쾌락을 해결하는 길이 된다. 아니타 라우 바다미의 소설 《타마린드 멤》에 나오는 철도 사무관의 미망인에게 기차 여행 경험은, 그녀가 다른 여성들에게 들려주는 이야기와 여행 자체를 통해 마침내 자신의 삶을 이해하는 계기가 된다. 슈마 퓨탈리의 《봄베이 중심지에 이르러Reaching Bombay Central》에 등장하는 여성도 인도를 횡단하는 긴 여행을 하면서 자신의 이야기를 할 수 있는 공간과 시간을 부여받는다.

승강장 냄새가 아킬라를 출발의 환상으로 가득 채우는 《여성용 객차 끝 칸》의 첫 페이지부터 아니타 네어의 소설 속 철도 여행은 해방 수단으로 제시된다. 아킬라는 "칸에 쏟아져 들어와 좌석에 앉아 짐을 보관하고 티켓을 움켜쥐는 그런 파도의 일부가 되는 꿈을 꾼다. 자신의 세계를 등지고 앞을 바라보며 앉아 있는 꿈, 떠나는 꿈, 도망가는 꿈, 빠져나가는 꿈."[32] 이 구절은 기차 여행과 관련된 문화를 암시한다. 아킬라를 유혹하는 것은 이동 가능성만이 아니기 때문이다. 네어는 앞을 향한 좌석으로, 과거의 부정인 근대성 개념과 밀접하게 연관된 매혹적인 미래지향성을 환기시킨다. 또한 이 소설가는 철도가 익명의 대중이 되는 방법을 보여 준다.

익명성은 인도의 철도 재현에서 여성을 안전하지 않거나 부적절한 존재로 몰아내고 가정의 사회적 압박을 완화하는 방법으로 끌어들이는 공적 공간의 특성이다. 실제로 아킬라는 아버지가 돌아가신 뒤 결혼을 하지 않고 가족을 돌보고 사랑도 포기한 인물이다. 그녀는 "삶과 경험에 굶주려 있다. 연결의 아픔"[33]과 기차의 여성용 객차 끝 칸은 두 가지 방식으로 두 가지 욕구를 충족시킨다. 첫째, 아킬라는 상호 간의 이야기를 통해 그녀의 칸에 있는 다른 여성들과 유대감을 형성하고 삶의 비전을 확장한다. 이 여성들은 여성용 객차 끝 칸에서 함께 그들의 삶을 연결하여 해석한다.

아킬라가 삶을 경험하고 열차 안에서 다른 사람들과 연결되는 두 번째 방법은 다른 신체와 접촉하는 것이다. 비단 성적인 접촉만이 아니다. 인도 열차에 대한 재현은 신체적·가정적 특성을 나타낸다. 이 이미지는 식민지 시대의 부정적인 묘사로 거슬러 올라갈 수 있지만, 이 캐릭터는 현대의 글과 영화에서 다시 그려진다. 네어의 작품에는 "머리카락에 재스민 색의 상처, 땀과 머리카락 기름, 활석 가루와 상한 음식, 촉촉한 마대, 대나무 바구니의 생록색 냄새"[34]가 있다. 인도 기차를 특징짓는 군중과 아킬라의 관계는 양면적이다. 한편으로 그녀는 "열차가 정차할 때 앞으로 밀려드는 승객들의 물결"[35]을 두려워한다. 다른 한편으로, 기차역의 신체적인 면은 그녀를 성적으로 충족되지 않은 그녀의 몸과 연결시킨다. 네어는 인도 기차에서 흔히 볼 수 있는 다른 신체와의 물리적 근접성을 즐기는 여성에 대한 급진적인 시각을 제공한다. 아킬라는 처음에 붐비는 통근열차에서 보이지 않는 남자의 끈질긴 손길에 성적으로 눈을 뜨기 때문이다. 비록 이 행위는 전통적으로 분노의 원인으로 제시되지만, 그 경험은 그녀가 즐기는 감각을 그녀를 열어 준다. 나중에, 아킬라는 교외의 정기 열차의 일등칸에서 연인이 되는 연하 남자를 만난다. 이 열차는 아킬라의 성적 실험의 일부이다. 이는 불법적이고 문화적으로 부적절한 기회의 통로일 뿐만 아니라, 진동과 시각적 전경으로 그녀를 육체적으로 자극하기 때문이다. 여성용 객차 끝 칸에서 아킬라는 내러티브를 통해 이 섹슈얼리티를 정당화하며, 기차 자체는 "밤을 뚫고 솟아오르고 움츠러들며"[36] 흥분을 조장한다.

네어는 철도 공간을 서사의 장소이자 육체적 자극의 장소로 제시할 뿐만 아니라, 열차의 움직임 자체가 사회적으로 변형된다고 제안한다. 열차가 부여한 안팎의 특별한 관계는 아킬라의 혼란스러운 세계를 "각 창문으로 액자화된 야경 갤러리"[37]라는 시각적 재현으로 바꿔 놓는다. 사실, 네어는 소설의 많은 지점에서 정물 초상화의 몽타주를 제공하며 지나가는 시골, 도시 풍경, 승강장을 단편적인 문장으로 표현한다. 열차의 이동성을 가로막는 정적인 풍경은 외부 연속성이 단절되고 열차에 의해서만 동원되는 관계가 있는 분열된 세계이다. 아킬라는 그녀가 숨막힐 것 같았던 사회적 관계로부터 자유로운, 이 분열된 세상의 해방을 발견한다.

　1996년 소설 《타마린드 멤》에서 아니타 라우 바다미는 철도 사무관의 미망인인 사로자라는 이름의 나이 든 여성을 그린다. 그녀는 장성한 아이들이 떠나면서 마침내 가사에서 벗어나 철도에 내발을 딛게 된다. 사로자가 새로운 남편과 함께 첫 철도 여행을 떠났을 때, 그녀는 철도 칸이 일종의 감옥, 즉 남편이 사람들이 들어오지 못하도록 칸을 확보해 놓은, 사로자가 창살을 만지는 것조차 꾸짖는 시끄러운 공간임을 알게 된다. 이와 대조적으로 바다미는 여성 전용칸에서 혼자 하는 철도 여행을 개인에게 권한을 부여하는 과정으로 보여 준다. 사로자는 인도를 돌아다니며 내레이션을 통해 다른 여성들에게 자신의 역사를 이야기한다. 사로자에게 이 기차는 또한 그녀의 완전한 국가적 주체성에 이르는 경로를 제시한다. 이 권한 부여는 새로운 사람들과의 접촉과 그녀가 방문하는 장소의 감각적 경험을 통해 얻어진다. 국가적 신체와의 연결은 기차가 매개하는 공유된 신체 접촉을 통해 훨씬 더 본능적으로 신체 수준에서 작동한다. 예를 들어, 한 지점에서 사로자는 창살에 머리를 기대고 다음과 같이 곰곰이 생각한다. "거지들은 이 창문을 만지고, 천 개의 입으로 침을 뱉고, 나보다 먼저 여행한 수백만 명의 세균을 옮긴다."[38] 아킬라가 낯선 사람들과의 신체 접촉을 즐겼듯이, 사로자는 그것이 남편의 요구로 하게 된 그들의 첫 기차 여행에서 재현되는 고립으로부터 그녀를 자유롭게 하기 때문에 많은 사람들과의 익명의 접촉을 받아들인다. 두 작가 모두 기차가 이동하기 때문에, 그리고 이 공공공간이 여성을 제한된 사적 공간에서 벗어나 다른 기관과 연결해 주기 때문에 기차를 해방시키는 것으로 재현한다.

슈마 퓨탈리의 소설 《봄베이 중심지에 이르러》에 나오는 여성도 봄베이로 가는 기차 여행에서 변화를 겪는다. 네어의 작품에서처럼, 이동성은 주인공인 아이샤에게 해방감을 준다. 퓨탈리는 "한편으로는 집으로부터, 다른 한편으로는 집안일로부터 피난하는 바로 그 순간, 그녀는 모든 것에서 자유로웠다"[39]고 쓴다. 이 자유에는 대가가 있다. 레이의 영화 〈나야크〉처럼, 퓨탈리의 소설은 기차에서 맺는 쉬운 우정의 한계를 숙고한다. 아이샤의 남편은 오랜 학급 친구에게 호의로 불법 면허증을 발급해 주어 직장에서 쫓겨나 감옥에 갇힌다. 아이샤는 친척인 유력한 경찰관에게 호소하러 여행을 나섰다. 그녀는 이 일이 부끄러워 동료 승객들에게 자기 이야기를 할 수 없다. "이야기는 계속 이어질 것이고, 그것은 끝없이 이어진 실과 같은 지류로 좁아질 것이기 때문이다."[40] 아이샤는 거짓된 삶, "아무것도 진짜가 아닌"[41] 이러한 삶을 돌아보면서, 실제로 사람들이 되고 싶은 사람이 될 수 있는 내레이션 장소인 기차 세계의 현실성에 도전하고 있다.

철도 객차의 상상된 공동체 내부의 경계선은 젠더, 계급, 인종 및 종교의 차이를 강화하기 존재한다. 식민 담론은 인도 내부의 차이를 극복하는 수단으로 열차를 이상화했음에도 불구하고 젠더와 계급 같은 차이의 특정 기호를 열차 객차의 구조에 부호화했다. 유사하게, 공간으로서의 인도 철도는 그 이상에서 차이를 인정하면서도 세속 질서에 포섭될 수 있는 국가의 축소판을 제공한다. 《봄베이 중심지에 이르러》와 같은 작품은 이러한 차이가 어떻게 협상되는지에 대한 매우 다른 그림을 제공한다. 네어처럼 퓨탈리도 공공장소에서 벌어지는 여성들의 투쟁에 익숙하다. 아이샤는 역사의 혼잡한 수도 꼭지에서 물병을 채울 수 없다는 것을 알게 되고, 마지막 몇 번의 여행에서 반복된 경험상 모르는 남자에게 도움을 청해야 한다. 퓨탈리의 작품은 또한 철도의 사회적 축소판 안에 존재하는 인도의 섬세한 공동체 및 종교적 노선을 주의 깊게 도표화한다. 아이샤는 동료 승객들에게 자신을 소개할 때 그들이 그녀의 무슬림 이름을 알아채는 순간 보이는 "일시적 멈춤의 깜박임"[42]을 인지한다. 이 순간은 이 종교적 정체성이 인도에 있는 그녀 가족의 존재를 정의하는 삶을 재현한다. 기차 객차에서 승객들은 그들의 일상생활을 규정하는 것에 근접하고, 저자는 채식주의자와 비채식주의자의 식사 주문 같은 가장 단순한 종교의식이 기차 내에서 차이점의 선을 어떻게 위치시키는지를 보여 준다.

퓨탈리는 특히 계급이 철도 내 사람들의 삶을 어떻게 정의하는지 보여 준다. 결국 철도는 어떤 이들에게는 여유로운 여행 공간이 아니라 노동의 장소이다. 책의 처음과 끝을 묶는 비슷한 두 장면에서 "쿨리" 혹은 짐꾼은 자신의 가방을 들고 온 승객에게 합의된 보상금 외에 돈을 요구한다. 퓨탈리는 열차에 탑승할 때 이러한 요구에 시달리는 열차 칸의 거주자들을 보여 준다. 승객들은 경험 없는 여행객들로부터 돈을 더 뺏는 "적대적인" 사람들과, 로봇처럼 그리고 "뉘우치지 않고" 떠나는 철도 승무원과, "아무도 그를 막지 못했기 때문에 더 많은 돈을 쓸어 버리기 시작하는" 그리고 승객들이 이용하는 객실로 강제로 들어가는 무허가 청소부 소년과 전쟁 중인 것으로 재현된다.[43] 그러나 퓨탈리는 철도 계급 구조로 나타나는 착취를 폭로하는 것이 목표가 아니기 때문에, 익명의 노동자들과 독자의 동일시를 유도하지는 않는다. 작가가 보여 주는 것은 철도에서 일어나는 미묘한 계급전쟁이다.

퓨탈리는 국가에 대한 비판적인 시각을 제공하면서 특혜와 뇌물 형태로 인도 사회에 스며드는 광범위한 부패 관행에 도전한다. 독자로서 우리는 부분적으로 아이샤의 남편 이야기를 통해 이 세상을 본다. 그녀의 남편은 그 문화가 정치 영역을 형성하면서 그 문화에 휘말리지만, 아이야도 마찬가지다. 기차는 더 크고 부패한 공간의 축소판 역할을 한다. 심지어 기차 내부 좌석에 대한 결정조차도 손을 거쳐 "바크쉬슈bakhsheesh", 즉 뇌물 시스템으로 짜여진다.

그러므로 식민지 이후의 인도 작가들이 기차를 국가의 패러다임으로 묘사하는 것처럼, 그들은 또한 질서에 도전하는 하위계층을 보여 준다. 내부와 외부의 결정적인 경계는 투과성으로 표시된다. 뇌물 수수와 같은 비공식적인 관행은 객차 외부에 게시된 예약 표시처럼 고도로 관료화된 공식 관행과 일치한다. 그렇다면 이러한 재현들은 인도가 그 주요 서사에 도전하는 무수한 미시적 질서를 구성하고 있음을 암시한다. 이 책의 결론에서 그 아이디어와 의미를 더 깊이 고찰한다.

퓨탈리의 소설에서, 철도의 비공식 경제는 확실히 축하받지 못한다. 게다가 이 작품이 인도에 비판적이지만, 기차의 이미지는 궁극적으로 국가 이데올로기를 강화한다. 한 등장인물이 인도가 잘못된 길로 가고 있다고 객차 칸의 다른 구성원들에게 말할 때, 다른 인물이 그녀에게 말한다. "봐요, 이건 이 기차와 같아요. 항상 봄베이를 마주하는 것은 아니에요. 지금 당장은 어둠 속에서 우리가 어디로 가는지도 볼 수 없어요. 하지만 우리는 결국 봄베이 중심지에 도착한다는 것을 알죠. 그런 식이에요."[44] 자와할랄 네루가 국가를 탈식민지화로 가는 여정의 최종 목적지로 지정한 것처럼, 이 여행자들도 자신들의 여행 경험, 즉 그들의 문제를 해결하는 여정을 국가 정당성에 대한 은유로 이해한다.

모빌리티의 더 넓은 문화

내가 탈식민 작가라고 부르는 이 모든 작가들은 인도 내에서 작업하지만, 인도 밖에서 국제 관광객과 디아스포라 인도인으로서 이동하면서 기차로 묘사된 인도를 발견한다. 폴 세룩스Paul Theroux는 아마도 이 작가들 중에서 국제적으로 가장 영향력 있는 작가일 것이다. 그는 1975년의 《대철도 바자회The Great Railway Bazaar》, 1985년의 《제국의 길The Imperial Way》, 2008년의 《동쪽의 별로 향하는 유령 열차Ghost Train to the Eastern Star》 같은 작품에서 철도 여행을 통해 인도를 국가로 보여 주었다. 세룩스에게 외국인 방문객으로서 인도 열차를 타는 것은 생성적인 경험이다. 그는 기차 여행이 얼마나 그의 상상력을 북돋워 주는지 그의 생각을 정리하고 쓸 수 있는 은둔을 제공하는지 설명한다. "나는 아시아가 창문에서 변경 사항을 깜빡이는 동안 평평한 철길을 따라, 그리고 기억과 언어의 사적인 세계 안쪽 가장자리에서 두 방향으로 여행했다."[45] 그의 인도는 다양한 등장인물로 구성되어 있다. 다른 승객들뿐 아니라 철도에서 일하는 사람들, 역에서 자는 사람들, 선로를 따라 쪼그려 앉아 매일 목욕하는 사람들이다. 따라서 세룩스의 작품은 퓨탈리의 작품과 동일한 종류의 사회적 미시 질서를 드러낸다. 교통 문제에 대한 그의 선명한 시선에도 불구하고, 객차의 벽은 식민지 이후의 소설에서 재현된 그 어떤 인도인 등장인물들보다 그의 주변 인도에서 자전적 서술자를 더 뚜렷하게 갈라 놓기 때문에, 사람들은 세룩스의 작품에서 식민 여행 의 유산을 볼 수 있다. 아킬라나 아이샤 같은 인물들은 외부 빈민가의 세계와 그들을 구분 짓는 계급적 선까지 고려할 때, 세룩스의 자전적 서술자가 그의 작품에서 그렇게 즐기는 거리를 유지할 수 없다. 그래서 세룩스의 여행담은 다른 종류의 소유물을 보여 준다. 그것은 국가 주체의 집단 소유권과 책임이 아니라 오히려 이동성을 통해 인도를 "알게" 되는 여행객의 객관적인 즐거운 응시다.

웨스 앤더슨의 2007년 영화 〈다즐링 주식회사〉의 인기는 유럽계 미국인 여행객에게 영적 소생의 장소로서 인도 기차가 갖는 지속적인 매력을 보여 준다. 비록 영화를 통해 새로운 활기를 얻지만, 아버지 사망 후 어머니를 찾고 치유하고자 인도를 여행하는 세 형제에 관한 앤더슨의 영화는 인도 철도에 대한 식민지 시대의 모티프를 다수 되살린다. 성찰에 대한 이야기는 문화적으로나 시각적으로 다른 것으로 이해되는 위치에 따라 달라진다. 예를 들어, 이 열차는 뉴욕주 북부를 횡단할 수 없다. 동시에 열차 객차는 외부 세계와 분리된 것으로 간주된다. 그들의 1등석 칸도 인도인들이 열린 칸으로 함께 이동하는 객차와 구분된다. 한 형제가 3등석 칸을 지나 걸어가는 쇼트는 인도 동료 여행자들을 비추는 몇 안 되는 장면 중 하나로, 기차를 탄 다른 인도인들은 이 형제들에게 봉사하는 사람들일 뿐이다. 19세기 이미지와 마찬가지로, 〈다즐링 주식회사〉 속 인도 열차는 외국 공간을 여행하는 여행자가 세상 속에 있는 자신의 장소를 통해 일할 장소를 제공한다. 또한 이러한 재현과 마찬가지로, 앤더슨의 인도 열차는 인도에 귀속된 비논리를 재현한다. 흔치 않은 사건에서 열차는 밤에 "잘못된 회전을 한다." 앤더슨은 스토리텔링의 모티프를 강조한다. 한 형제는 그의 자전적 글을 다른 형제들과 공유하고, 영화는 연출, 세트, 플롯, 촬영 기술을 통해 의식적으로 영화의 허구성을 반영한다. 철도 여행과 내레이션을 주제로 짝을 지어, 앤더슨은 1장의 서두에서 설명한 고독한 독자로 돌아가 인도와 자아가 마치 이야기처럼 펼쳐진다.

세계적인 디아스포라 작품들도 기차를 돌아보며 조국을 일깨운다. 전 세계적으로 6,500명 이상의 회원이 속해 있는 온라인 인도철도 팬클럽Indian Railway Fan Club의 특별한 컬렉션에서 이를 볼 수 있다. 이 사이트에는 시각예술, 역사적 정보(이 책을 위해 감사하게도 접근을 허용해 준 아카이브를 포함하여), 회고록 및 기술적 세부 사항 등 엄청난 양의 자료가 포함되어 있다. 페이지들의 미로마다 매력적이긴 하지만 하나의 대상에 불과한 것에 대한 집착으로 놀라운 가상 구조물이 가득 차 있다. 바로 인도 기차다. 전 세계에서 개인들이 보낸 자료의 양은 이 열차가 인도 국내외 사람들에게 인도와의 유대감을 제공한다는 것을 암시한다. 그러한 유대감은 디아스포라에 대한 대중적인 문학적·영화적 재현에서도 뚜렷하게 나타난다. 심지어는 인도에서 제작된 것에서도 그렇다. 아디트야 초프라의 1995년 영화〈용감한 자가 신부를 데려가리〉에 등장하는 아버지는 인도를 기차 여행, 특히 펀자브에서 마리골드를 모으는 소녀들이 지나가는 풍경으로 회상한다. 이곳에서 기차 여행은 향수를 불러일으키며 기억 속의 고국을 상징한다. 좀 더 구체적으로 창밖의 전경적 시선 자체가 인도를 기억하는 상징이 된다.

기차의 이미지를 사용하는 디아스포라 문학은 나라얀, 레이, 레누가 묘사한 탈식민 초기 교통이라는 주제의 복잡한 성격을 재현한다. 여기에서 기차는 종종 바다를 건너 사람들을 데려가는 더 확장된 이동 경험의 첫 단계인 경우가 많다. 그 이동성은 정체성의 상실처럼 양면적으로 자주 경험된다. 키란 데사이Kiran Desai의 소설 《상실의 유산The Inheritance of Loss》에서, 기차는 지역과 국가 및 세계의 관계를 만들어 낸다.[46] 소설 초반의 한 장면에서 나이 든 판사는 그가 젊은 시절에 경험한 형성적인 기차 여행을 회상한다.

> 아버지와 아들은 오전과 오후 내내 덜컹거리며 달려갔는데, 그 안에서 제무는 자신도 모르게 그 광활한 경치를 바라보며 살아왔다. 그들이 기차에 앉아 있었다는 바로 그 사실, 그 속도는 그의 세상을 하찮게 만들었는데, 그것은 각 창문으로 무방비로 있는 심장을 차지하기 위해 서 있던 공허함의 증거였다. 그는 피피트에서 함께 살아온 어리석은 믿음에 대해, 자신의 미래가 아니라 과거에 대해 극심한 공포를 느꼈다.[47]

아이러니하게도, 모빌리티는 제무Jemu를 위치시킨다. 그의 출발로 인해 이미 그 자아가 대체되었음에도 불구하고, 그의 이전 자아를 위치시킨다. 몇몇 사람들은 이러한 세계시민주의를 받아들일지 모르지만, 제무는 그것을 상실로 경험한다. 그가 피피트를 떠났기 때문이 아니라, 그 경험이 그의 오래된 집을 철도 객차 밖의 공허함으로 변화시켰기 때문에, 여행은 그를 그의 과거로 던져 버린다. 데사이는 우리에게 이동성 정복으로서의 식민 시대의 원형과는 매우 다른 여행과 세계시민주의 이미지를 제시한다. 그녀는 기차 여행으로 예상되는 외로움에 도착할 어린 학생에게 영국의 암흑의 심장부로 가는 기차로 식민 서사를 뒤집는다. 여행의 양식은 불안감을 만든다. 이동성과 관련된 변위, 시간적·공간적 배치, 관객성은 제무를 상실감과 직면시킨다. 하지만 이 공허함은 그가 정체성을 버리도록 하는 것처럼 보이기 때문에 또한 매력적이다.

철도의 이미지는 식민지 이후의 국가를 유행시키고 시험하는 데 도움이 되었다. 독립 이후 수십 년 동안, 농촌과 도시의 관계에서 새로운 국가적 주체가 등장했다. 철도는 선로망을 통해 삶을 연결하고 그 삶을 움직이게 한다. R. K. 나라얀, 사트야지트 레이, 파니쉬와르 나트 레누 같은 작가와 감독들은 이 매력적인 경험을 여행하는 주체에 대한 해방과 제약을 동시에 유발하는 것으로 보여 준다. 여행자에게 자유는 기차의 이동에서 그 패러다임을 찾는다. 식민지 이후의 작가들은 객차 안의 공간이 어떻게 내레이션을 조장하는지, 특히 여성 여행객들에게 자아를 변화시키는 수단이 되는지 그 과정을 보여 준다. 그들은 열차가 어떻게 차이의 광경이 되는지를 재현하며, 그 광경은 심지어 국가 구조를 극복하겠다고 약속하는 동안에도 그것을 드러내는 상징적인 장소이다. 해외에서 되돌아보면, 디아스포라 작가들은 인도의 실제 또는 상상된 여행의 일환으로 철도의 이동성을 재고한다. 그들은 이러한 이동성을 통해 과거를 배치하고, 이전의 자아를 찾고, 그리하여 디아스포라 작가 루슈디가 "마음의 인도"라고 부르는 것을 창조한다.[48]

5장

기차 위의 발리우드

인도 영화에서 가장 널리 퍼진 상징 중 하나는 기차이다. 이는 소위 예술영화와 대중영화 모두에서 사실이다. 4장에서는 "아푸 3부작"에서 예술영화 감독 사티야지트 레이가 기차의 외부와 내부 장면을 이용하여 인도가 국가 발전 프로그램 시기에 접어들면서 시골과 도시의 관계를 탐구하는 방법을 살펴보았다. 또한 레이는 〈나야크〉에서 기차 객차를 타고 이동하는 장면을 통해 인도 공적 영역의 변화하는 본질을 탐구했다. 그러나 뭄바이(옛 봄베이)에서 제작된 힌디어 영화, 즉 "발리우드Bollywood" 영화에서 이 열차가 문화적 상징으로 탄력을 받은 것은 사실이다. 예를 들어, 비말 로이Bimal Roy는 〈데브다스Devdas〉(1955)에서 사랑에 빠진 주인공의 정신적 방황과 고통을 암시하는 데 열차 객차의 배경과 날카로운 소리를 사용했다. 〈내 친구Mere Huzoor〉(비누드 쿠마르Vinood Kumar 감독, 1968)와 〈퓨어 하트Pakeezah〉(카말 암로히 감독, 1971)와 같은 1960년대와 1970년대의 멜로드라마에서부터, 〈화염Sholay〉(라메쉬 시피 감독, 1975)과 〈불타는 열차The Burning Train〉(라비 초프라 감독, 1980)와 같은 스릴러 영화, 〈용감한 자가 신부를 데려가리〉(아디트야 초프라 감독, 1995)와 〈진심으로Dil Se〉(마니 라트남 감독, 1998) 같은 1990년대의 블록버스터에 이르기까지. 그리고 2007년 전 세계 개봉된 〈열차The Train〉(하스나인 하이데라바드왈라 감독, 2007)와 〈우리가 만났을 때Jab We Met〉(임티아즈 알리 감독, 2007)까지 발리우드는 기차에 매료되었다.

인도 영화감독들은 기차 공간을 이용하여 인도의 근대성에 존재하는 사랑과 욕망의 불안한 관계를 폭로한다. 특히 영화의 로맨스 장르에서 그랬다. 인기 있는 인도 영화의 사랑 이야기는 근대 공간에 대한 더 넓은 문화적 이해에 의존한다. 열차를 배경이자 상징으로 사용하는 이러한 영화들은 철도의 공적 공간을 가정 내 사적 공간과 연결함으로써 이러한 공간의 젠더화된 특성을 재현한다. 이 영화들은 남성과 여성에게 근대적이라는 것이 의미하는 바 서로 다른 버전이 주어진 근대성 개념을 구축한다. 더욱이 감독들은 기차의 현상학적 경험, 즉 리듬감 있는 소리, 전경적 경치, 율동적 진동을 욕망의 역학을 반영하는 방법으로 제시한다. 〈진심으로〉(1998)의 "차이야 차이야Chaiyya Chaiyya" 시퀀스에서 수상 경력에 빛나는 파라 칸Farah Khan의 안무에 맞춰 기계적인 박자로 열차 위에서 말리카 아로라는 에로틱하게 춤을 춘다. 더 담담하게 샤밀라 타고르Sharmila Tagore의 캐릭터는 〈아라다나Aradhana〉(샤크티 사만타Shakti Samanta 감독, 1969)에서 사랑의 대상을 기차 창밖으로 응시한다. 이 인기 있는 힌디어 영화에서, 열차는 사회적 관습을 위반하는 수단이 된다. 사회질서를 반영하면서도 이동성을 가장한 근대성 버전을 통해 기차는 사회의 경계를 넘어 이동하는 방법을 제공한다.

젠더화된 공적 공간

남성성과 영화적 기차

이 장은 주로 멜로드라마와 여성성의 구성에 관한 내용이지만, 인기 있는 힌디어 영화의 액션 장르에서 남성성에 대한 특정 개념을 묘사하는 데 기차가 사용되는 방식을 설명하기 위해 잠시 멈출 가치가 있다. 1970년대와 특히 1980년대 초반에는 라메쉬 시피의 〈화염〉, 라비 초프라의 〈불타는 열차〉, 만모한 데사이의 〈쿨리〉 같은 영화들이 철도를 배경으로 인디라 간디Indira Gandhi 총리 시절과 이후 위기에 처한 국가를 묘사하는 방법으로 사용했다.[1] 이 영화들은 이동성, 속도, 기계적 힘, 발명을 고양시킨 기술적 서사를 차용하여 근대성의 식민주의 및 민족주의 수사학에 크게 투자된 앞으로의 길을 제시했다. 이는 진보적으로 보이는 동일한 기술이 남성들이 서로 관계를 발전시키고 기계를 숙달함으로써 자신의 실력을 입증할 수 있는 공간을 제공했다는 점에서 젠더화된 결정이었다.

힌디어 액션영화는 서부, 갱스터, 전쟁영화에서 차용한 것으로, 랄리타 고팔란Lalitha Gopalan이 "폭력 구조는 남성 간의 유대"[2]라고 주장한다. 아미타브 바찬Amitabh Bachchan이 연기한 주인공 캐릭터를 언급하며 고전적인 "성난 젊은이" 영화로 알려진 라메쉬 시피의 영화 〈화염〉은 기차를 두드러진 역할에 배치한다. 영화 초반의 연장된 플래시백에서 전직 장교는 그가 맡은 죄수인 좀도둑 두 명이 말 도적들에게 포위된 기차 안에서 어떻게 자신을 구조했는지 설명한다. 〈화염〉에 나오는 열차는 확실히 서구에 대한 참조를 확고히 하며 승객과 무법자의 총격전이라는 익숙한 비유를 제공한다. 남자들은 특히 지붕 위로 뛰어올라 열차를 장악하고, 마침내 증기기관 객차에 들어가 통제력을 굳힌다. 〈화염〉에서 열차는 동성사회적 결속의 장소로 기능하며, 전적으로 남성적인 공간으로 나타난다.

같은 시기의 또 다른 액션영화인 초프라의 〈불타는 열차〉 또한 근대성과 관련된 기술혁신을 통해 남성 관계를 육성하고 남성적 능력을 증명하는 장소로 철도를 재현한다. 오프닝 장면에서 세 소년은 각자 커서 가장 빠른 기차를 만들겠다고 자랑하며 철로를 따라 걷는다. 한 소년이 자라 인도 최초의 초특급 열차를 설계하지만 가족을 등한시하고, 또 다른 소년은 실망으로 비뚤어지고, 세 번째 소년은 우울증에 빠지는 이 이야기는 이러한 집착에 대한 대가를 경고하는 메시지를 전한다. 그러나 가족이나 종교 같은 전통적인 가치를 고양시키는 몇몇 제스처에도 불구하고, 영화는 궁극적으로 속도를 찬양한다. 이는 스티븐 컨Stephen Kern이 근대성의 열망과 어두운 면을 동시에 이끌어 내는 것으로 확인한 현상이다.[3]

문학적이든 영화적이든 기차를 배경으로 한 다른 작품들처럼, 〈불타는 열차〉는 철도 공간을 배경으로 국가적 다양성을 보여 준다. 새 열차에 탑승한 승객 중에는 군인, 힌두교 판디트(브라만 학자), 무슬림 남성, 여성 연예인, 가톨릭 학교 학생 등이 포함되어 있다. 이러한 재현은 인도 문화의 이질적인 측면을 하나의 공유된 공간으로 끌어당겨 고국의 지리적인 영역을 환기시킨다. 플롯의 많은 부분은 공유된 여행을 통해 자신을 찾는 승객들의 상호작용과 관련이 있다. 열차가 폭탄으로 파괴되고 나중에 불길에 휩싸일 때, 불타는 열차는 파괴의 길을 가는 국가를 암시한다. 초프라의 영화는 같은 시대에 제작된 다른 많은 액션영화들과 마찬가지로 긴급성, 폭력, 시민적 불안이라는 사회정치적인 분위기의 산물로 이해되어야 한다.

〈화염〉처럼 〈불타는 열차〉도 기계의 명령, 특히 엔진뿐 아니라 기차 차체 전체를 통해 해답을 주조한다. 두 명의 남성 캐릭터가 지붕을 왔다 갔다 하며 달려오는 열차의 외부를 기어오른다. 기차를 설계한 세 번째 남자는 달리는 두 열차 사이에 밧줄을 타고 올라간다. 목표는 역사적으로 거의 독점적으로 남성적인 공간인 엔진을 제어하는 것이다. 열차를 지휘하는 과정에서 두 남성은 다른 남성의 기만적인 계획을 극복하고자 서로, 그리고 열차 설계자와 유대를 맺는다. 그러므로 기차 공간은 국가로서의 철도에 대한 더 큰 서사 안에서 동성사회적인 유대를 촉진한다. 영화는 국가가 근대성에 구속된 특정 형태의 남성성을 통해 발전해야 한다고 말한다.

만모한 데사이 감독의 1983년 영화 〈쿨리〉에서는 기차의 남성적인 세계가 두 부분으로 나뉜다. 부패한 철도 관료들이 열차를 통제하는 것처럼 보이는 한편, "쿨리" 즉 짐꾼들이 철도 공간에 대한 실제 물리적·물류적 권리를 유지한다. 데사이는 들어오는 열차를 보여 주는 오프닝 장면에서 짐꾼들의 남성성과 힘을 생생하게 그려 낸다. 카메라는 정지 상태를 유지하며 쪼그리고 앉은 자세에서 일어나 비디Beedi 담배를 던지고 승강장을 따라 달려가는 짐꾼들의 슬로모션 쇼트로 남성의 강건한 몸을 강조한다. 짐꾼들은 기차와 승강장 사이에 인간 바리케이드를 치고 요금을 기다리는 동안 선로에 줄을 선다. 주요한 대립이 나타나는 한 장면에서는 아미타브 바찬이 연기한 주인공이 기차 공간을 자신의 것이라고 주장하며 육교에서 기차 위로 뛰어오른다. 남성이 기차와 승강장을 소유하는 것은 노동자가 노동의 힘으로 주체성을 찾는 일반적인 주제를 강화한다. 철도 공무원의 아들이 한 남자를 공격하여 일어난 파업은 여행자들을 꼼짝 못하게 한다. 비평가들은 데사이 감독의 영화가 국가를 폭력적이고 부당하며 비효과적이라는 것을 보여 줌으로써 인디라 간디 총리 치하의 1975년부터 1977년까지 국가 탄압 기간 동안 권위에 도전했던 더 큰 영화 집단의 일부로 해석했다.[4] 이 영화는 국가가 소유하고 운영하는 열차를 노동자의 소유로 재탄생시킨다. 기차의 이미지에서 중요한 것은 계급의식과 기계의 힘과 일치하는 남성성 개념이다.[5]

인기 있는 힌디어 영화에 나오는 남성들은 여성들이 거의 하지 않는 방식으로 철도를 소유한다. 실제로, 심지어 소설에서도 열차는 주로 남성의 상징이며, 일반적으로 남성 작가가 남성 캐릭터를 나타내기 위해 사용된다.[6] 현대 인도 영화의 액션 장르에서 기차 장면은 이동성으로서의 진보라는 더 큰 서사를 남성들에게 가르친다. 랄리타 고팔란은 이 영화들에서 기차 장면의 반복적인 사용을 다음과 같이 논한다. "이 모든 사례에서, 철도 선로와 이동하는 기차는 풍경을 통한 이동이 변화와 진보를 약속하는 탈식민 구조의 지울 수 없는 부분으로 등장한다."[7] 기차는 근대성의 어떤 서사 안에서 남성성이 구성되고, 나아가 젠더의 정동적 힘을 통해 근대의 버전을 강요하는 공간이 된다. 따라서 철도의 공적 공간 재현을 볼 때, 먼저 그것을 남성적인 공간으로 주로 구성되는 것으로 이해하고, 그 다음에 여성이 어떻게 그 무대에 진입하여 다른, 더 양가적인 이동적 근대성을 만들어 내는지를 생각해 볼 필요가 있다.

여성과 철도 공간

여성을 철도의 공간에 배치하는 영화적 표현은 19세기 중반 기차의 기원으로 거슬러 올라가는 공적 장소에서의 여성에 대한 광범위한 문화적 담론의 일부이다. 이 텍스트 본문에는 공식적인 식민지 저작물, 여행담, 인도 신문 기사들이 포함된다. 영국의 철도 지지자들은 기차를 전통적인 존재 방식에서 여성을 해방시킨 것으로 보았다. 여성들의 기차 진입은 여성을 중심으로 한 사회적 관습을 변화시켜 근대적 변혁을 이루려는 식민지 프로젝트의 중요한 부분으로 여겨졌다. 윌리엄 뮈어William Muir 노스웨스트주 부총독은 다음과 같이 말하며 여성 여행객을 장려하는 것이 필수적이라고 보았다. "인도 사람들의 일반적인 계몽과 궁극적으로 인도에서 여성이라는 성에 대한 더 문명적이고 이성적인 대우를 도입하는 데 이보다 더 기여한 것은 없다고 해도 과언이 아닐 것이다."[8] 다른 글들은 인도 여성들이 기차의 경이로움을 목격하는 것만으로는 충분하지 않다는 것을 분명히 한다. 근대성은 남녀 모두의 이동성을 통해 완전히 달성되어야 했다. 볼라나타 천더의 1869년 여행 이야기를 소개하면서, 영국 작가인 J. 탤보이스 휠러는 "모든 부유한 계층, 특히 여성이 철도로 여행하는 안전하고 빠른 방식을 상당히 활용하기 때문에"[9] 증가된 이동을 통해 그가 미신이라고 본 것에 반대되는 전환을 찬양했다.

비록 유럽인들은 기차에 탄 여성을 상징적인 단계로 받아들였지만, 많은 인도인들은 그 개념에 대해 매우 다른 반응을 보였다. 인도에서는 공적 공간이 일련의 사회적 규정으로 젠더화되었기(그리고 되기) 때문이다. 휠러와 달리 인도인들의 열차 이용에 열광했던 볼라나타 천더는 여성 승객이라는 주제에 대해 더 양가적인 관점을 제시했다. 그는 자신의 기차 여행 중 하나를 설명하면서 다음과 같이 썼다.

1인승 이륜마차들의 푸르다 뒤에서 훔쳐볼 얼굴이 없었다면 우리의 인내심은 무너졌을 것이다. 경솔한 혁신가인 철로가 규방에서 끌어내어 대중의 무례한 시선을 받게 한 여성들의 얼굴이었다.[10]

천더의 발언은 여성 여행객들의 얼굴을 볼 수 있는 기회를 노골적으로 찬양하고 있지만, 그는 "대중들의 무례한 시선"으로 자신의 시선을 묶는다. 게다가 그는 이 위반을 철도라는 "경솔한 혁신가" 탓으로 돌린다. 천더에게 있어 그가 계몽된 국가의 가장 위대한 기념물로 본 기술은 여성의 이동성을 규제하는 깊은 문화적 규범을 훼손하는 선물이었다.

여성의 이동성에 대한 사회적 제한은 여성이 가족 이외의 남성과는 시각적인 접촉조차 하지 못하도록 함으로써 여성의 정절에 대한 평판을 보호하는 방법으로 여겨졌다. 사라 그레이엄 브라운Sarah Graham-Brown은 중동에 관한 글에서 여성의 성적 권력을 자유롭게 표현하는 것에 대한 두려움에 대해 비슷한 제한을 가한다. "공간의 분리와 여성의 시야에 대한 통제는 여성의 성적인 힘을 다른 방향으로 돌리고 억눌러야 한다는 것을 강조하는 가부장적 통제의 한 형태였다."[11] 그러나 여성들의 규방이라는 외딴 내실을 지칭하는 용어인 '푸르다purdah'는 가정 공간의 문화적 개념의 중심에 놓여 있으며, 많은 여성들의 성적 순수성뿐만 아니라 정신적 순수성을 보존하는 방법으로 여겨지기 때문에, 젠더로 구분된 공간에서의 삶은 단순히 인도 여성들에게 강요된 것으로 여겨져서는 안 된다. 게다가 이러한 제한은 종종 사회적으로 계급적 지위를 확립하는 수단이 된다. 역사적으로 힌두교와 상류층 무슬림 여성들도 푸르다로 대표되는 개인 공간과 수행원들이 운반하는 덮개 있는 가마라는 제한을 받았다.

여성 여행자에 대한 초기 논의는 여성의 신체와 평판을 보호하기 위해 고도로 규제된 공간을 개념화했다. 1869년에 인도 남성들과 식민지 철도 관리들이 이 문제에 대해 서신을 주고받았다. 인도 대표들은 철도 관계자를 포함한 낯선 남성들의 시선에 여성이 노출되는 것을 걱정했고, 그 남성들이 다른 카스트나 계급일 가능성이 더 커지는 것에 대해 초조해했으며, 마침내 여성이 남성 친척의 보호를 받을 수 있다고 주장했다. 그들은 여성들이 역까지 이동했던 차폐된 1인승 가마를 타고 어떻게 객차로 들어갈지 궁금해했다. 작가들은 여행이라는 집단적 형태와 함께 등장한 새로운 문제들에 대해 전략을 세웠다. 예를 들어, 모든 낯선 사람들에게 보이지 않으면서 어떻게 각 여성이 가족 내 남성들에게 접근할 수 있는지 같은 것이다. 이에 동인도철도는 유럽형 전동차 모델에 몇 가지 변경을 제안했다. 여기에는 1인승 가마가 접근할 수 있는 1등석 여성 칸, 베니션 블라인드로 구분되어 있고 가족용으로 설계된 3등석 혹은 중간 계급 객차 칸, 3등석의 여성 전용 객차(매춘부는 금지), 역 옆에 있는 여성 대합실이 포함되었다. 1870년에는 오늘날의 여성용 객차의 전신인 규방 객차가 도입되었는데, 영국인이 없는 여성용 객차 끝 칸이라고 불리기도 했다.[12]

여성용 열차 객차는 단순히 육지로 운반되는 1인승 가마나 소가 끄는 푸르다 차량을 기술적으로 더 발전시킨 것으로 보였을 수도 있다. 그러나 그것은 식민 문화에서 다른 문화적 의미를 가정했고, 궁극적으로 식민 담론에서 상상했던 해방적인 존재가 아닌 인도 여성들에게 새로운 정체성을 규정했다. 철도가 공적 공간으로 들어선 것은 인도 여성을 한편으로는 취약하고 다른 한편으로는 성적으로 이용 가능한 것으로 표시했다. 푸르다 객차를 이용할 형편이 안 되는 여성들에게 철도의 조치는 그들의 평판을 더럽히는 예상치 못한 효과를 가져왔다. 로라 베어는 "규방 객차로 절연되지 않고 남자 동료들에게 보호받지 않는 철도의 공적 공간을 여행하는 것은 경제적 능력이 제한된 여성들에게 위험한 전망이었다"[13]고 주장한다. 규방 객차 표를 살 형편이 안 되는 하층 여성들을 표시하는 방식은 그들을 노출시켜 성적 대상이 될 수 있다고 인식됐기 때문에, 이 여성들을 지금까지 존재해 왔던 것보다 더 취약하게 만들었다. 1890년대까지 철도는 "철도 폭력" 또는 괴롭힘 사건으로 가득 차 있었다. 기차표로 식별되는 더 낮은 카스트와 더 낮은 계급의 여성들은 기차, 대합실, 승강장에서 언어폭력을 당하고 신체적 폭행을 당했으며, 때로는 강간당하기도 했다. 심지어 남편, 자녀, 또는 남자 친척과 함께 여행하는 여성들에게도 기차 여행은 잠재적인 위험으로 가득 차 있었다.[14]

또한 철도 여행은 상류층 여성들을 젠더의 구속으로부터 해방시켜 주지도 않았고, 조직적인 괴롭힘 형태로 더 가혹한 강제에 그들을 개방시키지도 않았다. 19세기 후반 인도 언론에서 기사화된 "잔학 행위들"은 확실히 3등석 표를 가진 여성들에게 더 만연했지만, 그 집단에만 국한된 것은 아니었다. 베어는 1895년 라호르역의 유라시아 기차표 수집가가 유라시아 여성이 혼자서 여행할 수 있도록 인도 여성 3명을 중간석 객차에서 강제로 내리게 한 사례를 든다. 열차가 역에 남겨 두고 떠난 여성들은 개방된 승강장에서 원치 않는 관심을 받아야 했다.[15] 20세기까지 모든 계층의 인도 여성 여행객에게 철도라는 공적 공간으로의 출입은 원치 않는 시각적 관심에서 노골적인 폭력에 이르기까지 다양한 성적 서곡에 대한 공정한 게임으로 읽힐 가능성을 의미했다.

그러므로 19세기에 여성이 철도라는 공적 공간에 진입하면서, 여성들은 안전과 평판 면에서 모두 열악한 위치에 놓이게 되었다. 여성 여행객을 성적으로 이용 가능한 대상으로 표시하는 공간으로서의 철도에 대한 19세기의 아이디어는 철도 승강장이나 기차에 있는 여성에 대한 인도의 영화적 재현에서 그 유산을 발견할 수 있다. 이 기차는 1970년 제작된 샤크티 사만타Shakti Samanta의 힌디어 영화 〈끊어진 연Kati Patang〉에서 여성들에게 위험한 장소로 등장한다. 한 장면에서 주인공 마두는 기찻길에 앉아 조용히 지나가는 기차를 보며 최근의 문제들을 곱씹는다. 화면 밖이지만 아마도 같은 승강장에서 한 남자가 그녀를 부르며 노골적인 성적 제안을 한다. 그는 최근 약혼자를 결혼식에서 버림으로써 소란을 일으킨 여성으로 그녀를 인식하고, 그런 여성은 성적 대상으로 삼을 수 있다고 특징짓는다. 어느 정도, 이 영화는 괴롭힘을 그녀의 사연 있는 과거 탓으로 돌린다. 마두는 사랑을 찾아 결혼식에서 도망쳤지만, 다른 여자와 침대에 누워 있는 그를 발견한다. 그럼에도 불구하고, 나는 철도 여행의 젠더화된 역사가 마두가 단지 앉아 있는 곳 때문에 동료 승객에게 문란한 여자로 보일 수 있게 했다고 주장한다. 철도라는 공적 공간은 여성에게 오해와 취약함의 장소가 된다. 영화를 통틀어 그 어느 곳에서도, 심지어 마두의 과거가 드러났을 때에도 그녀는 공적 위반의 주체가 되지 않는다. 이 영화는 혼자 여행하는 어떤 여성이라도 성적 대상이 될 수 있기 때문에 취약하다고 말한다.[16]

근대화를 통해 인도 사회에서 공간의 성격이 변화하면서 여성은 일정한 가부장적·계급적 사회질서를 유지하려는 일종의 최전선이 되었다. 동시에, 철도는 여성들에게 더 많은 이동 기회를 허용했고, 어떤 면에서는 그들의 자유를 확대했다. 그들은 마침내 J. 텔보이스 휠러가 예측한 대로 그 지역이나 심지어 전국을 좀 더 쉽게 이동할 수 있게 되었고, 그들 중 많은 이들이 성지순례를 가는 기회를 얻었다.[17]

현대의 대중적인 힌디어 영화의 기차에 탄 여성의 이미지는 한편으로는 노출과 취약성을 암시하며, 다른 한편으로는 이동 과정을 통해 사회질서에 도전할 수 있는 자유를 시사하는 문화적으로 양면적인 것으로 보아야 한다. 1960년대에 이르러 기차를 배경으로 한 대중적인 로맨스 영화 속 여성에 대한 새로운 담론이 등장했다. 10년이 지나 제작된 로맨스 영화들은 "철도 폭력"을 비난하는 도덕적 담론을 언급하면서, 동시에 사적 욕망의 표출 장소로 열차의 공적 공간을 수용한다. 이러한 욕망은 원치 않는 시선, 제안, 신체적 접촉의 위협 또는 실현 형태로 여성에게 강요된 남성의 욕망일 수 있다. 그러나, 더 자주 로맨스 장르에서 열차는 상호적 욕망의 기원이나 표현의 장소로 제시된다. 간단히 말해, 인도 영화에서는 사람들이 기차 안에서 사랑에 빠진다.

기차에서의 로맨스

기차의 이미지는 꾸준히 성욕의 재현에 사용되어 왔다. 미국의 맥락에서, 알프레드 히치콕Alfred Hitchcock의 〈북북서로 진로를 돌려라 North by Northwest〉마지막 장면은 광고 경영자인 손힐이 연인인 이브를 위 침대로 끌어당길 때 열차가 터널로 들어가는 장면을 보여 준다. 열차의 현상학적 경험, 즉 진동, 탁 트인 전경, 리듬감 있는 속도는 에로틱한 자극의 원인 또는 육체적 감각에 대한 상징적 참조로 제시되었다. 새롭거나 오래된 친구들과 가깝게 있을 수 있는 기차 객차는 다양한 영화에서 실제 혹은 상상 속의 섹스를 위한 일반적인 설정이었으며, 가장 최근의 영화 중 하나는 미국인 여행자가 화장실에서 인도인 수행원에게 성공적으로 섹스를 제안하는 〈다즐링 주식회사〉(웨스 앤더슨 감독, 2007)이다. 따라서 욕망의 재현을 섹스 이외의 육체적 경험(비바람에 휩싸인 커플, 남주인공을 상상하며 그네를 타는 여주인공)으로 대체한 전력이 있는 인도 영화가 기차를 이용해 육체적 열망을 전하는 것은 놀라운 일이 아니다.

철도는 성욕의 상징인 동시에 로맨스의 흔한 장소이다. 다시 한 번, 객차 공간의 구조는 만남 서사에 적합한다. 기차의 움직임은 알려지지 않은 미래로 돌진하는 관계를 암시한다. 이 모티프는 미국 영화 〈비포 선라이즈Before Sunrise〉(리처드 링클레이터Richard Linklater 감독, 1995)에서와 같은 관계의 시작을 보여 주기 위해 교차문화적으로 사용된다. 철도의 사랑 이야기는 인도의 대중영화에서 오래된 사회구조를 초월하는 새로운 형태의 사랑을 협상하는 방법으로 묘사된다. 캐런 개브리얼Karen Gabriel은 발리우드의 러브 스토리를 "젠더, 섹슈얼리티, 욕망에 대한 질문에 직접 다가가 협상하는 장르"[18]라고 설명한다. 이 영화들에서 기차의 기능은 한정된 임시 공적 공간 내에서 이러한 요소들을 탐색할 수 있는 그럴듯한 환경을 제공하는 것이다.

앞서 논의한 열차 내 젠더 관계의 역사를 볼 때, 인기 있는 힌디어 영화에서 남성이 기차에서 가장 빈번히 성적 욕망을 표현하는 것은 놀라운 일이 아니다. 1968년 비누드 쿠마르의 1968년 영화 〈내 친구〉에서 기차 장면은 기차의 공적 공간과 사적 공간 사이의 긴장감을 가지고 노는 동시에 순결과 욕망의 구분을 훼손한다. 이 장면에서는 젊은 여성 술타나트가 삼촌을 따라 기차 문까지 동행한다. 이는 그녀의 "순수함"을 나타내는 방법인데, 이는 이미 논의된 바와 같이 기차에 혼자 도착하는 여성 여행자는 잠재적으로 매춘부로 간주되기 때문이다. 그녀는 전신 길이의 검은 부르카를 입고 투명한 시폰으로 눈만 보이는 베일을 쓰고 있다. 베일은 공적 영역 내에서 푸르다라는 사적 공간에 대한 이동을 표현한다. 그럼에도 불구하고, 공적 공간에서 진입한 여성으로서 그녀는 남자의 접근에 즉시 노출될 수 있다. 기차는 술타나트가 타자 덜컹거리며 움직인다. 그리고 그녀는 아크타르라는 낯선 젊은이에게 잠시 붙들린다. 그 후 그녀는 아크타르와 다른 남자와 함께 다른 빈 객차를 탔다. 일단 그녀가 자리가 앉자, 아크타르는 술타나트의 드러난 손을 바라보며 샌들을 신은 그녀의 발에 추파를 던진다. 뜻밖에도 그녀는 책을 읽기 위해 베일을 들어 두 남자 승객에게 얼굴을 노출시킨다.[19] 그녀의 발보다 얼굴에 더 매료된 아크타르는 그녀를 향해 "아름답다"고 소리내어 말한다.

눈을 점잖게 크게 뜨고 돌아선 술타나트는 알몸 금발 여성이 수건을 가슴에 대고 있는 포르노 잡지 표지에 충격을 받고 바닥에 떨어뜨린다. 다시 한 번, 기차는 여성의 노출과 성애화 장소로 표현된다. 이 잡지는 사실 다른 남성 승객의 것으로, 아크타르를 예의로 되돌려 놓는 중요한 사실이다. 비록 두 남자는 함께 술타나트에 대한 오랜 유혹을 이어 가지만, 아크타르는 베일을 벗겨 달라고 부탁하는 아름다운 여인을 만나는 노래에서 직접 술타나를 언급하지 않는다. 아크타르의 노래는 "철도 폭력"으로 인식될 수 있는 갈망을 표현하고, 절제하며, 정당화하는 우르두어의 시적 전통을 불러일으킨다. 비록 그녀가 창문을 마주하고 있지만, 술타나트는 말 그대로 이미 베일을 벗었고, 기차 공간도 그녀를 대중에 공개하여 어떤 면에서는 이용 가능한 사람으로 만들었다.

이 영화에서 기차의 설정은 주로 남성 욕망의 표현을 허용하지만, 기차 자체는 여성 욕망에 연루되어 있다. 술타나트는 처음에는 아크타르의 접근에 격분하지만, 두 가지 점에서 그녀는 기차 자체에 유혹당하는 것으로 보인다. 거의 동일한 두 쇼트에서, 카메라는 기차 밑으로 들어가는 빠른 선로와 지나가는 풍경에 초점을 맞춘다. 첫 번째 쇼트에서 카메라는 기차의 진동에 맞춰 고개를 흔들며 창밖을 황홀하게 바라보는 술타나트의 바깥 경치로 시선을 옮긴다. 잠시 후 감독은 다시 똑같은 시퀀스를 사용하지만 이번에는 달리는 선로와 전경을 보고 나서 눈을 감고 살짝 미소를 띤 채 열차의 움직임에 맞춰 흔들리는 술타나트의 모습을 보여 준다. 쿠마르 감독은 술타나트가 함께 여행하는 남자에게 공공연하게 유혹당할 수 없을 때 기차에 유혹되는 것을 허용한다. 적어도 그녀는 그렇게 할 수 없고, 여전히 인도 여성 주인공에게 결정적인 속성인 순결을 유지한다.

〈각하〉에서 기차는 가족과 사회구조 안에서 일어나지 않았을 로맨틱한 관계의 시작을 알리고 진척시킨다. 술타나트는 도시에서 온 의사의 딸이다. 아크타르는 시골 지역에서 왔으며 2년 동안 직업이 없는 상태였다. 기차는 일시적으로 그들이 동등한 지위에 설 수 있게 한다. 그들은 아크타르의 노랫말에서 "동료 여행자"가 된다. 술타나트 신하는 결국 아크타르와 그의 시적 음악성을 사랑하게 되고 그녀는 자기 사회집단을 통해 만난 훨씬 더 부유한 나와브 살림이 아니라 아크타르와 결혼하게 된다. 기차에서의 로맨스는 여성의 욕망이 표출되는 공간을 제공할 뿐만 아니라, 잠재적인 짝에 대한 접근을 제한하는 계급이나 가족을 이루어진 사회구조에 도전한다. 이처럼 로맨스 영화의 주인공 커플 중 상당수는 서로 다른 사회 세계에 살고 있기 때문에 기차 안에서 우연히 마주치지 않았다면 결코 만나지 못했을 것이다.

전통적인 인도 사회에서 가족은 누가 결혼할 수 있는지, 심지어 어떤 커플이 만날 수 있는지를 결정하는 주된 역할을 한다. 결혼은 종종 가족의 사회적·경제적 지위를 높이고, 새로운 인맥을 형성하거나, 자산을 보호하는 방법으로 여겨진다. 캐런 개브리얼은 한 가족이 함께 사는 대가족을 포함하는 인도의 가족제도에 대해 다음과 같이 쓰고 있다.

결혼은 주로 사회적·경제적, 그리고 성적 자본의 수단으로 여겨진다. 즉, 이웃과 친척들을 달래고, 사회적 인맥을 획득하고, 나이 드신 어머니의 노동력을 보충/대체할 무보수 가사노동, 지참금을 통한 부의 축적, (부계)혈통의 지속, 합법적·공식적인 성적 동반자 관계를 통한 재산(일부일처제가 아님) 보호의 문제로서의 결혼이다.[20]

그러므로 인기 있는 인도 영화의 플롯이 종종 가족관계에 초점을 맞추고, 욕망을 조절하는 사회구조를 결정하는 가족의 역할에 도전하거나 회복시킨다는 설정은 전혀 놀랍지 않다.[21]

기차 장면은 처음에는 적어도 가족이 허락하지 않은 연인을 소개하여 갈등이나 변화를 유발하는 방법으로 작용한다. 〈각하〉에서는 관계가 잘 풀리지 않아 결국 아크타르는 다른 여성을 쫓아가며, 술타나트와 그녀의 아이는 나와브 살림의 사회적·경제적 보호로 눈을 돌린다. 이와 유사하게, 아브타르 크리슈나 카울Avtar Krishna Kaul의 1973년 힌디어 영화 〈27 다운27 Down〉은 젊은 기차표 수집가가 승객과 사랑에 빠지는 철도 로맨스의 비극적인 결말을 보여 준다. 두 사람의 관계는 기차 안에서 함께 여행하면서 발전하지만, 기차에서 내리면서 각자 가족의 압박으로 로맨스가 깨진다.

그러나 철도 로맨스를 재현하는 대부분의 영화에서 애정 관계는 살아남지만 오직 사적인 공간을 거쳐야만 살아남는다. 이러한 로맨스 영화에서 기차는 위반의 공간이 아니라, 가족에게 허락받은 결혼을 통해 궁극적으로 회복될, 사회적인 위반 관계가 출발하는 시작의 일종이 된다. 20세기 전환기의 러크나우라는 북부 도시의 무슬림 공동체를 배경으로 한, "매춘부 영화"로 알려진 힌디어 영화의 하위 장르 중 하나인 카말 암로히의 1972년작 〈퓨어 하트〉가 좋은 예이다. 영화는 남녀가 욕망과 로맨스를 규제하는 가족 전통을 어길 수 있는 소란스러운 공간으로 철도 객차를 제시한다. 지각한 여행자인 살림은 전용열차 칸으로 들어가지만, 그 칸은 맞은편 침대에서 자고 있는 두 명의 여성이 이미 점유하고 있다. 그가 그중 한 여성 옆에 앉자, 그녀의 적갈색 발이 이불 사이로 빠져나와 빠르게 움직이는 열차의 흔들림에 따라 그의 다리를 에로틱하게 두드린다. 사히브잔 이라는 이름의 이 잠자는 여성의 발목에는 기차의 흔들리는 리듬에 맞춰 소리를 내는 궁그루 방울(그녀가 춤추는 직업을 가졌다는 표시)이 묶여 있다. 사히브잔은 어머니와 같은 궁중 무용수로, 합법적인 결혼으로 달아났지만 성매매 관련 직업이라는 이유로 신랑 집안에 거절당했다. 아침에 역에서 깨어난 사히브잔은 발가락 사이에 쪽지가 끼워져 있는 것을 발견한다. "동료 여행자"라고 적힌 이 편지는 그녀에게 아름다운 발을 절대로 바닥에 내려놓지 말라고 말한다. 잠든 여자 여행자가 낯선 남자에게 관찰당한 잠재적 위반을 화해시켜 주는 사랑 이야기는 "철도 폭력"이 아니라 파키자pakeezah, 즉 "순수한 것"을 위한 구원의 시작이다.

　기차에서 일어난 사건은 인생을 바꾸는 계기가 되고, 그 순간과 그 중요성은 기차 자체로 나중에 다시 떠오른다. 사히브잔은 그녀가 더 훌륭한 삶을 살 수 있도록 운명지어졌다는 메시지로 해석하고 이 쪽지를 소중히 여기게 된다. 그녀는 무용수로서 발을 바닥에 놓는 것은 어떤 면에서는 자신을 모욕하는 것이라는 점을 알고 있다. 한 무리의 남성들을 위해 춤을 추는 일은 그녀를 점점 더 몸 파는 쪽으로 이끌고, 그녀가 결코 매춘을 하지 않는다고 해도 그녀는 항상 순수하지 않은 존재로 보인다. 영화 내내 기차의 기적 소리가 무용수들이 머물고 있는 은신처를 뚫고, 이 소리를 들은 사히브잔이 수

심에 잠겨 허공을 바라보는 모습이 카메라에 잡히는데, 아마도 다른 삶의 가능성을 생각하고 있는 듯하다. 그 삶은 미지의 살림이라는 사람이 남긴 메모와 나중에 만난 사람으로 상징화된다. 사히브잔이 떠나는 기차에서 창밖을 애타게 바라볼 때, 다른 길도 기차로 재현된다. 사실, 영화 속 한순간 그녀는 환상의 연인과 마주친, 삶을 변화시킨 순간을 철도의 관점에서 묘사한다. "기차는 길을 떠나 내 마음을 지나간다." 따라서 〈퓨어 하트〉는 다른 가능성을 위해 여성의 갈망을 기록하고 기차 형태로 그 상징을 제공한다.

암로히 감독은 여성의 욕망을 재현하는 용기 있는 선택을 하지만, 사히브잔이 더 나은 삶을 이끌 수 있다고 입증하지는 않는다. 개브리얼은 발리우드 영화에서 여성의 힘에 대해 쓴다.

한편으로는 보편적인 권리이자 다른 한편으로는 젠더 권력의 원천으로서 힘과 선택은 여성의 대리권이 (가능하게 개혁된) 가부장제로의 복권으로만 종종 잠재워질 수 있는 재현과 서술적 긴장을 발생시킨다.[22]

사히브잔이 잠에서 깨면서 발가락 사이에 쪽지 형태로 남겨진 관음중적 동료 여행자에게 찬미받는 자신을 발견하면서 소속감을 얻는다고 말하기는 어렵지만, 그녀는 그 경험을 받아들여 새로운 정체성을 상상하는 데 활용한다. 그러나 이 영화의 결말은 그 힘을 되찾아 가부장적 지배로 확고하게 되돌려 놓는다.

사히브잔의 욕망과 위치, 성격은 결국 그녀 가족의 가부장들, 특히 어머니와 아버지를 내쫓은 삼촌의 허락을 받아야 한다. 운 좋게도 그녀가 사랑하여 선택한 살림은 그 삼촌의 아들, 즉 그녀의 첫째 사촌이었다. 따라서 이 영화는 공적 공간의 가능성과 사적인, 특히 가족적 권위의 필요성 간의 긴장을 보여 준다. 개브리얼은 인도 영화의 사랑 이야기가 전통과 근대성 사이에 양가적인 이진법을 만들어 내어 "특정 공동체 자체에 도전하지 않고, 공동체의 개념과 상상력의 변혁을 가능하게 하는 개인의 주체성 변화를 번갈아 탐구한다"[23]고 주장한다(원문 강조). 인도 영화의 로맨스에서 사회와 젠더의 경계를 넘나들며 만날 기회를 제시하고, 이에 따라 사회적 관례에 도전하는 장소로 기차를 재현하는 것은 전통적인 사회적 가치를 강화하는 방법으로 서사 속에서 작동한다. 여기에는 혈통, 계급, 가족 권위에 기초한 것들이 포함된다. 〈퓨어 하트〉에 등장하는 기차를 탄 낯선 사람들 사이의 사회 통념에 어긋나는 관계는 궁극적으로 혈연(삼촌의 딸), 종교적 축복(부모는 공식적으로 결혼), 그리고 가족의 승인(삼촌은 그 결합을 축복)으로 정당화된다. 그러나 이 영화는 단순히 사회적 가치를 재생산하는 것이 아니다. 〈퓨어 하트〉는 1960년 만모한 데사이의 영화 〈샬리아〉(3장에서 논함)처럼 환경에 물든 여성을 포용하는 도덕적인 주장을 펼친다.[24] 이 영화들은 멜로드라마를 이용해 사회적 개혁 작업을 한다. 인도의 공동체 구조에 도전하고 이를 회복하려 할 때, 개브리얼이 제안하는 것처럼, 〈퓨어 하트〉 같은 작품은 누가 그 공동체에 속할지에 대한 관객의 비전을 바꾸는 것일 수 있다. 실제로 그렇게 하고자 기차라는 공적 공간을 매개체로 사용한다.

흔히 'DDLJ'라고 불리는 아디트야 초프라의 1995년 영화 〈용감한
자가 신부를 데려가리〉에서, 인도 사회는 디아스포라 주체들을 포
함하는 것으로 다시 한 번 재조명되고, 기차는 욕망을 가능하게 하
는 핵심적인 역할을 한다. 〈DDLJ〉는 지금까지 아대륙과 해외에서
인도인들 사이에서 가장 인기 있는 발리우드 영화 중 하나다. 주인
공인 심란과 라즈는 둘 다 런던에 사는 인도인 2세이지만, 영화는
영국적인 주제보다는 인도적인 주제를 다룬다. 제니 샤프Jenny Sharpe
는 "〈DDLJ〉는 전형적인 인도인 가족을 다른 지역에 이식했다고 할
정도로 영국에 사는 인도인의 경험이라는 현실을 재현하려고 하지
않는다"[25]고 했다. 라즈와 심란은 계급이 다르고 도덕관념도 근본
적으로 다르다. 라즈는 부유한 바람둥이인 반면, 심란 편의점 주인
의 순종적이고 얌전한 딸이다. 이러한 이유로, 영화 초반에는 그들
은 만나지 못한다. 대학 학기가 끝나 각자 유럽에서 휴가를 보내려
고 기차를 타고 런던을 떠나는 친구들과 합류할 계획이다. 둘 다 늦
어서 기차를 타러 달려가다가, 라즈가 출발하는 기차의 빈 칸으로
심란을 끌어당긴다. 그러나 둘 다 친구들과 떨어져 있다는 것을 알
게 된다. 그들은 한동안 이상하게 자리가 없는 기차칸을 함께 쓰는
친밀감을 강요받는다. 심란은 〈내 친구〉의 술타나트처럼 무명의 남
자가 다가오자 책을 읽으려 하지만, 라즈는 동료 승객에게 정중하게
사랑의 시를 불러 준 아크타르보다 훨씬 덜 교묘하다. 이 사랑 이야
기는 라즈를 장난스럽고 재치 있는 캐릭터로 만들고 욕망이 은밀하

게 상호 작용할 가능성을 암시함으로써 공격적인 추구의 잠재적인 소름을 약화시킨다. 가족의 경계 밖에서 이루어지는 기차에서의 첫 만남은 심란의 욕망이 실현될 길을 걷게 한다. 첫째로 친척이 아닌 남자와 가까이 접근할 수 있게 해 준다. 두 번째로 기차가 그녀를 집에서 멀리 떨어진 장소로 데려다 주고, 마침내 그녀의 욕망을 표현할 수 있게 해 준다.

그러나 〈퓨어 하트〉처럼 〈DDLJ〉에서도 공적 공간이 사적 공간에 자리를 내주기 때문에, 궁극적으로는 가족이 모두 이 결합을 허가해야 한다. 내가 주장했듯이, 발리우드 영화는 욕망, 특히 여성의 욕망과 가족적인 사회구조의 갈등을 극화한다. 테자스위니 간티Tejaswini Ganti는 1990년대 중반 우파 힌두교의 등장 이후 발리우드 관객들은 "가문의 명예를 위해 사랑을 기꺼이 희생하는 순응하는 연인들이 보편화된"[26] 가족적 가치를 표현하는 보수적인 영화관을 목격했다고 주장한다. 다행히 심란의 아버지가 라즈를 받아들이면서 심란은 가족 구성 내에서 자신의 선택에 맞는 공간을 찾게 된다. 라즈가 자신을 가부장제 질서에 복종시켜 자신의 가치를 증명하지 않는 한, 심란이 스스로 선택할 수 있도록 충분히 개혁된 가부장제를 시사할 수 있다. 영화의 클라이맥스에서 라즈는 심란 아버지의 인정을 받을 수 없어 사랑을 버리기로 선택하지만, 다행히 그는 뒤늦게 찾아온 축복에 구원을 받는다. 결말과 함께 이 영화는 두 명의 디아스포라 인도인들을 가부장들에게 인도된 전통적인 인도 공동체 가정 안에 배치한다. 여기서 디아스포라는 사회의 전통적인 가치에 도전하지 않는다. 오히려 그것에 활력을 불어넣을 뿐이다. 〈DDLJ〉에서 기차는 이 과정에서 자극적이지만 반대되는 역할을 한다. 영화는 기차라는 공적 공간에 여성이 처음으로 들어가면서 가능해진 여성 욕망의 표현, 승화, 그리고 마침내 타협을 서술하기 때문이다.

기차가 가족에게 제공하는 위반적인 개방에서부터 사회적으로 허가된 결혼에 이르기까지, 이러한 움직임은 2007년에 개봉된 두 편의 영화를 포함한 다른 힌디어 영화들에서도 나타난다. 임티아즈 알리의 〈우리가 만났을 때〉와 마니 라트남의 〈구루Guru〉가 바로 그것이다. 다른 영화에서는 기차가 만남의 장소라기보다는 남주인공과 여주인공이 서로의 욕망을 표현하는 장소라고 할 수 있다. 기차의 지붕은 이러한 자유를 위한 장면을 제공한다. 디스코 시대의 영화 〈세계를 보여줘Zamaane Ko Dikhana Hai〉(나지르 후세인 감독, 1981)에서 여주인공은 개방된 무도장에서 남주인공과 함께 춤을 췄을지 모르지만, 그녀가 굴복하고 사랑을 인정하는 것은 인도의 유명한 작은 "장난감 기차" 위에서다.

기차 위의 위험

인도 영화가 기차라는 공적 공간에서 가능하게 하는 욕망과 사랑의 종류에 대해 양가적 관계를 제시한다는 점은 분명히 해야 한다. 기차는 사랑에 부여된 사회적 제약에 의문을 제기할 수 있는 장소와 가족의 제재 범위를 벗어난 연애에 대한 반장소countersite를 제공한다.

그러나 대부분의 발리우드 영화들은 궁극적으로 그 장소를 가족의 집으로 다시 옮기고, 종종 결혼식의 확장된 장면에서 이러한 사회적 제재를 의식화한다.[27] 그렇다면, 기차 또는 모든 공적 공간은 여전히 관계를 촉진하는 "적절한" 맥락으로 간주되지 않는다는 결론을 내릴 수 있다. 인기 있는 힌디어 영화들은 철도의 또 다른 두드러진 모티프를 사용하여 이것을 보여 준다. 즉, 기차가 위험한 장소라는 이미지다.

기차가 위험한 장소라는 개념은 빅토리아 시대 철도의 기원으로 거슬러 올라간다. 니콜라스 데일리Nicholas Daly는 《문학과 기술, 근대성: 1860년부터 2000년까지Literature, Technology and Modernity》(1860~2000)에서 선풍적인 철도 드라마를 생각한다. 그는 19세기 중반의 극작가들이 새로운 교통수단에 대한 문화적 불안에 목소리를 냈다고 주장한다. 수많은 멜로드라마에는 인물들이 다가오는 기차에서 극적으로 구조되는 장면이 포함되었다. 데일리는 연극이 새로운 산업적 근대성을 통합하고 재구성했다고 주장한다.[28] 볼프강 시벨부슈Wolfgang Schivelbusch는 《철도 여행: 19세기의 기차와 여행The Railway Journey: Trains and Travel in the 19th Century》에서 철도에 대한 초기 재현들을 포화시키는 사고에 대한 두려움을 묘사한다. 이안 카터는 《영국의 철도와 문화: 근대성의 전형Railways and Culture in Britain: The Epitome of Modernity》의 한 장을 "철로 위의 범죄"[29]에 할애한다. 그러므로 철도가 사랑과 욕망의 장소로서 재현되는 것처럼 위험한 장소라고 묘사하는 것은 인기 있는 힌디어 영화들이 특별히 언급하고 만든 오랜 문화사를 가지고 있다.

마니 라트남의 1998년 블록버스터 영화 〈진심으로Dil Se〉는 기차가 로맨틱한 가능성의 장소이자 누구를 만날지 모르는 위험한 장소라는 시각을 제공한다. 〈진심으로〉 초반 두 주인공을 소개하는 핵심 장면은 철도 승강장에서 펼쳐진다. 아마르칸트 바르마는 바람이 많이 부는 한적한 시골 역의 야간 승강장에서 메그나를 만난다. 메그나는 숄 아래 모퉁이 벤치에 웅크리고 있고, 아마르는 여자가 혼자 여행하지 않을 것이라고 생각하고 그녀가 남자인 것처럼 먼저 상냥하게 말을 건넨다. 바람이 그녀의 숄을 날려 버리자, 아마르는 존경의 자세를 취하며 사과하지만, 계속해서 그녀에게 다가가 아름답다고 말한다. 메그나는 분명히 그 관심에 불편함을 느낀다. 이 장면은 그녀의 겸손함과 그가 매혹을 모두 강조하지만, 동시에 혼자 여행하는 여성에 대한 초기 논의들을 떠올리게 한다. 아마르의 생각으로는, 메그나는 홀로 여행하는 여성이기 때문에 추파를 던져도 되는 대상이다. 마침 남자 동료들이 도착하여 그녀를 기차 안으로 호위해 들어가면서 메그나는 그 가능성에서 멀어져 적절함의 영역으로 들어간다.[30]

이 영화에서 그리고 틀림없이 인도 영화에서 가장 환상적인 기차 장면은, 메그나의 출발 직후 이어지는 노래와 춤의 시퀀스이다(그림 10).[31] 지요티카 비르디Jyotika Virdi는 발리우드 영화의 음악적 시퀀스에 대해 다음과 같이 쓴다. "힌디어 영화에서는 노래가 서사 내에서 다양한 기능을 수행한다. 노래는 서사 내 황홀한 순간에 이야기

그림 10 마니 라트남의 1998년 영화 〈진심으로〉의 홍보용 사진은 기차 위에서 벌어지는 유명한 댄스 장면을 보여 준다. (BFI 제공)

를 진행시키거나 분위기(사랑, 열정, 이별, 그리움)를 전달하고자 정렬될 수 있다. 가사는 단순히 서사를 요약한 몽타주 시퀀스에 겹쳐진 서사 밖 음악의 일부일 수 있다."[32] 〈진심으로〉에서 카메라 컷은 메그나가 탄 기차가 떠나는 모습을 애타게 바라보며 밤비를 맞고 있는 아마르의 모습에서, 아침 햇살 속에서 감각적으로 기지개를 켜는 이름 모를 여성(말리카 아로라)의 판타지 장면으로 이어진다. 카메라가 뒤로 물러나면서 그녀가 다른 이주노동자들과 함께 인도 열차 특유의 옥상 공간에서 여행하고 있다는 것이 분명해진다. 아로라 캐릭터가 춤을 추면서 〈그림자 속을 걷다Chaiyya Chaiyya〉는 노래가 기차의 기계적 박자를 그대로 재현한다. 다른 노동자들이 기차 주변을 사각형으로 움직이며 발을 구르고 기차 리듬에 맞춰 팔을 흔들면서 기술 공간 안에서 포크댄스와 음악성을 융합할 때, 그녀의 엉덩이는 엔진에 달린 피스톤처럼 회전한다. 감독은 터널을 통과하는 통로의 명암을 이용하여 미지의 여성과 아마르 사이의 친밀감을 만들고 확산시킨다. 그러나 둘 사이의 관능적인 에너지는 계급 차이와 덧없는 만남을 제한하는 공적 공간에 의해 억제된다. 아마르와 환상의 여인의 만남은 메그나와의 만남보다 훨씬 더 에로틱하지만, 두 만남 모두 철도 공간의 문화적 연관이 제공하는 가능성으로 구성된다.

철도와의 만남은 사회적 예의의 범위를 벗어난 밀회 가능성을 암시하거나 부추기기도 하지만, 그러한 만남을 허용하는 동일한 익명성은 불안감을 준다. 댄스 시퀀스 판타지의 영역에 머물러 있는 〈그림자 속을 걷다〉 댄스 장면에서는 그렇지 않지만, 승강장에서 아마르와 메그나가 만나면 그런 불안감이 감돈다. 아마르는 그녀에게 태어난 곳이나 친척의 이름을 말해 달라고 청하며, 그녀를 사회적 지향의 수용 가능한 구조 안에 배치하려 한다. 그는 폭탄을 가지고 있다고 썰렁하게 농담을 한다. 사실 이 영화에서 그녀는 분리주의 단체에서 일하는 테러리스트로 밝혀지기 때문에, 궁극적으로 폭탄을 운반하는 쪽은 메그나이다. 기차는 우리를 연인이나 테러범 옆에 둘 수 있는데, 〈진심으로〉는 이 두 가지 가능성을 함께 배치하여 진행된다. 철도는 처음에만 등장하지만, 영화의 주요 주제를 구성하는 욕망과 위험의 결합 가능성을 설정한다.

사랑과 위험이 공존하는 장소로서의 기차에 대한 불안감은 2007년 전 세계 관객을 대상으로 한 국제적인 작품인 하이데라바드왈라Hyderabadwala와 미스트리Mistry 감독의 영화 〈열차The Train〉에 다시 나타난다. 방콕을 배경으로 한 이 영화는 간선을 가로지르는 기차의 모습으로 시작하여 붐비는 역의 풍경으로 이어진다. 그런 다음 이미지는 추상화되고 빠르게 편집된 쇼트로 속도를 높인다. 이는 우리가 기차로부터의 시야에서 기차의 시야로 이동했음을 나타낸다. 영화의 시작은 도시 생활에서 통근열차의 중심성을 보여 주며 우리를 그 세계의 내부에 위치시킨다. 이 영화에서 철도 세계는 위쪽으로 이동하는 사람들, 특히 인도 사람들로 가득 차 있다. 결혼 생활이 다소 불행한 그래픽 디자이너 비샬 딕싯은 기차에서 아름다운 여성을 만난다. 아침 통근선에서 몇 번 더 만난 후 그들은 불륜을 시작한다. 그가 그녀에게 모든 돈을 다 준 후에야 그녀가 남자친구와 함께 일을 벌이는 사기꾼임을 알게 된다. 〈열차〉에서 철도는 익명성과 성적인 방임의 장소로, 부정한 불륜의 가능성을 허용한다. 매혹적인 이방인에게 마음은 물론이고 돈도 모두 잃을 수 있는 곳이다. 영화는 이 공간을 비샬과 그의 아내가 서로의 차이점을 해결하려고 노력하는 가족의 집과 대조하며, 궁극적으로 가정이 대중보다 더 가치 있다고 믿는 노력하는 젊은 상류 중산층의 공간으로 재현된다. 따라서 이 영화는 상향 이동이라는 자본주의적 가치보다는 전통적인 가치와 동일시한다.

발리우드 영화는 인도와 방콕, 멜버른, 런던, 뉴욕 같은 지역의 디아스포라 커뮤니티에서 성장하는 도시의 국제 전문가 계층을 점점 더 이상화하고 있다. 남주인공과 여주인공은 종종 법을 공부하거나 MBA를 따거나 〈열차〉의 비샬처럼 고급 비즈니스맨일 수 있다. 영화는 욕망, 즉 돈과 성공, 섹스, 특히 사랑에 대한 욕망을 표현하는 장소 역할을 하는 통근열차와 같은 공적 공간의 묘사를 통해 이러한 정체성을 구성한다. 그러나 전통적 가치가 지배하는 산업에서, 인기 있는 힌디어 영화는 궁극적으로 가족이 욕망을 중재해야 한다는 개념을 굳게 고수한다. 그러므로 대중의 욕망은 현대 영화, 특히 여성 인물들에게 기차와 같은 공간들이 해방과 구속을 모두 나타낸다는 양가적 성격을 부여한다. 이전 영화들에서 이러한 양가성은 19세기까지 거슬러 올라가는 근대성을 재현하는 공적 공간에 대한 여성의 출현에 우려를 표시했다. 젠더 이동에 대한 불안감은 여전히 많이 남아 있지만 1990년대와 이 10년간 제작된 영화들은 점점 더 세계화된 인도가 남녀 모두의 도덕성에 미치는 영향에 대한 우려를 나타낸다. 다소 놀랍게도, 철도가 꽤 오래된 기술이라는 사실을 감안할 때, 기차는 영화나 더 넓은 문화적 맥락에서 세계화에 대한 우려를 명확히 표현하는 데 중요한 상징적 역할을 해 왔다. 테러리즘을 논하는 이 책의 결론은 철도가 어떻게 인도의 경제적 자유화와 국제적 정체성에 도전하고자 하는 사람들의 상징이자 표적이 되었는지를 보여 준다.

테러리즘과 철도

기차는 〔뭄바이〕의 훌륭한 사회적 실험실이다.
그리고 오늘날 기차는 납골당이 되었다.

_수케투 메타Suketu Mehta, 〈인도 폭탄 공격: 분석〉, 《워싱턴 포스트》, 2006년 7월 11일

도쿄 3월 20일. 마드리드 3월 11일. 런던 7월 7일. 1995년 도쿄 가스테러, 2004년 마드리드 폭탄테러, 2005년 런던 지하철 폭탄테러 등 최근 몇 년간 가장 중요한 테러 사건들이 기차에서 발생했다. 흔히 철도를 생명선으로 부르는 나라[1] 인도에서 지난 10년 동안 발생한 철도 관련 폭탄테러 사망자 수는 500명 이상이다. 가장 최근의 폭력은 뭄바이의 주요 기차역인 차트라파티 시바지 터미널(구, 빅토리아 터미널)에서 일어났다. 이 역에서 무장 괴한들은 도시에서 계획된 유혈사태의 일환으로 여행객들에게 무작위로 총격을 가했다. 그 2년 전인 2006년 7월 11일 세계에서 가장 붐비는 철도 노선 중 하나에서 폭탄이 폭발하는 등 뭄바이 통근 철도는 극심한 폭력의 현장이었다. 식민지 시대 작가들과 민족주의 작가들은 철도를 시민적, 세속적, 공공질서 안에 문화적 · 인종적 · 역사적 차이를 담아 이동하는 상자로 홍보했다. 2006년 뭄바이 폭탄테러 현장에서 찍은 사진은 파편으로 뒤덮이고 부서진 객차로 내부가 외부에 노출돼 있다(그림 11). 뒤집힌 기차라는 기이한 장면은 일종의 종착역을 알리는 것처럼 보인다. 기차로 상징되는 근대성이 종착역에 도달한 것일까, 아니면 이 폭력은 근대성의 또 다른 표현일까? 이 책은 인도에 널리 퍼져 있는 철도 이미지를 해석하여, 근대성이 이동성에 대한 헌신으

그림 11 철도 노선에 폭탄이 터진 다음 날 통근자들이 뭄바이 마힘역에서 기차를 기다리고 있다. (사진 제공: 인드라닐 무커지Indranil Mukherjee/AFP/게티 이미지)

로 인해 철도가 부분적으로 취소되는 재구성에 어떻게 영향을 미쳤는지 보여 줄 수 있다고 주장했다. 이 장에서는 인도 철도의 실제적이고 상상적인 역사와 교차하는 테러의 상징적 측면을 읽어, 우리가 보고 있는 것이 실제로 폭력의 형태로 표현된 근대성의 고유한 모순이라고 주장한다.

테러의 서사/ 근대성의 대항서사

이언 매큐언Ian McEwan이 소설《토요일Saturday》에서 제안한 바와 같이, 하늘에 떠 있는 비행기의 이미지는 9/11로 영원히 바뀌었다. 그는 "요즘 항공기들은 약탈적이든 파멸적이든 간에 하늘에서 다르게 보인다는 데 모두 동의한다"[2]고 쓴다. 테러를 이해하려면, 그 상상적 요소를 통해, 테러가 물질적 효과를 지닌, 그리고 재현과 해석으로 구성된 무언가로 존재하는지를 한 번에 생각해야 한다. 현실과 환상은 서로 반대되는 것이 아니라 세계와의 관계를 재현하는 다른 방식으로 구분되는 테러리즘 담론에 매우 밀접하게 얽혀 있기 때문에 이 두 요소를 모두 포함해야 한다.[3]

2006년 뭄바이 폭탄테러에 대한 인터뷰에서 몇몇 사람들은 폭탄테러를 다른 가상 영화의 (재)상영으로 "인식했다." 비자얀티 라오 Vyjayanthi Rao가 1993년 '블랙 프라이데이' 폭탄테러에 대해 쓴 글에서 지적한대로, 이 미끄러짐은 영화적인 정체성으로 정의된 이 도시에서 특히 폭탄테러와 가해자들에 대한 서사가 "폭탄테러에 연루된 특이한 페르소나에 대해 그럴듯한 사회적 시나리오를 구성하는 상상력을 영화가 제공한다는 점에서 영화적인지"[4]를 보여 준다. 영화적 묘사가 실제로 폭탄테러범들에게 영감을 주었는지 여부와 상관없이, 이 폭력의 목격자들은 사실과 허구를 서로의 관점에서 확실히 이해했다. 실제 폭탄테러가 니시칸트 카마트 Nishikant Kamat 감독의 2008년 힌디어 영화 〈뭄바이 내 사랑 Mumbai Meri Jaan〉 같은 허구적인 이야기에 영감을 주기 시작하면서, 이 폭탄테러는 인도의 지지층과 크게는 국제사회에 테러의 의미를 보여 주는 상상적 세계의 일부가 되었다.

테러의 재현적·해석적 측면을 설명하고 그것이 어떻게 공동체를 구성하는지 생각해 본 후 집단적 상상력이 대상에 수렴되는 방식을 살펴볼 수 있다. 상징 수사학에 대한 롤랑 바르트Roland Barthes의 이론은 이미지가 어떻게 그 대상에 내재된 조밀하고 부자연스러운 구조와 재현 과정을 위장함으로써 상징적 메시지를 자연화할 수 있는지를 설명한다.[5] 바르트는 "모든 사회에서 불확실한 기호의 공포에 대응하는 방식으로 떠다니는 기의signifieds의 사슬을 고정하기 위해 다양한 기술이 개발되고 있다"[6]고 주장한다(원문 강조). 이 아이콘적 대상은 때때로 경쟁하는 지시대상들의 복잡한 융합을 나타낸다. 이 과정은 사회적 대리자들과 대상의 과정들로부터 인과관계를 대체하기 때문에 이전 인용문에서 매큐언이 소환한 합의된 공동체("모두가 동의하는")에서는 폭력의 가해자들보다는 비행기가 "약탈적인" 것처럼 보이고, 피해자가 아니라 비행기가 "파멸적인" 것처럼 보인다.

비행기는 공포의 장소로서 현대 글로벌 문화의식에서 중요한 위치를 차지한다. 마이크 데이비스Mike Davis가 자동차폭탄의 역사에 관한 책에서 주장한 것처럼 자동차도 마찬가지다.[7] 그러나 재현의 순전한 횟수를 보았을 때, 기차는 역사적으로 가장 광범위한 테러의 상징으로 여겨져 왔다. 근대성의 상징으로서 철도의 주된 그리고 지속적인 역할은 틀림없이 이러한 우세를 낳는다. 우연의 일치는 해석의 기회를 제시한다. 기차를 테러의 대상으로 본다면, 역사적으로 근대성을 재현해 온 기계에 내재되어 있는 복잡한 의미의 분류를 폭로할 수 있을 것이다. 그 과정에서 근대의 관념 속에서 작동하는 모순된 충동을 인식할 수 있다. 상징적인 역사를 탐구하기 전에 몇 가지 용어를 명확히 하는 것이 유용하다.

'테러terror'라는 개념은 현대 세계 정치에서 너무 자주 언급되어 엘르케 뵈머Elleke Boehmer가 주장하는 것처럼 "전례 없을 정도로 의미가 없어졌다"[8]는 말이 나올 정도이다. 따라서 테러에 대해 말할 때, 특히 이 장에서와 같이 '테러리즘'이라는 용어와 짝을 이룰 때 실제로 작동하는 정의를 처음부터 제시해야 한다. 종종 두 가지 개념이 구별되는데, 테러리즘은 사회적·정치적 목적을 위해 폭력을 행사하는 사람들(테러리스트들)로 구성된 조직 구조를 암시한다. 반면에, 테러는 심리적인 경험을 제시하고자 더 자주 사용된다.[9] 이 장의 논의는 이러한 분리에 반하여 테러를 물질적·문화적 현상으로 해석한다. 이 용어는 물리적 폭력 행위를 나타내지만, 그 힘은 더 넓은 사회 영역에서 의미를 가질 수 있는 능력에 달려 있다.

이 장은 가해자들의 동기를 분석하거나 네트워크를 지도화하려는 시도보다는 테러의 상징적인 영향을 탐구한다. 특히 남아시아 열차에 대한 폭력을 국가 또는 글로벌 커뮤니티를 구성하는 근대성과 관계를 묶는 재현 구조의 한 부분으로 본다. 이러한 물질적·문화적 현상을 설명하면서, 나는 개인적이면서 집단적인 테러 유형인 살인과 자살 행위로 시작한다. 그런 다음 충돌 경험으로 넘어간다. 그제서야 나는 현재 가장 자주 테러와 관련된 측면, 즉 흔히 "테러리즘"이라고 불리는 사회적 또는 정치적 명분을 위해 폭력에 가담하는 관행을 고려한다. 나는 이 넓은 분야에서 사회적·정치적 목적의 이름으로 행해지는 폭력을 이러한 행위와 그 해석이 모순된 방식으로 근대성을 설명하는 문화적 현상에 어떻게 기여하는지를 보여주는 방법이라고 생각한다.

혼히 테러리즘으로 여겨지는 것과 테러를 연결함으로써, 나는 철도를 통해 개인과 집단, 사회와 정치, 문화와 사실을 동시에 연결하는 경험과 상상 형태를 연결한다. 목표는 폭력 행위의 물질성과 그 끔찍한 결과를 모호하게 하는 것이 아니다. 대신에 이 접근법은 테러가 사회적 의미와 해석을 통해 의미를 수집하기 때문에, 예를 들어 통계적 설명이 아니라 이러한 표상적 측면에 대한 강조한다. 나는 테러가 근대성에 대한 우리의 복잡한 관계와 관련된 이유로 선택적 상징(이 경우 철도)에 수렴하게 되었다고 주장한다. 나는 그것이 철도의 경우에 어떻게 일어나는지를 보여 준다. 그런 다음 이 책의 주장을 마무리하는 방법으로 인도 철도가 왜 그 특정한 역할을 맡게 되었는지 고찰해 보려 한다.

살인, 자살행위, 그리고 사고

테러는 항상 인도와 다른 곳에서 기차의 상징적 역사의 일부였다. 이 문화의 측면은 국경과 독특한 역사적 경험을 초월한다. 따라서 맥락에 따라 생성된 몇 가지 독특한 의미를 염두에 두고, 현대 남아시아의 맥락과 유럽 및 미국 철도 역사의 초기를 이동하는 것이 유익하다. 철도의 아이콘은 오랫동안 철도를 악몽 같은 시나리오의 장면이나 대리자로 만들어 온 집단적이고 초국가적인 문화 의식에 속한다. 1861년 파리 종착역 기차에서 낯선 이와 칸을 함께 썼다가 끔찍한 결과를 맞은 재판장의 시신이 발견된 후 유럽 전역의 승객들은 동료 여행자의 손에 살해될 가능성을 두려워했다. 기차가 역에 있을 때에만 빠져나갈 수 있는 밀폐된 칸은 기본적으로 여행 중에 여행객들을 가두었다. 언론에 보도된 선정적인 기사들은 피가 튀어 있는 칸에서 벨벳 쿠션 위로 널브러진 채 발견된 희생자들의 소름 끼치는 삽화들을 제공했다.[10] 이 스릴 넘치는 시나리오의 변형은 기차에서 사라진 희생자를 보여 주었다. 유명한 소설과 영화는 미국과 유럽의 문화적 의식에 미치는 이 두 가지 시나리오의 영향을 강조했다. 애거사 크리스티Agatha Christie의 1934년 소설 《오리엔트 특급 열차 살인Murder on the Orient Express》이나 알프레드 히치콕Alfred Hitchcock의 1938년작 〈사라진 여인The Lady Vanishes〉만 생각해도 그렇다.

이러한 폭력적인 죽음에 대한 끔찍한 환상은 불안을 정당화하기 위해 철도의 특정한 공간적·시간적 특성뿐 아니라 기계적·감각적 특성에도 기대어 있다. 고립과 친밀감을 동시에 낳는 구획화가 전형적인 지점이다. 좀 더 본능적인 차원에서, 기계음과 속도의 조합은 잠재적인 폭력에 대한 환상을 자극한다. 1863년 런던의 한 신문에도 다음과 같은 철도 여행 기사가 실렸다. "가장 큰 비명 소리는 급회전하는 바퀴의 굉음에 삼켜지고, 살인 또는 살인보다 더 심한 폭력은 시속 60마일의 속도로 날아가는 기차의 반주로 이어질 수 있다."[11] 이 장면은 탈선으로 가는 도중에 납치된 기차가 등장하는

1980년의 〈불타는 열차〉 또는 뭄바이 폭탄테러를 다룬 2008년 영화
〈뭄바이, 내 사랑〉(이 장 뒷부분에서 자세히 설명) 같은 힌디어 영화에
널리 퍼진 영화적 이미지를 예상한다. 두 영화 모두 열차 소리와 속
도를 이용해 차량 내부의 폭력성을 암시한다. 열차의 낯섦, 즉 "'비
인간적인' 언어(수기신호, 전신 경보, 조명, 기적 소리)를 통해 낯선 본
성을 극화한 세계"[12]와 공통의 의인화를 통해 그려지는 친근함이 이
런 이미지에서 발휘된다. 열차가 승객을 대신해 비명을 지른다고
생각해 보면 이해가 쉽다.

지상에 있는 사람들도 안전하지 않다. 때론 기차에서의 단순한
만남이 히치콕 감독의 1951년 영화 〈열차 안의 낯선 자들Strangers on a
Train〉이나 2005년 미국 영화 〈디레일드Derailed〉를 힌디어로 리메이크
한 영화 〈열차〉에서처럼 기차를 벗어난 공포로 이어진다. 여기에서
유혹하는 여자는 불행한 유부남을 폭력과 협박에 가둔다. 기차 선
로에 묶인 채 열차에 치일 가능성은 19세기 중반 이후 초국가적인
문화적 상상력을 사로잡았다. 니콜라스 데일리Nicholas Daly는 1860년
대의 영국 멜로드라마들이 이를 구조 장면으로 재연하여 문화적 재
현으로서 기계에 우선권을 부여하면서 기계를 극복하고자 하는 소
망을 충족시켰다고 주장한다.[13]

자살의 경우, 기계가 최종 중재자로 간주된다. 그러므로 이는 찰
스 디킨스Charles Dickens의 《돔비와 아들Dombey and Sons》의 카커와, 레오
톨스토이Leo Tolstoy의 1877년 동명 소설의 후반부에 나오는 안나 카레
니나에 대한 것이다. 유럽문학과 인도문학 그리고 인도 영화에서처

럼 기차 자살은 로힌튼 미스트리Rohinton Mistry의 소설《적절한 균형 A Fine Balance》에 나오는 것 같은 불행한 인물들에게 탈출구로 손짓한다.[14] 비크람 찬드라의 단편〈평화Shanti〉에서는 주인공 시브가 쌍둥이 동생의 죽음에 정신이 나간다. 열차가 도착하자 승강장에 서서, "그는 두 사건이 합쳐지길 기다렸다. 럭나우와 자신의 33년을 분주히 갈아 줄."[15]

많은 인도 작품에서 기차의 길은 문화적으로 코드화된 경로로 여겨진다. 안나 카레니나처럼 1972년 힌디어 영화〈퓨어 하트〉에 나오는 불운한 창녀 사히브잔은 자신의 불행한 삶에 대한 결의에 대해 환상을 품는다. 아푸 역시 사티야지트 레이의 벵갈어 "아푸 3부작"의 세 번째 영화에서 기차에 몸을 던지는 것을 고려하는 것으로 보인다. 인도에서는 인도 문화 변혁을 위한 개혁 프로그램 등 식민 통치 유산으로 열차의 의미가 과도하게 결정되었다. 그러므로 기차를 이용한 자살은 이념적으로 코드화된 서사적 해결, 즉 근대성의 식민지 수사학으로 추진된 세속적이며 공적인 공간에 자신을 잠식하는 방법을 제시한다. 이 두 영화가 주인공들을 바퀴 아래 깔리는 죽음으로 보내는 선택을 하지 않는다는 사실은 그러한 종류의 대답을 부정하고, 대신에 사적인 해결을 선택한다. 사히브잔은 결혼하고, 아푸는 아들을 되찾는다. 두 재현 모두에서, 가족의 의무로 해석되는 인도의 전통적 문화적 정체성은 위험한 근대성으로 극복될 수 있는 재앙적인 대안에 맞서 보존된다.

사티야지트 레이의 또 다른 영화인〈나야크〉에서도 이 기차는 주인공 아린담을 거의 자살에 가까이 가도록 유혹한다. 아린담은 기차의 열린 문 밖으로 몸을 내밀고, 어둠 속에서 단 하나의 철로 불빛에 매료된다. 카메라가 장시간 철로에 초점을 맞추고, 우리는 그것이 아린담에게 의미하는 바를 되돌아보게 된다. 그가 자살을 고려한다는 생각은 나중에 도착하는 젊은 여성 아디티가 떠나기 전에 그에게 객차로 돌아가라고 하면서 더욱 강화된다. 그러나 이 단 하나의 노선은 또한 운명의 노선, 즉 어두운 미래로 끊임없이 나아가는 삶을 암시하는 것 같다. 내가 4장에서 살핀 이 영화에서 레이는 예술의 근대적 변화를 보여 주며, 신체와 기계의 상상된 만남을 통해 강제적인 근대성을 제시한다.

철도 자살의 참상은 기계의 힘에 굴복하는 형태이기 때문에 기계를 극복하려는 욕망의 이면을 드러낸다. 니콜라스 데일리는 표면적으로 신체와 기계의 분리에 기반한 근대성의 문화가 대신 살인이나 자살 또는 기차 안팎의 테러 재현으로 그 만남을 연습한다고 주장한다.[16] 이 장면들은 "육체와 강철의 충돌"에서 육체와 기계를 결합함으로써 철도 의식 내에서 청중이나 독자를 가르친다.[17] 이러한 강박관념은 찬드라의 단편 〈평화〉에 생생하게 묘사되는데, 시브는 기계에 압도당하는 환상을 갖는다. "그는 그의 위로 지나가는 금속의 검은 곡선을 보며 고개를 뒤로 젖히고 엔진의 거대한 무게와 열을 느끼며 앞으로 걸음을 옮기기 시작했다. 그리고 기울어진 태양과 철을 통해 보이는 리벳에 반쯤 베인 다음 비틀거리며 뒤로 몸을 뒤로 젖히고 팔을 머리 위로 올렸다."[18] 이 예시에서 현실화되기보다 상상된 결합은 인간과 기계라는 이분법을 전제로 하는 근대성 개념을 불안정하게 만든다. 이 환상 속의 기계와 몸은 시브가 무게와 열을 느끼면서 결합되고, 그의 위에 있는 금속의 검은 곡선이 그의 머리 위에 있는 팔을 시각적으로 복제하면서 평행을 이룬다. 찬드라는 몸에 가해지는 폭력을 철에 베이고 뚫리는 기계로 옮긴다.

　이러한 융합은 충돌의 묘사에서 극적으로 나타난다. 운명적으로 같은 노선으로 경로가 변경된 두 열차의 충격 또는 객차를 "서로 충돌"하게 만드는 탈선 사고 같은 묘사이다.[19] 《이름 뒤에 숨은 사랑The Namesake》에서 줌파 라히리Jhumpa Lahiri는 삶의 진로가 어떻게 그 길에서 벗어나 새로운 맥락으로 내몰릴 수 있는지를 재현하고자 철도 사고를 중심 모티프로 삼는다. 충돌 전 주인공 중 한 명인 아쇼크는 증기엔진이 "확실하게, 강력하게" 뿜어져 나오는 것과 "가슴 깊숙이 자리한" 바퀴의 움직임을 느끼며 기계와 동일시된다.[20] 따라서 충돌로 열차가 갈라지는 것은 산산조각난 생명을 나타낸다.

　라히리는 사고를 독서의 장면과 연결하여 근대성과 기술, 소외의 상호관계에 대한 일반적인 논평을 제시한다. 아쇼크는 니콜라이 고골Nicolai Gogol의 단편 〈외투The Overcoat〉를 읽고 있는데, 기차가 탈선할 때 가끔 "잉크빛 벵골의 밤의 열린 창문으로 야자나무와 가장 단순한 집의 모호한 형상"[21]을 힐끗 쳐다보고 있다. 독서와 기차 여행이 삶과 예술에서 짝을 이룬 것은 단순히 독서가 시간을 보내는 방법을 제공하기 때문이 아니라 창밖을 내다보는 현상학적 경험이 독서의 해석적 경험과 결부되기 때문이다.[22] 따라서 실제 풍경이 "모호한 형상"의 전경으로 용해되면서 문학적 풍경은 더욱 강력한 힘을 얻게 된다. 심지어 아쇼크의 다리와 삶을 산산조각내는 사고가 그로 하여금 비논리적인 것을 구체화하도록 강요하지만, 고골의 〈외투〉는 아쇼크에게 "비합리적인 모든 것, 세상에 필연적인 모든 것"[23]에 대한 비전을 심어 준다.

산업재해의 공포는 부분적으로 열차의 내재된 위험이 모호해진 형태로 출현한 데 있다. 에른스트 블로흐 Ernst Bloch는 최초의 철도가 악마처럼 인식되는 방식을 설명했지만, 지금은 다르다. "충돌 사고, 폭발의 굉음, 불구가 된 사람들의 울음소리, 문명화된 일정을 모르는 작품과 같은 사고만이 아직도 가끔 그것을 상기시킨다."[24] 열차 사고가 공포에 대한 환상을 자아내는 이유 중 하나는 "공간과 시간의 소멸"로 경험되는 감각에 대한 초기의 충격이 정상화로 상당히 빠르게 포섭되기 때문이다. 이제 일상화된 기차 여행 경험은 철도가 처음 도입되었을 때 일어났던 최초 혼란의 흔적을 간직하며, 현재는 위기의 순간에만 나타난다. 다시 말해, 철도 여행은 정상화되었고, 충돌은 그 과정을 방해하고 여행자들에게 항상 존재하는 기계의 폭력 가능성을 상기시킨다.[25] 린 커비 Lynne Kirby는 "철도의 불안정성은 무엇보다도 모빌리티의 경험, 즉 승객이 움직이지 않고 빠른 속도로 이동하면서 안심하고 잠이 들지만 충격을 받아 잠에서 깨어날 수 있다는 그 경험에 있다"[26]고 말한다. 커비가 "안심하고" "충격을 받아" 같은 모성적이고 기계적인 언어를 사용한 것은 충돌의 모순된 경험을 심화시키는 철도의 문화적 상징 안에서 깊은 이중성을 더 보여 줄 뿐이다.

철도 탈선과 충돌로 발생하는 공포는 또한 외부의 자연적 또는 신성한 근원에서 오는 것이 아니라, 철도가 속도, 압력, 긴장, 열 및 기타 기계적 힘으로 파괴되면서 내부로부터 파괴가 발생하는 기술적 사고의 특성 때문일 수 있다.[27] 다음의 이미지는 오래된 것이다. 1844년 백과사전은 어떻게 "한 번 제대로 된 목표에서 멈추거나 방향을 바꾸면, [철도의] 바로 그 힘이 어떻게 끔찍한 파괴의 대리자로 변모하는지"[28]를 묘사하고 있다. 19세기 중반, 철도는 잠재적으로 수명을 단축시킬 수 있는 "화차"로 묘사되었다.[29] 이러한 폭력적 환상은 기차 여행 자체의 현상학에서 비롯되는데, 승객이 무기의 일부인 "시공을 관통하는 발사체"의 일부가 될 때 "폭력과 잠재적 파괴의 감각"을 갖게 된다.[30] 초기 식민지 여행자는 이러한 수동성을 긍정적인 것으로 보았다. 20세기 초 한 회고록의 화자는 철도 여행과 제국 전반에 대해 "한동안 넘겨받은 느낌에는 축복받은 평온이 있다"[31]고 말한다. "넘겨주기" 개념은 여행자가 기계에 지배를 받으며 심지어 기계와 얽히게 된다는 것을 의미한다. 그렇다면 테러의 일부는 여행자 자신이 파괴에 관여하는 것이다. 불안은 이 과정에서 수동적 감각으로 발생한다. 정해진 경로로 돌진하는 기계에 갇혀 그리고 그 경로에서 벗어나게 되면 심각한 힘의 부족에 직면하게 된다.

그러한 수동적 감각은 일반적으로 근대성의 경험으로 확장된다. 이 책은 철도가 근대성의 환유이며, 그 관계를 조사함으로써 근대라는 개념의 모순을 해석할 수 있다고 주장해 왔다. 근대화의 수사학은 근대는 이념적 명령일뿐만 아니라 물질적인 방식이 된다는 의미에서 도구이자 주인으로서 근대성을 위치시킨다. 그러나 철도가 파괴의 현장이자 대리인이 되면서, 그 근대성의 정당성에 의문이 제기된다. 갈등은 영국의 맥락에서 일찍부터 나타나며, 산업적 근대성과의 지속적인 협상을 보여 주는 철도 선로에서 반복되는 임사臨死 장면에서도 나타난다.[32] 1860년대에 제작된 문화적 상상처럼, "기계 혹은 산업적 근대성이 인간에게 미치는 영향은 두려움, 심지어 공포의 원천이다."[33] 현대 기계는 그 자체뿐만 아니라 근대 사회의 바로 그 직물까지도 찢어 버릴 태세다.

열차 충돌에 대한 광범위한 문서를 보면 근대성 내에서 이러한 위협을 볼 수 있다. 그 이미지는 너무 강렬해서 그 주변에서 문화적 미학이 성장했다. 〈이름 뒤에 숨은 사랑〉에서 아쇼크는 가족들이 신문에서 구한 사진, 즉 기차가 "산산조각나고, 하늘에 들쭉날쭉하게 쌓이고, 소유자가 없는 소지품 위에 앉아 있는 경비원들"[34]을 담은 이미지를 통해 사고를 다시 경험한다. 그 장면은 쉽게 알아볼 수 있는 시각적 장르에 속한다. 19세기 말의 시작을 여는 시기에 엽서, 사진, 인기 일러스트, 영화 속에서 철도 사고의 이미지가 미국 문화에 유포되었다.[35] 역 위층 부서진 벽면에 엔진이 매달려 있었던, 1895년 몽파르나스역에서 일어난 유명한 사고 같은 역사적 기차 사고의 대량생산된 현대판 인쇄물은 이러한 이미지의 지속적인 문화적 흐름을 증명한다. 이 사고에 대한 인쇄물을 보는 사람들은 물질적 형태의 폭력에 대한 고통스러운 시각에서 미적 즐거움을 얻는다. 상품의 스펙터클은 이 이분법을 매개한다. 이는 사고를 구매 가능한 것으로 만들어 합리적 순서로 되돌리기 때문이다.

이는 식민지 인도에도 존재했던 시각문화로, 건설과 같은 이미지를 포함하는 다큐멘터리 작업의 일부였다. 그러나 인도 열차 사고를 담은 판화나 사진은 분명 인도의 다른 사고와는 별개로 유럽의 기차 사고 이미지와 구별되는 특별한 의미가 있었다. 유럽에서는 기차 충돌을 담은 시각적 이미지가 산업주의가 스스로 붕괴할 가능성을 분명히 했다. 식민지적 맥락에서, 기술 사고 현장은 식민지 프로젝트가 어떻게 그 자체의 야망으로 파괴될 수 있는지를 강조했다. 1908년 《일러스트레이티드 런던 뉴스》의 이미지(그림 12)는 펀자브에 있는 도시인 루디아나 근처에서 엔진 두 대가 충돌하는 장면을 담고 있다. 이 이미지의 모티프 중 일부는 전 세계 철도 사고의 다른 이미지에서 자주 보이는 것이다. 묘사된 피해에 내포된 폭력은 안전한 기술적 형태에 대한 개념을 뒤엎는다. 그 이미지는 그 부조화로 인해 매력적이다. 잔해의 무게는 앞에 서 있는 남성을 왜소하게 만드는 구조물 크기로 전달되지만, 금속은 무거운 철이 아닌 섬세한 재질인 것처럼 접한다. 두 개의 엔진이 하늘로 기울어진 장면의 이례적인 모습은 그 앞에 달리는 전신의 여전히 온전한 선로 때문에 더욱 두드러져 아래의 산산조각난 선로와 대조된다. 평행선을 달리던 거대한 바퀴가 이제 공중에 분리되어 매달려 있다. 이 이미지는 또한 기차에 대한 상반된 문화적 관계를 나타낸다. 호기심 많은 인도인들, 심지어 철도 노동자로 보이는 한 남자를 기차

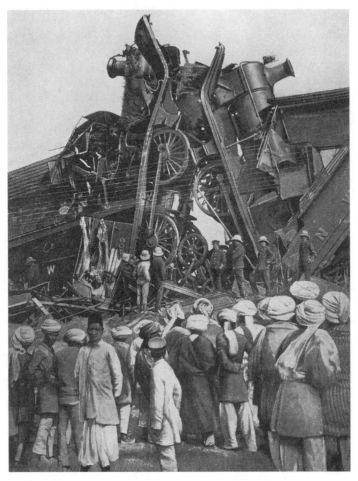

그림 12 1908년 인도 루디아나 근처에서 일어난 두 엔진의 충돌 이미지. (메리 에반스 사진 도서관 Mary Evans Picture Library, 일러스트레이티드 런던 뉴스 제공)

옆에서 경비를 서는 유럽인들의 재산인 기차(그리고 사고)의 관찰자로 위치시키며, 일부는 피해를 평가하고 일부는 호기심 많은 구경꾼들을 경계하며 바라보고 있다. 이 사고로 노스 웨스턴 철도NWR: North Western Railway 표지판이 교체돼 1886년부터 1947년 독립까지 이어진 식민지 전략 노선의 붕괴를 시각적으로 암시한다. 인도인들의 뒤에 있는 그림의 관점은 사건 자체에 대한 기록만큼이나 인도인과 기차의 관계에 대한 이러한 이미지를 만들어 낸다.

테러의 상상된 공동체

철도로 대변되는 불안정한 근대성의 현장이 어떻게 국가적 · 세계적 영역에서 현실적이고 상상적인 폭력의 현장이 되는지 살펴보고자, 나는 이제 테러를 통한 사회적 · 정치적 공동체 건설에 눈을 돌린다. 철도의 상징적 역사와 매우 밀접하게 연결된 살인, 자살, 사고의 이미지는 사회적 · 정치적 폭력을 포함하는 분야인 더 넓은 테러 영역의 일부분이다. 이런 종류의 폭력은 아마도 가장 큰 지지층에 의해 이해되기 때문에 현대에 가장 친숙한 테러의 얼굴이다. 마이크 데이비스는 자동차 폭탄, 기차 폭탄, 그리고 다른 형태의 폭력은 "(테러 자체를 포함한) 대의명분, 지도자 또는 추상적 원칙의 광고"라고 말한다.[36] 그것들은 종종 공적 공간의 장을 이용하는, 더 넓은 공동체에 대한 일종의 발표다. 그러나 이러한 폭력을 통해 상상된 공동체가 어떻게 만들어지는지를 이해하려면 "테러리스트"가 의도하는 것에서 집단성이 테러를 통해 해석하고 구성되는 방식으로 초점을 전환해야 한다.

제프리 하팜Geoffrey Harpham은 테러를 사회적 의의와 해석의 분야에서 문화적 효과 관점에서 다음과 같이 묘사한다.

테러는 상징적 질서의 한 특징이며, 공식적이든 비공식적이든, 공적이든 사적이든 표상과 서사의 광대한 그물망으로, 한 문화가 그 자체의 감각을 발휘하는 특징이다. 그것은 실제와 가능성에 대한 집단의 감각을 확립하고 느슨하지만 확실한 집단 정체성을 만드는 역동적이지만 상대적으로 안정적인 암시적 매개변수 집합에 영향을 미친다. 테러는 그 자체가 상징적일 수도 있고 아닐 수도 있지만, 그 효과는 상징적인 영역에 등록되어 있다.[37]

하팜은 동일한 상징적인 네트워크 폭력 행위, 그 행위에 대한 대응 및 추가 조치에 대한 기대를 결합한다. 테러리즘을 다루는 많은 이론가들이 주장했듯이, 그러한 반응들은 국가안보 조치, 언론 보도, 광범위한 공포문화를 포함한다. 테러의 영향을 고려하는 움직임은 테러에서 의도가 아니라 해석의 역할을 강조한다. 테러에는 작가뿐 아니라 독자도 있다. 독자들의 공동체는 대응이 목적이자 수단이 된다는 의미에서 테러를 "작동"하게 만든다. 물론 모든 해석 과정과 마찬가지로, "작가"와 "독자" 사이에서 의미가 미끄러질 가능성은 항상 존재한다. 여기서 주장하는 것은 의도와 행동의 일대일

상관관계가 아니라 정치적 위급성, 관점의 편향, 역사학적 수정으로 변형되는 사건에 대한 끊임없는 재해석이다. 여기서 초점은 줄라이카J. Zulaika와 더글라스W. Douglass가 테러리즘을 "수사적 산물, 즉 전략과 실효성의 정수는 특정 정치적 폭력 행위에 대해 예상되는 반응과 해석"이라고 부르는 것이다.[38]

나는 테러를 문화적 효과로 봄으로써 테러 행위가 혁명적 행위와 근본적으로 다르다는 생각뿐 아니라, 테러리즘이 상징적인 영역 밖에 있다는 생각에 도전한다. 피터 히스Peter Heehs는 인도의 맥락에서 민족주의, 테러리즘, 공동체주의에 관한 저서들에서 현대의 "불필요한 폭력과 범죄"를 "자유에 대한 진지한 열망으로 활성화된" 민족 운동의 전임자들과 구분한다.[39] 이러한 구분은 윤리적으로 중요하지만, 넓은 문화 분야에서의 대응보다는 가해자의 동기에 더 초점을 맞춘다. 이 논의에서 나는 테러를 더 넓은 의미 체계에 다시 삽입한다. 테러에 대한 문화적 이론 내에서, 폭력이 재현적 분야 내에서 개념화될 수 있는지 약간의 논쟁이 있다. 장 보드리야르Jean Baudrillard는 테러리즘은 혁명적인 행위와는 달리 폭력을 상징계 영역에서 밀어낸다고 주장한다.[40] 그는 사회를 둘러싼 구조가 아니라 행위 자체를 해석한다. 그런 접근 방식으로는 국가나 글로벌 선거구 같은 공동체가 테러로부터 어떻게 형성되는지 알 수 없다. 다음 절에서는 사보타주, 폭격, 철도 내 무작위 총격과 같은 폭력 행위를 둘러싸고 응결되는 이러한 상상된 테러 공동체 중 일부를 살펴본다.

초기 열차 테러

인도 철도 노동자들과 그 지지자들은 인도에서 처음으로 열차를 표적으로 삼았다. 그렇게 함으로써 그들은 식민지 공동체와 민족주의 공동체의 역학 관계에 영향을 미쳤다. 디페시 차크라바르티Dipesh Chakrabarty는 1976년 "인도의 초기 철도인들"을 다룬 에세이에서 19세기의 초기 열차 난파 사건을 식민지 관리들의 관점에서 자세히 설명하는데, 대부분 해고와 같은 조치에 대한 개인적인 불만을 바탕으로 하고 있다. 그는 열차 사고가 범죄와 시위 중간에 놓여 있는 신흥 계급을 묘사한다.[41] 19세기 후반, 이 반란 집단은 노동조건에 대한 반대 의견으로 통합된 최초의 민족주의자 집단이 되었다. 노동자들은 극단적이고 위험한 환경, 저임금, 질병에 시달리는 비위생적인 생활 환경 등 힘든 조건 아래 노선을 건설했다.[42] 인도인들은 철도와 철도 경영을 비판하면서 인쇄물과 행동으로 노동과 여행의 이러한 조건들에 항의했다. 19세기 후반과 20세기 초에 많은 수가 선로를 따라 있는 마을에 살고 있던 전·현직 철도 노동자들이 게릴라 반란의 형태로 열차 난파 행위에 가담했다. 데이비드 아놀드David Arnold는 사보타주를 하는 사람들이 어떻게 철로와 판을 치웠는지, 또는 장애물을 선로 위에 올려놓았는지를 묘사한다.[43]

인도 승객들은 차별을 받았고 적절한 위생 시설 없이 격리된 낮은 등급의 객차를 타고 이동해야 했다.[44] 모한다스 간디Mohandas Gandhi는 3등석으로 인도 전역을 여행함으로써 3등석 승객의 조건을 국제적인 공개조사 대상으로 삼았다. 다른 사람들은 덜 평화적인 반응을 보였다. 철도에 대한 대중의 적대감과 3등석 승객에 대한 대우는 1920년대에 이르러 극에 달했고, 1921년 철도는 기물 파손, 약탈, 돌팔매질, 탈선 등이 난무하여 유럽인들을 공격하는 장소가 되었다.[45]

철도에 반대하는 평화롭고 폭력적인 시위들은 정치 지도자들이 인종에 기반한 식민 제도 차별에 반대하는 노동 지도자들과 함께 빈약한 공동의 명분을 형성하면서 신흥 민족주의운동을 구성하는 데 도움을 주었다. 아이러니하게도 반영국 정서는 영국이 해방의 수단으로 기념했던 바로 그 실체인 기차에서 가장 심오한 상징을 발견했다. 간디의 열차 반대 운동과 같은 비폭력운동이 민족주의운동 발전의 일부로서 그들의 역할에 대해 더욱 학문적이고 대중적인 관심을 받았지만, 폭력 행위 또한 그러한 집단을 형성했다. "확실한 정치적 목적을 가진 인도 최초의 조직적 테러리스트 단체"[46]인 마니크탈라 비밀결사협회the Maniktala Secret Society 같은 급진적 민족주의운동은 기차 탈선을 꾀했다. 1907년 암살 시도에서 실패한 앤드류 프레이저Sir Andrew Fraser 벵골 부총독을 태운 열차 밑에 지뢰를 설치한 지도자 바린 고쉬Barin Ghosh, Barindrakumar Ghosh는 "젊고 경험이 부족한 몽상가들로 구성된 작은 무리"라고 회상한다. 또 다른 단체의 일환으로, 10대 자살 폭탄범 프리틸라타 와데다르Pritilata Waddedar는 1932년 9월 24일 영국의 통치에 대항하는 공격으로 항구도시 차타그램의 파하르탈리 철도 장교 클럽을 폭파하고, 붙잡히려 할 때 청산가리 알약을 삼켰다.[47]

바린 고쉬와 같은 정치적 동정의 반대편에서 저술한 영국 소설가 존 마스터스는 1954년 소설《보와니 교차로Bhowani Junction》의 줄거리를 민족주의 동조자들에 의한 철도 파괴의 유령으로 생동감 있게 표현했다. 마스터스의 소설과 그렉 쿠커Greg Cukor가 감독한 1956년 영화 버전은 이러한 공격과 관련하여 앵글로인도 사회의 곤란한 입장을 강조한다. 이 책의 서론에서 주장했듯이, 앵글로인도 공동체는 철도 그 자체와 거의 동의어였다. 많은 영국계 인도인들이 기차 근처에 살면서 기차에서 일했기 때문이 아니라, 그러한 관행을 통해 뚜렷한 정체성을 발전시켰기 때문이다. 그들은 철도의 구조를 통해 인도에서 그들만의 공간을 개척했다. 마스터스의 작품에 나오는 캐릭터인 빅토리아는 점점 더 자신을 인도인으로 인식하게 되면서 민족주의운동에 동정을 느끼지만, 기관사인 아버지가 탈선으로 잠재적으로 부상을 입을 수 있기 때문에 철도에 반대하는 과격한 입장을 취하는 것은 가족의 생계를 해치는 것이 될 수 있다.

후기식민주의적 테러

인도라는 국가가 폭력으로 위조됨에 따라 근대성은 건설적이고 파괴적인 무엇으로 분명하게 표현되었다. 이러한 내부 모순은 국제적 맥락에서 근대성에 기인한 광범위한 파괴의 일부로 기차 이미지에 나타났다. 20세기에 이르러 두 차례의 세계대전 이후, 공포를 집단적 전 지구적 문제로 보는 새로운 주체성을 나타내는 공포가 국제적 문화이식을 짓누르게 되었다. 테러는 국내와 국제 무대를 특징 짓는 근대적 상황의 일부인 것처럼 보였다. 토드 프레스너Todd Presner 는 나치 강제수용소로 향하는 수감자들의 모습이 근대 철도 의식을 "해방적 희망과 파괴적인 한 시대의 악몽을 모두 상징하는 구체적 이고 과도기적인 공간"으로 괴롭혔다고 쓴다.[48]

비록 인도인들이 국내외에서 두 차례의 세계대전의 영향을 받았 음에도 불구하고, 근대성의 악몽은 1947년 영국 식민지가 동·서파 키스탄과 인도로 분할되기 직전과 직후에 물리적 형태를 갖추었다. 독립 이후 기차와 관련된 폭력은 끔찍한 방식으로 테러를 통해 새 로운 국가를 정의하는 데 도움을 주었다. 분할 기간 동안 이동 중으 로 추정되는 1,500만 명 중 일부를 태운 난민열차는 종파 간 폭력의 현장이 되었다. 난민들은 열차가 국경을 넘는 위험한 여정을 이상 적으로 보장하는 세속적이고 국가가 승인한 공간을 제공했기 때문 에 열차에서 안전을 추구했다. "힌두 열차"나 "이슬람 열차"로 표기 된 열차가 적을 형상화한 대상이 되면서, 열차는 이 약속을 이행하 기보다 테러의 상징적 표적이 되었다. 힌두교도들은 열차가 무슬림 지역을 통과할 때 강간, 고문, 대량 살인의 희생자가 되었고, 힌두교 지역에서는 그 반대가 되었다. 가해자들은 다른 커뮤니티에 보복의 메시지를 보내고 있었다.

새로운 국가가 폭력적 수단으로 정의되면서 분할 문화 변화의 공 포를 읽을 수 있다. 인도는 힌두교로, 파키스탄은 무슬림으로 정의 되었다. 분할 중 발생한 폭력 사태로 사람들은 지역, 계급 또는 카스트의 정체성으로 대체되었을 수도 있는 공동 및 국가 선거구로 이동하게 되었다. 이러한 방식으로 분할 시대의 공포에는 "실제 및 가능성에 대한 집단의 인식을 확립하는 역동적이지만 상대적으로 안정적인 암시적 매개변수 집합"이 새겨져 있다.[49] 그러나 테러는 단순히 사람들을 하나로 묶지 않는다. 그 현상은 근대성을 안정시키는 집단 정체성의 움직일 수 없는 경계에 이미 존재하는 갈등을 열었다. 예를 들어, 분할 기간 동안 종파 간 폭력이 국가적으로 상상된 커뮤니티의 버전을 확보했을 수 있지만, 집단 내 균열도 심화되었다.

철도는 이동성을 달성하는 수단을 제공했기 때문에 진보의 두드러진 이미지였다. 그것은 상상 속의 공동체를 하나로 묶는 사람과 상품의 순환을 촉진함으로써 국가를 하나로 모았고, 심지어 존재시켰다. 그러나 유럽에서 유래한 철도는 도시 곳곳에 구멍을 내고 시골을 환경적으로나 사회적으로 파괴적인 방식으로 변화시키면서 파괴를 상징하기도 했다. 20세기에 유럽 철도는 파시스트 민족주의를 강화하고 대량 추방을 가능하게 하는 방법이 되었다.[50] 이런 식으로 철도는 근대성 내부의 깊은 양면성을 나타내었다.

기괴한 이미지는 유럽의 맥락에서 파괴적이고 진보적인 산업 근대성에 대한 경쟁하는 사회적 개념을 중재하는 방법으로 사용되었다.[51] 분할문학은 특히 찰스 디킨스의 〈신호수The Signalman〉 같은 작품에 등장하는 유령 열차의 이미지를 사로잡아, 이안 카터Ian Carter가 영국의 철도와 문화에 관한 책에서 주장했듯이, 새로운 기술에 대한 공포를 오래된 초자연적 공포와 연결시켰다.[52] 남아시아의 맥락에서 작가들은 이 기이한 기차의 이미지를 재창조했다. 이 기차는 민족성으로 재현되고 자와할랄 네루와 같은 민족주의 지도자들의 기술적 열망으로 상징화된 근대성 개념을 뒤집는 방법을 제시했기 때문이다. 유령 열차는 사다트 하산 만토의 우르두어 소품문과 쿠쉬완트 싱의《파키스탄행 열차》같은 20세기 중반 남아시아 문학작품에 등장했고, 21세기 초 디파 메타의 영화 〈대지〉와 아닐 샤르마Anil Sharma의 힌디어 영화 〈가다르Gadar〉 같은 작품에도 계속 등장했다. 유럽에서 열차의 재현을 영원히 바꾼 나치 독일의 죽음의 열차 이미지처럼 분할 열차가 남긴 폭력의 유산은 너무나 강력해서 시체로 가득 찬 침묵하는 열차의 이미지는 분명 현대 남아시아의 기차의 이미지다. 특히 열차 안이나 열차 주변에서 집단폭력을 묘사할 때 더욱 그러하다.

분할 폭력의 망령은 2002년 사바르마티 급행열차 화재에 이어 현재는 파키스탄이 된 곳에서 온 많은 분할 난민들을 포함한 힌두교도와 이슬람교도의 수가 거의 구자라트 마을인 고드라 인근에서 발생한 끔찍한 사건을 촉발시키는 데 영향을 주었다. 그해 2월 27일, 기차는 1992년 16세기 이슬람 사원이 불에 타 인도 전역에서 폭동을 일으킨 아요디야에서 열린 한 모임이 끝나고 돌아오는 힌두교 운동가들을 태우고 있었다. 이로 인해 인도 전역에서 폭동이 일어났다. 초기 소문과 보도에 따르면, 폭력적인 이슬람 군중은 승객들이 불길을 빠져나가지 못하도록 고드라역 근처에 화염병을 던지고 객차 문을 잠갔다고 한다. 그러나 이후의 정부 조사 결과, 화재는 조리용 스토브 때문에 일어난 단순 사고로 추정되었다. 화재의 원인은 여전히 정치적인 논쟁거리다.[53] 열차에서 탈출하려다 최소 59명이 불에 타 숨졌다. 구자라트 전역의 폭도들은 폭력으로 대응했고, 이로 인해 약 1천 명(대부분 무슬림)이 사망했다. 새로운 국가 및 지역 정체성이 확실히 개입되었고, 구자라트에서의 바라티야 자나타당Bharatiya Janata Party(BJP)의 부상과 거의 절반에 가까운 이슬람교도로 구성된 마을의 불확실한 위상 같은 지역적이고 현대적인 사건과 적대감을 연관시킬 수 있을 것이다. 그러나 틀림없이 죽음의 열차의 이미지는 폭동을 부채질하는 강력한 공동체 정서와 유령 같은 폭력을 연상시켰을 것이다.

또 다른 폭탄 사고가 이 과거의 유령들을 불러일으켰다. 2007년 2월 19일, 폭탄테러범들은 인도와 파키스탄을 연결하는 유일한 열차인 삼조타Samjhauta(우정을 뜻함) 급행열차를 공격하여 68명의 사망자를 냈다. 많은 관측자들은 이 폭력 사태를 예정된 평화회담이 진행되는 가운데 양국 간의 미미한 고리를 끊으려는 상징적인 사건으로 보았다. 유력 일간지 《힌두》는 삼조타 폭탄테러를 분할 기간 동안의 학살과 연관시켰으며,[54] 많은 이들에게 파키스탄으로 가는 기차 안에서 일어난 죽음은 집단의식에 연관된 기억을 떠올리게 했을 것이다.

분할은 공동 정체성에 관한 것뿐만 아니라 주권 영토에 관한 것이었다. 식민지 이후 기간 동안 열차 테러리즘은 특정 조건에 따라 국가를 통합하는 "큰 소리의"[55] 메시지를 계속해서 보냈으며, 민족과 지리적 경계는 물론 공동 정체성도 표시했다. 1996년 12월 31일 아삼주 북동부의 열차 선로 아래에서 두 개의 폭탄이 터지면서 수십 명의 여행객이 사망하자, 분리주의 단체인 보돌랜드 해방 호랑이 부대BLTF: Bodoland Liberation Tigers Force가 자신들의 소행이라고 주장했다. BLTF의 성명에 따르면, 그들은 철도를 공격해 "동북과 국가의 다른 지역의 연결 고리를 끊어야 한다고" 느꼈다.[56] 국경 분쟁을 벌이는 단체들의 폭탄테러는 인도 역사에 가장 흔한 것이며, BLTF의 언어를 통해 철도가 국토를 재정립하려는 단체들에게 문자 그대로의 목표와 은유적인 목표를 모두 제시한다는 것을 알 수 있다. 테러는 폭력 행위에 대한 대응으로 지역사회를 통합함으로써 작동하기 때문에, 폭탄테러는 국가의식을 확고히 하고 그 단층선을 드러낸다.

전 지구적 테러

남아시아의 철도 테러는 상상의 국가 공동체를 만들지만, 집단 정체성의 일부인 전 지구적인 청중도 가지고 있다. 《이름 뒤에 숨은 사랑》의 핵심 모티프를 이루는 사고는 이름 없는 테러리스트들의 소행일 가능성이 있다. 요점은 라히리의 소설에 나오는 작은 것으로, 대부분 벵골계 디아스포라의 정체성에 관한 것이지만, 상대적으로 사소한 서사적 위치에서도 테러는 일관성 있는 국가 비전, 즉 그리움이 대상으로서 이민자 캐릭터에 금이 가게 한다. 라히리 서사의 여백에는 남아시아에 사는 보이지 않는 인물들이 보인다. 그들은 강제이동이 아닌 인도 국가 주권을 통해 자아를 상실할 수도 있다. 이 행위자들은 나라 상징의 빗장을 풀고 밤 기차에서 책을 읽는 평범한 인도 소년의 삶을 탈선시킨다. 남아시아의 디아스포라와 철도 테러와의 밀접한 연관성은 라히리의 소설 같은 디아스포라 소설뿐만 아니라 언론에서도 덜 미묘한 방식으로 나타난다. 예를 들어, 한 영국 신문은 최근 고드라에서 발생한 사건과 뒤이은 폭력 사태를 언급하면서 남아시아보다는 앵글로인도 무슬림들의 반응을 강조하는 다음과 같은 헤드라인을 실었다. "영국의 인도 무슬림들은 인도 최고법원의 폭동 판결을 환영한다."[57]

테러에 대한 전 세계적인 비전이 2세기 이상된 기술에 수렴된 것은 놀랄 만한 일이지만, 국가 상징은 세계화로 해체되지 않았다. 오히려 이러한 상징들은 새로운 경제의 기표로서 새로운 의미와 중요성을 얻었다. 이는 때로 정체성을 구현하는 전체로서의 국가가 아니라 도시가 되기도 한다. 예를 들면, 도쿄, 마드리드, 런던, 뉴욕, 뭄바이를 들 수 있다. 특히 도시 통근열차는 세계화 세계의 일부인 근대적 정체성의 한 종류를 나타내게 되었다. 뭄바이의 정체성에서 통근 노선이 차지하는 중심성은 2006년 뭄바이 폭탄테러의 중요성에 무게를 두고 있다. 그해 7월 11일, 저녁 러시아워에 인도 여러 역에서 불과 10분 사이에 8개의 폭탄이 폭발해 거의 200명이 사망하고 700명 이상이 다쳤다.[58] 교외 신문의 편집자인 무잠 칸Mouzzam Khan은 이 절단된 노선을 "봄베이 순환 시스템의 주요 동맥"[59]이라고 표현했다. 서부선은 60킬로미터의 거리를 따라 260만 명을 태우는 인도에서 가장 붐비는 열차다.[60] 폭탄테러는 파키스탄에 본부를 둔 카슈미르 단체인 라슈카르에토이바Lashkar-e-Toiba와 인도 학생 이슬람 운동의 소행으로 추정된다.[61] 비록 두 단체 모두 각자의 정부에서 공식 금지 조치를 당했지만, 다시 한 번 집단문화 의식은 폭력 사태를 두 나라 사이의 역사적 적대감과 연결시켰다. 그러나 이번에는 열차 내 폭력은 자본 중심의 지리적 네트워크로 연결된 테러의 글로벌 서사 내부에서도 자리를 잡았다.

도시는 세계화 장소이기 때문에, 수케투 메타가 말하는 통근열차라는 "훌륭한 사회적 실험실"[62]이라 부르는 것에서 종합된 사회적 관계는 동시에 지역적이면서 세계적이다. 따라서 뭄바이 통근열차에 대한 폭력은 도시, 국가, 나라 간(인도/파키스탄), 전 세계 등 여러 공간적 기록에서 중요한 것이었다. 전자폭탄은 모두 힌두교도와 이슬람교도를 포함한, 주식 중개인과 다이아몬드 거래상을 태운 1등석 객차에 설치되었다. 1등석 객차의 요금은 훨씬 더 붐비는 3등석 객차에 비해 10배나 비싸다. 캐나다의《글로브 앤 메일Globe and Mail》의 더그 손더스Doug Saunders 기자는 다음과 같이 말한다. "이들은 생김새와는 다르게 이 땅의 비참한 존재가 아니다. 뭄바이 서부선을 타는 사람들은 세계의 승자들 중 한 명이다."[63] 특정 계급을 타깃으로 한 것은 프리틸라타 와데다르가 분리되어 있는 차타그램 철도클럽에 걸어들어가 폭파시켰던 때를 떠오르게 했다. 일부 현대의 관찰자들은 뭄바이 폭탄테러가 세계화의 핵심 현장이 되면서 도시의 성격이 변화하는 것에 반감을 가진 사람들 탓으로 돌렸다. 손더스는 다음과 같이 말한다.

　　화요일에 폭탄을 터뜨린 것이 누구였든지, 그들은 정확히 무엇을 공격하는지 알고 있었다. 외국 원조를 받는 것에서 원조 기부자로 성장한 인도의 엄청난 경제 및 사회 성장은 상당 부분 서부선을 따라 등장한 거대한 중산층에 의해 주도되고 있다. 이는 봄베이를 유명하게 만든 오래된 직물산업에서 새로운 뭄바이의 정보화 경제로 옮겨 간 중산층이다. … 그것은 인도 경제기적의 심장부에 대한 아주 정확한 타격이었다.[64]

　　금융 수도를 향한 상징적인 목표는 9/11의 세계무역센터 타워와 유럽에서 가장 발전된 철도 시스템 중 하나인 마드리드의 폭탄테러와 같은 다른 목표들을 상기시킨다.

　　이제, 산업혁명의 기원에도 불구하고, 열차는 전 세계 관객에게 다가가는 수단이 되었다. 테러는 근대의 공통된 아이콘을 통해 전 세계 청중을 구성하지만, 경험은 내부에서 근대성에 도전한다. 보드리야르는 9/11 테러범들에 대한 글에서 "그들은 그들의 목표를 바꾸지 않고 근대성과 세계주의의 모든 것을 동화시켰는데, 그 목표는 그 힘을 파괴하는 것"[65]이라고 말한다. 급진적인 문화운동과 관련된 많은 폭탄 사건처럼, 뭄바이 사건에서 피소된 폭파범들은 아이러니하게도 희생자들과 같은 직업 계급 출신이었다. 기소 대상에는 엔지니어, 기자, 컴퓨터 소프트웨어 전문가, 의사 등이 포함되었다.[66]

뭄바이 서부선에서 살인자와 살해된 자의 차이는 초기 폭력적 만남에서 그랬던 것처럼 계급, 인종, 공동 정체성에만 있는 것이 아니라, 그들을 운반하는 수단으로 나타나는 근대성의 더 큰 구조에 대한 충성도 차이에 있었다.

2008년 힌디어 영화 〈뭄바이, 내 사랑〉은 2년 전에 일어난 뭄바이 폭탄테러에 대해 이야기했다. 니시칸트 카마트 감독의 작품은 도시를 변화시키고 테러리즘에 대해 이미 예민해진 서구 세계의 관심을 끈 이러한 사건들에 대한 최초의 널리 퍼진 허구적 재현이었다. 이 영화는 봄베이(뭄바이의 원래 명칭)에 대한 동명의 옛 노래에서 '뭄바이, 내 사랑Mumbai, my darling'이라는 뜻의 이름을 따왔으며, 이 영화와 노래 모두 도시에 보내는 일종의 러브레터로 보일 수 있다. 살만 루슈디의 《한밤의 아이들》과 수케투 메타의 《최대 도시Maximum City》와 같은 작품에서 뭄바이(또는 봄베이, 루슈디에게 남은 것처럼)는 세계시민적 인도이자 부패한 인도를 상징한다. 그것은 또한 카마트의 영화에서도 나타나는데, 영화에서는 폭격을 도시 논의와 인도의 세계화 자아의 본질에 대한 논의를 강제로 여는 방법으로 사용한다.

카마트의 새로운 뭄바이에 대한 견해는 긍정적이지 않다. 루슈디의 "상상의 고향"[67]에 대한 향수나 안타까운 사랑이 아닌 거친 사랑이다. 뭄바이는 부서의 부패에 맞서 투쟁하는 소외된 경찰관이 다음과 같은 말을 하는 도시다. "모든 사람들은 그가 해야 할 것과 반대되는 행동을 한다." 이 도시는 경찰관이 소녀를 강간한 혐의가 밝혀진 도시이며, 경찰관들은 폭탄테러 이후 통행금지 기간에도 영업하는 일부 업소에서 뇌물을 받는다. 정부 병원들은 부상자들을 돌볼 시설이 제대로 갖춰져 있지 않고, 비닐봉지 사용 금지와 같은 정치개혁은 하층민들의 위급 상황과는 동떨어져 있다.

〈뭄바이, 내 사랑〉은 새로운 세계화 도시와 국가의 경제적 · 문화적 측면과 정치적 부패를 고발한다. 초강대국이 되려는 인도의 열망은 눈에 띄는 소비와 과도한 여가의 빈 껍데기로 드러났으며, 이는 자신의 고급 승용차를 홧김에 몰고 다니며 블랙베리 핸드폰을 밟고 달리는 버릇없는 젊은이로 대표된다. 폭탄테러 이전에도 도시를 에워싸고 있는 것으로 보이는 테러, 즉 공동체주의와 연계된 테러는 이 새로운 자아 중 최악의 상황을 불러왔다. 뭄바이는 힌두 청년 수레쉬에 의해 재현되는 공동의 긴장이 지속적으로 고조되는 곳으로 그려지는데, 수레쉬에게 폭탄테러는 초기의 증오심을 나치즘과의 막연한 친연성으로 부채질하고, 그는 그의 찻집에 있는 무슬림 청년이 테러리스트라는 강박적인 믿음으로 가득 차 있다. 미디어는 그러한 증오에서 나오는 폭력을 먹이로 삼는다. 이 영화에서, 폭탄테러에 대한 실제 보도가 그랬듯, 타블로이드판 뉴스는 사망자와 부상자의 광경을 연출하고, 설득력 있는 저널리즘 앵글을 찾고자 비통한 사람들을 침범함으로써 사람들의 고통을 이용한다. 특집 채널의 아이러니한 슬로건이 말해 주듯, 이것은 "네가 듣고 싶은 진실"이다.

이러한 뭄바이 세계화의 비전은 인도의 독립과 발전에 대한 열망을 배경으로 제시된다. 기차의 이미지는 이 연결을 필름에 봉합한다. 네루의 국가 독립에 대한 유명한 연설과 함께 첫 번째 총성이 어

둠 속에서 시작된다. 총리가 "자정이 되면 세계가 잠드는 동안 인도
는 자유의 빛으로 깨어날 것"이라고 진지한 어조로 말하자, 펄럭이
는 깃발이 점점 빛을 발한다. 비록 이 영화의 제목은 뭄바이에서 따
왔지만, 이 영화는 분명히 민족국가 인도에 대한 작품이다. 이러한
연결은 오프닝 크레디트 동안 순차적으로 강화되며, 여기서 산업과
인프라를 통한 발전 과정을 보여 준다. 기념물, 중앙도서관, 자동차,
전차, 기차, 증기선, 비행기, 산업화이다. 컬러 화면에 자리를 내주
는 흑백 장면은 뭄바이의 역사도 보여 준다. 이 도시는 뭄바이의 다
양한 정치적·종교적·문화적 과거 장면들을 통해 인도의 다양성
을 종합한 도시다. 대부분의 장면은 기차역을 담고 있으며, 뭄바이
가 인도 전체를 대변하는 부분이라면, 과거 빅토리아 터미널이었던
차트라파티 시바지 터미널은 식민지 인도가 국가 상징으로 재탄생
했다는 환유가 된다.

도시와 국가의 발전을 재현하는 오프닝 장면들이 폭파 장면에서
시각적으로 상기된다. 폭발은 마치 방관자의 시각에서처럼 지상에
정지된 카메라가 빠르게 움직이는 열차를 바라보며 촬영한 것이다.
폭탄이 터지기 전부터 마치 위험에 빠진 것처럼 비명을 지르며 앞으
로 질주하는 열차의 기계적인 측면에 초점이 맞춰져 보는 이들을 불
안하게 한다. 폭탄이 터지는 순간, 영화는 카메라를 멈춘 채 일련이
흑백 영상을 멈추고 사운드트랙은 움직이는 기차 소리를 간헐적으
로 멈춘다. 6시 23분에 정지된 철도 시계, 나무에서 떠나는 새떼, 선
로를 따라 질주하는 기차 사진들은 폭발을 흑백으로 표현된 초기 국

가 및 도시 발전 역사와 관련시키는 오프닝 이미지와 시각적으로 연결된다. 사진들은 또한 생생한 현장을 아카이브로 전환하기 시작하는데, 이것이 바로 뉴스 매체를 통해 테러가 전파되는 방식이다. 이런 식으로 영화는 폭탄테러 현장과 그 해석을 연결한다.

영화적 재현은 네 가지 방식으로 발전에 대한 주요한 비유인 움직임에 도전한다. 첫째, 사진으로 열차의 이동이 시각적으로 중단된다. 둘째, 기계의 리듬감 있는 소음이 정적으로 차단된다. 이 두 가지 방법으로 영화에서의 이동(변경되는 그림을 나타내는 프레임의 좌우 움직임)은 하나의 정적 이미지에 고정된다. 셋째, 움직이는 부품이 보이지 않는 시계의 확장된 이미지는 진보 개념에 도전한다. 시계와 시간성은 여행의 시간 속으로 공간이 무너지고, 시간표 구조를 통해 보편적인 시간을 정립하고, 장소 간의 동시성의 비전을 촉진하고, 시간적 진행 개념을 구체화하는 것으로 여겨졌던 철도와 결부되어 왔다. 〈뭄바이, 내 사랑〉에서는 시간 자체가 폭탄테러로 정지된 것처럼 보인다. "인간 시간이 아닌 '기계 시간'에 발생하는"[68] 사고와 마찬가지로 철도 폭탄테러는 인간으로부터 행위자성을 제거하여 기계에 할당하는 것으로 보인다. 물론 이것은 진보의 약속을 나타내는 바로 그 기계다. 마지막으로, 영화는 보행자와 교통이 2분 동안 멈춰 버린 폭탄테러에 대한 실제 추모비를 비춘다. 비자얀티 라오Vyjayanthi Rao가 "블랙 프라이데이"로 알려진 이날에 대해 쓴 에세이에서 주장하는 것처럼, 이 기념식은 폭탄 자체가 도시의 순환을 방해하는 방식을 복제했다.[69] 이러한 정지의 이미지를 통해 영화는 움직임의 패러다임에 도전함으로써 근대성을 개척한다.

　객차 자체가 파괴되면서 근대성은 상징적으로 전복되고, 영화는 사고의 이미지(국내 및 국제 신문의 사진을 통해 전 세계 관객들에게 친숙한 이미지)를 근대성의 틀이 어떻게 갈기갈기 찢어져 왔는지를 표현하는 데에 사용한다. 미셸 드 세르토는 열차 객차의 무결성을 설명하는데, 그 안에서 내부와 외부의 이항이 "질서, 즉 폐쇄적이고 자율적인 배타성의 생산을 가능하게 하는 수감 모듈인 판옵틱과 분류 권력의 배타적 거품"에서 유지된다. 그 배타성은 공간을 가로지르며 지역적 뿌리에서 독립적이게 만드는 것이다.[70] 〈뭄바이, 내 사랑〉에서는 한 잔해의 장면이 연장되어 열차 객차의 측면과 지붕을 통해 뚫린 거대한 구멍을 통해 촬영된 쇼트를 프레임에 담았다. 우리가 부상자들의 피비린내 나는 광경에 초점을 맞추고 생존자들의 외침 소리를 들을 때, 그 쇼트는 열차의 파편화된 전체를 통해 고통을 시각적으로 구조화한다. 이 장면은 스쿠터나 기차와 같은 기술적 대상을 통해 상징적으로 경험되는 공포문화로 사회구조가 어떻게 찢어지는지를 보여 주는 영화의 주요 플롯에 대한 시각적 대응이다. 테러를 통해 나타나는 근대 민족주의는 집단폭력을 낳는 것으로 확실히 부정적으로 보이며, 점점 더 파시스트 경향이 있는 힌두교 남성에 대한 스토리 라인 중 하나를 통해 지적된다. 커피 왈라(직업을 가리키는 힌디어 용어)가 폭탄테러를 둘러싼 집단 히스테리를 부자들의 쇼핑몰을 텅 비게 하는 거짓 경고로 조작하기 때문에, 테러는 억압받는 자의 도구로 칭송되기도 한다. 〈뭄바이, 내 사랑〉에서 점점 더 친숙해지는 글로벌 도상학의 일부인 이 테러는 또한 국가 공동체 내에서 권력의 급진적인 구조조정을 가능하게 한다.

묶바이의 중앙 기차역은 가장 최근에 일어난 실제 테러 현장을 보여 준다. 2008년 11월 차트라파티 시바지 종점에서 무장 괴한들이 무차별 총격을 가해 그 장소에서만 58명이 사망했다. 미국에서 일어난 9/11 테러처럼, 오베로이 · 타지 · 카페 레오폴드 같은 테러 공격의 표적은 서구의 영향력과 서구 관광객의 존재뿐 아니라 새로운 묶바이에서 형성된 인도의 부를 상징적으로 보여 준다. 폭력의 장소는 한때 인도를 식민 통치한 빅토리아 여왕의 이름이 붙은, 지금은 힌두 민족주의 정당인 시브 세나Shiv Sena가 격상시킨 마하라시트라 지도자를 추모하는 장소로, 상징적으로 과도하게 의미가 부여된 곳이다. 차트라파티 시바지역은 "시끄러운 메시지"를 보낼 공적 공간을 제공했다. 철도 교통과 도시 교통을 연결하는 일종의 공간적 관문으로서, 이 기차역은 근대성을 약속하는 일종의 합리적인 질서를 나타낸다.[71] 이 공격에서 나온 세 개의 이미지가 언론에 유포되었다. 일련의 사진들은 빅토리아 고딕 복고 건축물 아래에서 공격용 소총을 들고 어슬렁거리고 있는 젊은 아즈말 아미르 카삽을 보여 준다. 세바스천 디수자가 촬영한 사진들은 무장 괴한이 기차역의 다공성 공간을 지나 승강장과 기차 안팎을 어떻게 지나갔는지를 기록했다. 영상과 구두 증언으로 제시된 또 다른 재현은 역 아나운서가 침착하게 승객들을 안전한 곳으로 안내했다는 것을 상기시킨다.[72] 이러한 시각적 · 언어적 이미지는 질서의 장소로서 기차역의 개념을 불안정하게 만들고 다시 회복시킨다. 죽은 사람들의 시신이 흩어져 있는 여행 지역을 담은 세 번째 이미지는 이동의 장소로서 역이 지닌 전제를 훼손하고, 그 자리에 불안할 정도로 정적인 공간을 보여 준다.

테러는 식민지, 국가, 도시, 또는 세계 대중과 같은 다양한 구성 요소를 포함하면서 해당 공동체의 의미를 변화시키고 주권에 도전한다. 그렇게 함으로써 현상은 불안정한 방식으로 근대성을 정의한다. 살인, 자살, 사고, 폭격 등으로 일어나는 갑작스러운 중단은 발전 서사와 동시에 생산되는 파괴에 대한 문화적 선입견을 보여 준다. 열차에 대한 테러 이미지가 철도의 문화적 은유를 근대적 공포의 표상으로 바꾸었듯이, 열차의 문화적 은유는 테러를 구성하는 역할을 해 왔다. 다음 절에서는 기차를 텍스트적 상징이자 능동적으로 구성된 사회적 공간으로 읽으면서, 특히 왜 기차가 테러의 중심지가 되는지를 고찰한다.

이동하는 근대성

왜 기차, 특히 인도의 기차는 테러의 상징적 측면의 매개체로서 이러한 역할을 하는 것일까? 두 가지 가능한 이유는 철도 공간의 독특한 구조에 있다. 첫째, 기차의 공간은 사적인 것과 공적인 것 사이에 독특한 관계를 유발한다. 기차 공간에서 일상은 공적 공간의 이데올로기와 만난다. 비록 기차는 국가나 국가를 재현하지만, 또한 사람이 사는 공간이다. 테러리즘은 공적 공간에서 사적인 것의 구성적 존재를 드러낸다. 두 번째 이유는 철도 공간의 다공성 때문이다. 자유의 가능성을 의미하는 동일한 개방성은 또한 파괴의 가능성을 나타낸다.

데이비드 하비David Harvey는 공적 공간을 공적인 것과 사적인 것의 경계가 다공성인 경쟁적인 공간으로 묘사한다.[73] 삼조타 급행열차 폭파 당시, 기차는 인도와 파키스탄 사이의 잠재적으로 개선된 관계의 새로운 시대를 상징하는 랜드마크 연결점이었지만, 열차에 자주 탑승하는 승객들은 대개 정치적이라기보다는 개인적인 이유로 이 열차를 탔다. 저명한 신문《힌두Hindu》는 2004년에 개통한 이후 인도-파키스탄 철도 서비스를 이용해 온 100만 명 이상의 승객들을 "인도-파키스탄 국경으로 분할된 가정의 주요 빈곤층과 중산층 이슬람교도뿐 아니라 파키스탄과 인도 힌두교도, 시크교 순례자 단체, 그리고 두 나라의 종종 터무니없는 무역규제로 이익을 얻는 다양한 시간제 암거래상과 무역상들"[74]로 묘사했다. 테러리스트들은 평화로운 이동의 꿈을 공유했던 양국 사람들을 공격했다. 뭄바이 폭탄 테러로 죽거나 다친 통근자들은 폭발이 그들의 격리되어 보이는 삶을 훨씬 더 넓은 문화적 지리와 연결하는 선을 드러냈을 때 그저 일상 업무를 하고 있었다. 알렉스 호언Alex Houen이 주장하듯이, 테러의 가장 무서운 측면 중 하나는 그 일상적인 성격, 즉 "일상성의 안전을 교란하는 능력"[75]이다. 테러는 철도 공간의 모순적 성격을 정의하는 공적 의미와 사적 생활의 관계를 폭로한다. 살인, 자살, 학살, 사고의 모든 혼란스러운 이미지 이후에 나오는 기차 테러의 마지막 이미지는 천진하게 조간신문을 읽고 있는 통근자 옆에 앉아 있는 버려진 여행 가방이다.

투과성과 모빌리티를 갖춘 공간으로서 철도는 공동체를 육성하는 데 도움이 되더라도 공동체에 도전과 변화를 가능하게 한다. 아마도 이런 이유로 기차가 테러의 물질적 표현 공간을 만드는 것 같다. 여기서 "실제와 가능성에 대한 집단의 감각을 확립하고 느슨하지만 확실한 집단 정체성에 대한 명확한 감각을 만들어 내는 역동적이지만 비교적 안정적이고 암시적인 일련의 매개변수"[76]가 다시 만들어진다. 때때로 천천히 움직이고, 정기적으로 정차하며, 많은 입구와 출구가 있는 열차는 비행 중에 밀폐된 비행기보다 더 투과성이 높다. 인도에서는 사람들이 기차가 움직이는 동안에도 기차에 오르내린다. 요금을 지불하는 승객과 무임승차자들 모두 느리게 움직이는 기차에 오르내린다. 혼잡한 통근 노선의 승객들은 탑승할 때 열차 외부에 매달린다. 인도 철도의 재현은 이러한 개방성을 문화적 특징으로 규정한다. 살만 루슈디는 예약을 하지 않았거나 표가 없는 승객들이 지정된 공간으로 유입되는 모습을 묘사하며, 이들을 통제하기 어려운 물리적 힘이라고 표현한다.

그리고 항상, 이 이야기의 모든 기차에는, 이런 목소리들과 주먹들이 탕탕 치고 애원하는 소리가 있었다. 봄베이행 국경 우편과 그해의 모든 급행열차에서. 그리고 마침내 내가 밖에서 필사적으로 매달리며 구걸하기 전까지 그것은 항상 무서웠다. "이보시오, 마하라지! 들어가게 해 주세요, 나으리."[77]

열차로 재현되는 투과성의 공간 내에서, 위치는 바뀔 수 있고 운명도 궁극적으로 움직일 수 있다. 투과성 공간은 승객이 통과하는 입구나 역뿐만 아니라 철로에 개방된 승강장에서 훨씬 더 뚜렷하게 나타난다.

철도 관계자들은 항상 절차와 공간적 경계를 통해 열차의 다공성 특성을 조절하려고 노력해 왔다. 1860년대의 식민 관리들은 승강장에서 벌일 파괴적인 집회를 두려워하며 출입증을 도입했다. 이 출입증은 인도인의 96퍼센트가 여행하는 3등석 티켓 소지자들이 야외 승강장에서 떨어져 있거나 티켓 판매 시간이 가까워질 때까지 대기 창고에 모여 있도록 강요했다.[78] 오늘날 정부가 운영하는 인도철도 IR: Indian Railways은 칸막이 창문과 자물쇠로 잠긴 문을 포함하여 객차 입구와 출구를 통제하는 다른 조치들을 취한다. 이러한 절차들은 폭력의 끔찍한 결과에 기여했다. 2007년 삼조타 폭탄테러 이후 현장에 달려온 목격자들은 죽음의 장소에 갇힌 채 불타는 객차에서 빠져나오려고 애쓰던 아이들의 모습을 결코 잊지 못할 것이다.[79] 2006년 뭄바이 폭발 사고 이후, 연방철도부Federal Railway Ministry는 승객이 아닌 사람들의 승강장 출입을 금지하려고 했다. 폐쇄회로 텔레비전은 공간을 감시하고, 금속탐지기와 폭탄 탐지견은 승강장과 객차 모두를 순찰한다.[80]

철도는 규칙적인 질서를 명확히 하는 공간이며, 이것이 부분적으로 그것이 식민지의, 국가의, 지역의, 세계의 특정한 유권자 구성에 그 자체를 내맡기는 이유이다. 하지만 인도 철도 공간의 고유한 특성은 "합리적 유토피아"[81]라는 이상에 의존하는 지배 서사에 대한 도전을 허용했다. 미시적 질서는 이러한 공공공간의 질서를 불안정하게 하여 변경을 가능하게 한다. 인도의 철도 공간은 이동하는 사람과 떠돌아다니는 사람, 즉 사회적으로 이동하는 사람들과 갈 곳이 없는 사람들 모두를 위한 장소이다. 무질서해 보이는 역, 승강장, 객차의 개방된 공간은 사회적 실천에 기반한 일종의 조화로운 질서가 있다. 줄을 서 있는 사람들은 앞뒤 사람들이 자리를 비우면 휴식을 취한다. 빨간색 옷을 입은 짐꾼은 기차에서 자신의 운임석을 확보하려 재빨리 움직이고, 스낵 왈라는 짧은 기착을 최대한 활용하려 이 창에서 저 창으로 효율적으로 이동한다. 승객은 기차 옆에 차이차를 놓고 서성이다, 마치 시멘트 승강장이 발 밑에서 떨어지는 것처럼 부러울 정도로 정밀하게 지금 막 움직이는 기차에 다시 올라타며 뒤로 돌아서고, 여성들은 집으로 가는 길에 저녁 식사용 채소를 나른다. 심지어 기차역의 도심지를 구성하는 비이동자에게도 그 공간은 보이지 않는 하위경제와 교육의 기회를 제공한다. 교외 신문사 편집자는 뭄바이 서부선을 타고 음식, 음료, 세면도구, 장신구 등을 파는 상인들을 도시를 지탱하는 맥박이라고 묘사했다.[82] 오리사 주에는 콘크리트로 된 막다른 골목에 살면서 역에는 몇 페니를 벌려고 일하는 아이들을 위한 14개의 기차 승강장 학교가 있다.[83] 인도 철도 승강장 공간은 무궁무진하지만 나름대로의 구조가 있다.

인도인과 비인도인을 막론하고 많은 작가들과 영화감독들은 인도 철도 승강장과 그 하위경제체제의 이미지가 압도적으로 많다는 것을 발견했다. 전통적으로 기차역은 다른 세계로 가는(혹은 그로부터 오는) 관문이 된다. 그 과정에서 고유한 상상력을 발휘한다. 유럽 작가들은 전통적으로 기차와 기차역을 움직임 자체에 대한 성찰의 공간이자 다른 종류의 장소로의 전환을 제공하는 "공간적 관문"[84]으로 상상했다. 식민지 이후의 작가들은 인도 기차역들이 어떻게 그 이상에 도전하는 과잉과 무질서를 갖고 있는지를 보여 준다. 네어의 《여성 전용 객차》에서 주인공은 인도의 모든 승강장이 똑같이 생겼다고 생각한다. "쓰레기통은 쓰레기로 가득 차 있다. 담배꽁초. 구겨진 플라스틱 커피 컵. 초콜릿 포장지. 바나나 껍질. 분홍색과 초록색 비닐봉투가 선로 사이에 끼여 산들바람과 함께 부풀어 오르다 고요하게 사라졌다. 한때는 흰색이었지만 지금은 은회색이 된 말뚝이 역을 둘러싸고 있다."[85] 《한밤의 아이들》의 루슈디 같은 몇몇 작가들에게 이 혼돈은 마법의 고유한 형태가 된다.

그의 바퀴의 마지막에서 계주의 주자〔아지즈 박사〕는 경주의 다음 바퀴로 속도를 내며 접어들면서, 연기와 만화책 노점상, 그리고 공작 깃털 부채와 뜨거운 간식들의 혼란, 그리고 기차가 속도를 높여 수도로 향하면서 카트에 쪼그리고 앉아 있는 짐꾼들과 석고상 동물들의 무기력한 소란스러움에 휩싸여 서 있었다.[86]

식민지 작가들은 인도인들이 철도 공간을 일상 의식과 신체 존재로 오용하는 것을 보았다. 사람들은 루슈디의 것과 같은 재현에서 그 측면을 인도 열차의 독특한 문화적 특질로 주장하고 싶은 충동을 본다. 여기서 여행자는 무수한 공간에 합류하여 그 이동을 기차로 옮겨 놓는다.

대니 보일Danny Boyle은 2009년 오스카상을 수상한 영화 〈슬럼독 밀리어네어〉에서 두드러지게 등장하는 인도 철도를 통해 이 투과성 공간과 하위경제를 포착한다. 한 장면에서 두 어린 형제는 출발하는 기차에 올라타 열차 지붕을 누비며 불구가 될 위험을 모면한다. 그들이 기차 지붕에 있다는 사실은 유료, 즉 정해진 여행 구조에서 벗어나 있음을 의미하기 때문에 주권 의식을 강화시킨다.[87] 지붕 위에서 여행하는 소년들의 장면은 문화적 이상도 잡아낸다. 기차 지붕은 눈에 띄게 인도다우며, 유명한 힌디어 영화 〈진심으로〉에서 나오는 기차 위에서 춤추는 이주노동자들과 같은 하층민들의 지배, 〈세계를 보여줘〉(나지르 후세인 감독, 1981)와 같은 힌디어 로맨스 영화에서 보여 주는 사랑의 판타지 공간, 후스완트 싱의 〈파키스탄행 열차〉에 나오는 난민들을 위한 마지막 수단이다. 인도 곳곳을 여행하는 소년들의 경험에서, 〈슬럼독 밀리어네어〉는 여행의 파노라마 같은 광경을 통해 국가를 표현한다. 소년들은 뭄바이라는 소우주를 떠나 다른 종류의 지리를 여행하면서 자신들의 국가를 파악한다. 스리랑카계 영국 가수 M.I.A.의 신나는 음악이 소년의 포로 생활 동안 생성된 긴장감에 카타르시스를 제공하지만, 기차에 타는 경험은 또한 이러한 종류의 철도 여행의 상대적 무력감을 보여 준다. 소년들은 승객들에게 장신구를 팔고 살아남기 위해 도둑질을 하는 하위 경제에 속한다(M.I.A.의 노래에 나오는 "내 이름으로 비자를 받은"이라는 더 세계적인 화자와 국가적으로 유사한). 그들은 기차에서 떨어지지 않기 위해 깨어 있어야 하고, 잡히면 그들의 여행은 끝나야 한다.

그러나 기차가 상징하는 이동성은 소년들이 기차 밖으로 내던져도 끝나지 않는다. 왜냐하면 기차는 많은 프레임의 가장자리에서 움직이며 가난과 착취 장면을 피하기 때문이다. 〈슬럼독 밀리어네어〉에서 관객들이 보는 철도 공간은 지저분하고 혼잡하며, 문화만큼만큼이나 계급을 대변하는 일종의 투철한 현실감이 있다. 투과성이 있는 공간은 두 세계를 연결하는 궤도로서 특권과 빈곤의 공간을 드나들 수 있게 해 준다. 특히 주요 기차역은 그러한 장소를 대표한다. 주인공은 빈민가에서 나와 문이 있는 구내 밖으로 나오는 여주인공과 "VT"에서 만난다. 그는 매일 오후 5시(철도 시간)에 차트라파티 시바지역(여전히 종종 "VT" 또는 빅토리아역으로 불리는)에서 기다린다. 5장에서 논의했듯이, 철도 공간은 사람들이 잠시 사회구조에서 벗어나 불법적인 사랑이 번성할 수 있는 장소다. 영화가 전개되면서, 연인들은 앞뒤로 움직이는 기차의 승강장이라는 다공성 공간에서 만난다. 영화 〈트레인스포팅〉을 감독하기도 한 보일은 철도라는 초국가적 은유를 스코틀랜드에서 인도로 옮겨 모든 기차역을 변형의 장소로 표현한다. 하지만 그는 광대한 홀이나 장엄한 외관이 아닌, 이 유명한 식민적·국가적 아이콘인 빅토리아역의 밑바닥을 보여 줌으로써 인도적 맥락에서 그 이미지에 새로운 종류의 계급의식을 더했다. 터널이 빈민가의 삶을 관통하는 선로로 열리는 것처럼, 고딕양식의 아치가 있는 이 건물의 밑부분은 "슬럼독"의 세계로 열린다. 도일의 〈슬럼독 밀리어네어〉에서 상상의 가능성을 불러일으키는 것과 같은 다공성 때문에 2008년 11월 차트라파티 시바지역을 둘러싼 테러도 가능해졌다.

문화적 은유로서의 인도 철도

이 장은 문화적 과정으로서의 테러가 텍스트와 현실 세계 모두에서 기차의 이미지에 수렴되는 방식을 이해하고자 노력했다. 이러한 현상에 대한 논의는 이 책의 초점이 된 인도 철도의 상상력 넘치는 역사를 앞뒤로 넘나들었다. 나는 인도 기차에 대한 재현이 오늘날의 세계적 이동 공간 안에서 만나 식민지와 국가 역사로 과도하게 결정된 근대성을 형성하는지 보는 수단을 제공한다고 주장한다. 계승된 유산으로서 인도 철도의 특별한 역사는 식민지 근대성에 내재된 모순을 전면에 내세웠다. 이 책은 인도 기차를 유럽이나 미국 기차와 구분하는 본질적인 문화적 구별을 주장하지 않는다. 오히려 그것은 특정한 역사에서 나오고 역동적인 문화적·공간적 형태로 표현되는 일련의 국면들을 나열한다. 이 책은 근대성의 특징인 모빌리티가 어떻게 불안정한 방식으로 근대를 재구성했는지를 보여주고자 이 형태를 읽어 낸다.

인도의 식민지 시대 이후, 철도는 "합리적 유토피아"[88]로 이상화되었다. 인종, 계급, 종교 또는 젠더의 차이가 시민, 세속, 공적 질서 하에 융합될 수 있는 움직이는 상자였다. 1853년부터 관료, 작가, 시각 예술가들은 식민 통치의 측면을 정교화하고자 기차의 수사학을 사용했다. 그들은 기계를 "인류의 가장 신뢰할 수 있는 척도"[89]로 상정하여 산업 기술 발전의 특정 역사를 문화적 가치를 계산하는 보편적인 기준으로 삼았다. 식민 작가들과 예술가들은 식민지의 존재를 정당화하기 위해 기차의 이미지를 소환했다. 그 과정에서, 그들은 힌두교의 카스트 구조와 여성의 이동성을 규제하는 관행을 포함한 인도 문화의 측면과 맞섰다. 식민 담론은 기차 공간을 문화 개혁의 장으로 만들며, 인도인들이 철도에 접근함으로써 해방될 것이라고 주장했다.

식민지 작가들과 예술가들이 인도인을 철도 세계로 끌어들이려고 노력할 때에도, 그들은 이러한 충동과 모순되는 다른 묘사들과 이미지들을 만들어 냈다. 여행작가들은 인도인들이 종교 의식을 행함으로써 철도 공간의 세속화에 도전하고, 대가족과 함께 여행하고, 취사 기구를 나르고, 공공 수도꼭지에서 옷을 세탁함으로써 철도 공간을 가정화시킨다고 폄하했다. 이러한 재현들 이면에는 인도인이 공적 공간에 동화되기는커녕 오히려 그 공간의 본질 자체를 바꿀 것이라는 두려움이 깔려 있다. 회고록과 이미지에서 알 수 있듯, 단추를 채우지 않은 유럽인들이 인도의 열차 객차에서 "일반 사회에 약간 어울리지 않는"[90] 행동들을 했기 때문에, 인도를 여행하는 영국

남녀 캐릭터들은 겉보기에 위험에 처해 있었다.

철도를 계몽 수단으로 확립한 서사는 유럽과 인도, 또는 공적인 것과 사적인 것의 이분법을 확립했다. 그러나 이러한 동일한 서사는 또한 이 경계를 허물었다. 식민지 작가와 예술가들은 인도인들이 처음으로 기차를 미신에 바탕한 과정으로 파악하는 장면을 의식화했다. 그들의 재현에서 계몽은 논리가 아니라 숭고를 통해 작동했다. 게다가 철도 서사를 이용해 보편성의 이상을 고취시켰지만, 작가들과 예술가들은 식민 담론에 차이, 특히 문화적 차이 개념을 확보했다.

문학과 시각 텍스트는 합리적 보편주의와 문화적 특수성 사이의 모순을 중재하고자 노력했다. 러디어드 키플링과 플로라 애니 스틸 같은 작가들은 "합리적 유토피아"[91] 서사를 불안정하게 만드는 인도의 종교적·가정적·육체적 측면을 포함시키려 했다. 그러나 그들의 작품에서, 이 기술 형태의 근대성은 동질성과 차이 간의 긴장을 유발하는 토대가 될 뿐이었다. 키플링과 스틸은 내가 근대성의 대항서사라고 부르는 것으로 철도에 차이를 씀으로써 움직이는 상자의 문을 열었고, 그 자체로 갈등하는 식민지 근대성을 재현했다. 합리적 유토피아와는 거리가 먼 이 근대성은 공적인 것만큼 사적이고, 종교적이며 세속적이고, 기계적이기도 하지만 육체적이기도 하고, 인도적이자 유럽적인 것이었다.

키플링이나 스틸 같은 식민지 작가들은 그들의 글에서 그러한 모순을 드러냈을지 모르지만, 식민 지배에 도전하기 위해 이를 동원하지는 않았다. 그러나 19세기 후반부터 1930년대까지 인도 민족주의자들, 그들의 자유주의적 영국인 동조자들, 그리고 인도의 정신주의자들은 그 통치를 정당화했던 바로 그 상징에 초점을 맞춤으로써 식민주의의 용어와 심지어 존재에 맞섰다. 그들은 식민주의 문화에 도전하는 기차의 이미지를 포착하여 근대성에 대한 또 다른 대항서사를 만들어 냈다. 한 사회비평가 집단은 인도에서 기차가 사용된 방식을 비난하는 "정치경제학의 반란 문법"[92]을 작성했다. 다다바이 나오로지와 같은 정치 지도자들과 기술자 아서 코튼 경 같은 작가들은 철도 투자의 불균등한 조건, 기아와 환경파괴에서의 철도의 역할, 철도 고용에서 인도인에 대한 차별적 관행, 그리고 기차 여행 중 그들에게 굴욕적인 조건 등을 상세히 설명했다. 그 과정에서 사회비평가들은 철도의 상징을 해방의 상징에서 노예화, 착취, 차별, 굴욕의 상징으로 탈바꿈시켰다. 그들은 기계가 문명의 척도라는 생각에 도전했고, 대신 식민지 기업의 성공을 바라보는 다른 척도를 제공했다. 그들의 글은 경제성장이나 문화적 동화에 기반한 개발 담론에서 벗어나 철도의 인간적 영향에 중점을 두었다. 이 집단은 이동서와 해방과 같지 않다는 것을 보여 줌으로써 식민지 철도 담론의 전제 자체를 부정했다.

인도의 영적 지도자들로 구성된 또 다른 집단은 이러한 사회비평가들의 글에서 영감을 얻었지만, 정치적·경제적 비판 대신에 힌두교 전통의 도덕적 권위에 의존하여 철도의 경제적·정치적 측면에 도전했다. 스와미 비베카난다, 오로빈도 고스, 모한다스 간디, 라빈드라나트 타고르 같은 작가들은 철도를 문화적으로 이질적이고 도덕적으로 부패한 기계화된 존재 양식을 나타내는 것으로 보았다. 그들은 글에서 기계보다 자연을 찬양했다. 사회비평가들처럼, 정신주의자들은 철도를 죄의 상징이자 노예의 상징으로 묘사하면서 철도의 상징적인 의미를 변형시켰다. 이 집단은 종교에 뿌리를 두었지만 기술 발전에 대한 세속적·역사적·유물론적 기판에 기반한 비판적인 근대성 비전인 근대성에 대한 중요한 역사적 서사를 생성했다. 그들은 유럽의 식민 문화에 맞서 싸웠지만, 정신주의자들은 근대성 담론 내에서 글을 썼고, 전통적인 비전이 아니라 근대성에 내재된 긴장을 완화시키는 역사서를 만들어 냈다.

1947년 인도 독립을 전후한 분할 기간 동안, 난민들로 가득 찬 기차들이 종파 간 폭력으로 습격받으면서 그러한 긴장은 폭력적인 형태로 나타났다. 다시 한 번, 사람들은 그러한 갈등을 철도의 문화적 은유를 통해 볼 수 있었다. 식민지 시대 이후, 객차와 철로의 "기계 앙상블"[93]은 상품과 사람의 이동을 통해 인도 국가를 구성하는 데에 도움이 되었기 때문에 인도라는 국가의 물질적인 상징을 제시했다. 게다가 이상적인 철도 공간은 내부와 외부의 엄격한 이분법에 기초한 질서를 제공했다. 난민열차는 지역적인 것으로 보이는 폭력과 공동체 정체성을 대신할 국가 공간의 일부로 여겨졌다. 그러나 열차는 인도와 파키스탄을 위해 세속적인 민족주의자들이 싸우는 동안에도 종교가 우세한 더 큰 국가에서 벌어지는 갈등을 반영했을 뿐이다. 파키스탄으로 가는 기차와 그 안에 있던 모든 사람들이 이슬람교도로, 그리고 비슷하게 인도도 가는 기차는 힌두교도로 표시되면서, 기차는 공동 식별(그러므로 죽음)을 확인하는 장소가 되었다.

20세기 초 인도인들이 식민지 시대의 기차 이미지를 바꾸었던 것처럼, 분할 시기의 작가들은 "합리적 유토피아"를 죽음의 기차라는 기이한 이미지로 변형시켰다. 그들은 내부와 외부 이분법의 거짓을 드러내는 열차의 투과적 경계를 강조했다. 그들은 폭력이 어떻게 근대성의 시계를 무너뜨리고 집단적 시선을 상상된 공동체적 과거로 다시 향하게 하는지를 보여 주었다. 근대성에 대한 이러한 대항서사를 만드는 과정에서, 이 작가들은 이 장에서 묘사된 동시대의 테러를 예견하는 방식으로, 근대성의 폭력적인 모순을 드러내는 방식으로 근대성을 다시 생각했다.

분할 기간이 그 구성의 역설을 증명한 이후에도 기차는 세속적인 국가의 지배적인 서사를 계속 보여 주었다. 1950년대와 1960년대의 탈식민 작가들과 예술가들은 근대화 프로그램을 겪고 있는 국가 내에서 농촌과 도시의 정체성을 표현하고자 기차의 이미지를 사용했다. 그러한 재현은 서면 및 시각 텍스트뿐 아니라 공간 역학을 통해서도 제시되었다. 기차의 이미지는 국가 발전 시기에 도시의 정체성뿐만 아니라 농촌의 복잡성을 보여 주는 방법이 되었다. R. K. 나라얀, 사트야지트 레이, 파니시와르 나트 레누 같은 작가와 영화감독들에게 철도는 농촌 지역과 도시의 관계를 상징하는 것이 되었다. 그들은 두 장소와 국가의 관계를 정교하게 다듬어 차별화된 근대성의 풍경을 드러냈다. 이 작가들과 감독들은 이동성을 의식의

한 형태로 묘사하여, 권한을 부여하고 소외시키는 교통의 주체성을 묘사했다.

1970년대와 1980년대의 영화감독들은 인도의 근대성에 대한 개념이 공적 공간에서 여성에 대한 상반된 이미지를 가져오는 방식을 재현하고자 인기 있는 힌디어 영화를 사용했다. 식민지 시대 작가들은 여성의 이동성을 증대시켜 인도인을 전통으로부터 해방시키는 수단으로 기차를 타는 여성에 대한 생각을 장려했다. 이 프로그램은 어느 정도 성공적이었지만, 이러한 공적 공간으로의 여성의 이동은 예상치 못한 결과를 가져왔다. 19세기 후반에 철도 위를 여행하는 인도 여성들은 성적으로 이용 가능한 것으로 표시되었고, 언어적 빈정거림에서 노골적인 강간에 이르기까지 다양한 괴롭힘의 희생자들이었다. 20세기 인기 있는 힌디어 영화들은 여성들이 승강장에서 조롱당하거나 객차 안에서 잠자리를 갖자는 제안을 받는 장면을 보여 줌으로써 폭력을 야기시킨 가부장적 관념의 유산을 대변했다. 이 같은 영화들은 또한 이러한 생각들을 재생산했다. 이 영화들은 그러한 제안을 비판적으로 제시한 경우가 드물기 때문이다. 사실, 이 영화들은 종종 로맨스 서사를 사용하여 괴롭힘으로 여겨질 수 있는 것을 갱생시키기까지 한다. 접근하여 기차에 여자를 가두는 남자는 그녀의 애인이 된다. 그 의심스러운 정치학에도 불구하고, 이 발리우드 영화들은 여성들이 가족으로 묶인 사회구조 밖에서 욕망을 표현할 수 있는 장소로 기차를 제시한다. 그렇게 함으로써, 이 영화들은 철도 공간이 어떻게 여성들에게 정말 뜻밖의 방법으로 해방을 가져다 주었는지를 보여 준다.

식민 담론은 근대성을 달성하는 방법으로 철도를 장려했다. 이 움직이는 상자 안에서 문화적·인종적·역사적 차이는 시민적·세속적·공적 질서로 융합될 것이다. 비록 기차는 계속해서 국가의 세속적인 공간을 상징했지만, 그것은 또한 차이가 드러나는 장소가 되었다. 이 책은 인도에서 이동하는 공간에 대한 상상이 국가, 젠더, 종교 또는 계급의 상충되는 비전을 표현하는 방법이 되었음을 보여 주는 장소 기반의 역사적인 근대성 읽기를 제공했다. 그것은 마침내 현대 미디어에서 두드러지고 현대의 지구적 의식에 관련된 장면으로 바뀌었다. 열차 테러리즘은 상징적 기반에서 정체성이 나타나고, 근대성의 이분법이 도전받는 장소로서 이 근대 공간이 지닌 모순된 성격을 강조한다.

이 책 《근대성의 궤도》는 이 상징이 근대의 지배적인 서사를 강화시키고 약화시킨 방식을 살펴봄으로써 인도 근대성의 주요 상징인 철도의 문화적 은유를 탐구했다. 이 책은 노동과 여행 관행의 사회적 관계가 공식적인 문서뿐만 아니라 문학적이고 시각적인 문화를 포함하는 철도 문학의 몸체에 대항하는 부분을 제공한다고 주장하며, 동일한 은유적인 물질적 관행과 추론적인 작업의 일부로 해석한다. 비록 철도의 문화적 은유가 인도에서 기술적·세속적·공적 질서의 이상 같은 지배적인 형태의 근대성을 확보하는 역할을 했지만, 텍스트적 이미지와 공간 지리학 모두에서 그와 반대되는 대안 서사를 찾을 수 있다. 이 책은 열차의 더 광범위한 상징적 질서가 불확실한 목적에 서사를 동원했음을 보여 주었다. 누군가는 근대성을 구성하는 상반된 서사를 드러내기 위해 그 불확실한 순간들을 읽어 낼지도 모른다.

미주

머리말

[1] D'Souza, "A gunman walks through the Chatrapathi Sivaji [sic] Terminal railway station in Mumbai, India," Wednesday, November 26, 2008. (AP Photo/*Mumbai Mirror*, Sebastian D'Souza; #5.)

[2] 〈슬럼독 밀리어네어Slumdog Millionaire〉는 2008년 8월 콜로라도에서 열린 텔루라이드 영화제the Telluride film festival에서 초연되었고, 2008년 11월 미국에서 한정 개봉되었다. 2009년 1월 영국에서, 이후 미국에서 일반 개봉되었다. 2009년 오스카 작품상을 수상했다.

[3] Hobsbawm, *Industry and Empire*, 89.

[4] Tagore, "Railway Station," 114.

[5] 이 책에서 "인도"라는 용어로 지정된 지리적 공간은 기술된 역사적 시기에 따라 달라진다. 식민지 시대의 분석은 남아시아의 더 넓은 지역을 가리키는데, 이는 현재 파키스탄과 방글라데시의 일부이다. 식민지 이후의 공간에 대한 논의는 분할 이후의 인도에 초점이 맞춰져 있다. 분쟁 지역은 이와 같이 명시되어 있다.

[6] Thorner, *Investment in Empire*, 45.

[7] Ibid., 47.

[8] Headrick, *The Tools of Empire*, 182.

[9] Davis, Wilburn, and Robinson, *Railway Imperialism*, 3.

[10] See Kerr, "On the Move: Circulating Labor in Pre-Colonial, Colonial, and Post-Colonial India," 85–109.

[11] L. Marx, *The Machine in the Garden*, 192.

[12] See Deloche, *Transport and Communications in India Prior to Steam Locomotion*.

[13] Davidson, *The Railways of India*, 1.

[14] Markovits, Pouchepadass, and Subrahmanyam, Introduction to *Society and Circulation*, 18.

[15] Paterson, "The Paterson Diaries," 23 November 1770.

[16] See Meyer, "Labour Circulation between Srilanka and South India in Historical Perspective."

[17] Visram, *Asians in Britain: 400 Years of History*, 52–53.

[18] See Bury, "Novel Spaces, Transitional Moments."

[19] Kerr, "On the Move," 89.

[20] See C. Bayly, *Empire and Information*.

[21] Marcovitz, Pouchepadass, and Subrahmanyam, Introduction to *Society and Circulation*, 8.

[22] Kerr, "On the Move," 100, 92.

[23] Goswami, *Producing India*, 108.

[24] De Certeau, *The Practice of Everyday Life*, 110.

[25] Clifford, *Routes*, 26.

[26] See, for example, Pratt, *Imperial Eyes*; Behdad, *Belated Travelers*, Grewal, Home and Harem; Kaplan, *Questions of Travel*; Simpson, *Trafficking Subjects*.

[27] Davis, *Late Victorian Holocausts*, 317.

[28] T. Roy, *The Economic History of India*, 13–14.

[29] Kaplan, *Questions of Travel*, 3.

[30] See Kerr, *Building the Railways of the Raj*, especially chapter 4.

[31] Clifford, *Routes*, 3.

[32] *The Great Indian Railway*, directed by William Livingston.

[33] 이 글의 일부가 들어간 선집은 본드Bond의 《펭귄판 인도의 철도 이야기The Penguin Book of Indian Railway Stories》 참조. 식민지 철도의 시각적 이미지는 사토우Satow와 데스먼드Desmond의 《영국의 인도 통치 기간 동안의 철도Railways of the Raj》를 참조. 엘리스Ellis의 《철도 예술Railway Art》.

[34] 다른 언급이 없는 한 작품은 원래 영어로 되어 있다. 영어 번역은 때때로 토론에서 사용되며, 번역가는 가능한 경우 인용에 언급된다. 이러한 번역들은 원작의 산문, 문체, 내용, 정치에 대한 해석을 제공하지만, 영어권 독자들에게 인도 철도의 중요한 재현을 전달한다는 믿음으로 여기에 포함되었다.

서론: 근대성의 궤도

[1] Habermas, *The Philosophical Discourse of Modernity*, 16.

[2] Lazarus, *Nationalism and Cultural Practice in the Postcolonial World*, 18.

[3] Foucault, "What Is Enlightenment?" 39.

[4] Tomlinson, *Globalization and Culture*, 34.

[5] Taylor, "Modern Social Imaginaries," 121.

[6] Kaplan, *Questions of Travel*, 117.

[7] T. Mitchell, Introduction to *Questions of Modernity*, xiii.

[8] Prakash, *Another Reason*, 234.

[9] Gilroy, *The Black Atlantic*, 17.

[10] T. Mitchell, Introduction to *Questions of Modernity*, xiii.

[11] Gaonkar, "On Alternative Modernities," 17.

[12] Cooper, *Colonialism in Question*, 131.

[13] Ibid., 147.

[14] Gupta, *Postcolonial Developments*, 36.

[15] T. Mitchell, Introduction to *Questions of Modernity*, xii, xi.

[16] Ibid., xvi.

[17] Gupta, *Postcolonial Developments*, 36.

[18] Bear, "Traveling Modernity," 1.

[19] Simpson, *Trafficking Subjects*, xxii.

[20] Thorner, *Investment in Empire*, viii.

[21] Thorner, "The Pattern of Railway Development in India," 85.

[22] Ibid., 94.

[23] Ibid., 83.

[24] Ibid., 93.

[25] Ahuja, "'The Bridge-Builders,'" 95.

[26] Thorner, "The Pattern of Railway Development in India," 91.

[27] Kerr, *Building the Railways of the Raj*, 4–5.

[28] Railway Report, 1862–63, 27; quoted in Kerr, *Building the Railways of the Raj*, 4.

[29] Danvers, *Indian Railways*, 27.

[30] Kerr, Introduction to *Railways in Modern India*, 10.

[31] Dalhousie, "Minute by Lord Dalhousie to the Court of Directors," II-25.

[32] Ibid., II-25.

[33] Arnold, *Science, Technology, and Medicine in Colonial India*, 121–22.

[34] Vicajee, *Political and Social Effects of Railways in India*, 19.

[35] Ibid., 21.

[36] Anderson, *Imagined Communities: Reflections on the Origin and Spread of Nationalism*, 37.

[37] Mitchell, *The Wheels of Ind*, 34.

[38] Ibid., 34.

[39] Ibid., 34.

[40] Gardiner, "Indian Railways," 23.

[41] Jagga, "Colonial Railwaymen and British Rule," 104.

[42] Clifford, *Routes*, 2.

[43] Freeman, *Railways and the Victorian Imagination*, 19.

[44] Robbins, *The Railway Age*, 50.

[45] Schivelbusch, *The Railway Journey*, 73.

[46] Smith, *The Works of the Rev. Sydney Smith*, 670.

[47] Giddens, Foreword to *NowHere: Space, Time, and Modernity*, xi.

[48] Metcalf, *Ideologies of the Raj*, x.

[49] Arnold, *Science, Technology, and Medicine in Colonial India*, 5.

[50] Prakash, *Another Reason*, 174.

[51] Dalhousie, *Parliamentary Papers*, 16.

[52] De Certeau, *The Practice of Everyday Life*, 110.

[53] Prakash, *Another Reason*, 3.

[54] Headrick, *The Tools of Empire*, 182.

[55] Karl Marx, "The Future Results of the British Rule in India," 33.

[56] Ibid., 36.

[57] Danvers, *Indian Railways*, 7.

[58] W. D. S. [pseud.], "The Night Mail-Train in India," 405.

[59] "Modes of Travelling in India," 284.

[60] Wheeler, Introduction to *The Travels of a Hindoo to Various Parts of Bengal and Upper India*, xii.

[61] Chunder, *The Travels of a Hindoo to Various Parts of Bengal and Upper India*, 141.

[62] Ibid., 141.

[63] *Railway Times*, January 15, 1853, 59.

[64] Marx, "The Future Results of the British Rule in India," 36.

[65] S. Bayly, *Caste, Society, and Politics in India from the Eighteenth Century to the Modern Age*, 98.

[66] Ibid., 97.

[67] Kaye, *A History of the Sepoy War in India 1857–1858*, 190–91.

[68] Metcalf, *Ideologies of the Raj*, 36, 135.

[69] Wheeler, Introduction to *The Travels of a Hindoo to Various Parts of Bengal and Upper India*, xx.

[70] Danvers, *Indian Railways*, 28.

[71] Davidson, *The Railways of India*, 3.

[72] W. D. S. [pseud.], "The Night Mail-Train in India," 405.

[73] Goswami, *Producing India*, 108.

[74] Simpson, *Trafficking Subjects*, xxii.

[75] Indo-American [pseud.], "Railways in India and America," 120.

[76] A. Chatterjee, "Traffic by Railway," 192–93.

[77] Freeman, *Railways and the Victorian Imagination*, 109–16.

[78] Kerr, "Reworking a Popular Religious Practice," 314, 316.

[79] Goswami, *Producing India*, 120.

[80] Jenkins, Bengal Proceedings, June 21, 1869.

[81] Mookerjee, May 20, 1869, letter to Magistrate and Collector of Burdwan.

[82] Bear, *Lines of the Nation*, 52–53.

[83] Mookerjee, May 20, 1869, letter to Magistrate and Collector of Burdwan.

[84] Bear, *Lines of the Nation*, 135–37.

[85] Ibid., 151–53.

[86] Ibid., 9.

[87] Ibid., 9.

[88] Masters, *Bhowani Junction*, 249.

1장 영구적인 길: 철도의 식민 담론

[1] Richards, *Rudyard Kipling: A Bibliography*, 92.

[2] An inside view from one of the earliest first class carriages," 109.

[3] Mrs. Shoosmith [M. C. Reid], "A Railway Soliloquy."

[4] Ibid.

[5] Thomas R. Metcalf, *Ideologies of the Raj*, x.

[6] De Certeau, *The Practice of Everyday Life*, 110.

[7] Ibid., 110.

[8] Mitchell, *The Wheels of Ind*, 21.

[9] Mrs. Shoosmith [M. C. Reid], "A Railway Soliloquy."

[10] "Honeymooning In India," in *The Ladies' Treasury*, 320.

[11] McClintock, *Imperial Leather*, 33.

[12] De Certeau, *The Practice of Everyday Life*, 111.

[13] Metcalf, *Ideologies of the Raj*, 66.

[14] Pratt, *Imperial Eyes*, 4.

[15] De Certeau uses the term "slender blade" to refer to the liminal space between the inside and outside of the railway carriage. *The Practice of Everyday Life*, 112.

[16] "An Indian railway station (on the Bombay and Tannah railway)," in the *Illustrated London News*, 208.

[17] Trevelyan, *The Competition Wallah*, 24.

[18] Ibid., 28.

[19] Furnell, *From Madras to Delhi and Back via Bombay*, 123.

[20] Ibid., 124.

[21] Mitchell, *The Wheels of Ind*, 21.

[22] Goswami, *Producing India*, 117.

[23] Ibid., 119.

[24] Trevelyan, *The Competition Wallah*, 5.

[25] Furnell, *From Madras to Delhi and Back via Bombay*, 124.

[26] Mitchell, *The Wheels of Ind*, 21.

[27] Trevelyan, *The Competition Wallah*, 25.

[28] Ibid., 27.

[29] Ibid., 27.

[30] Furnell, *From Madras to Delhi and Back via Bombay*, 124.

[31] Forster, *A Passage to India*, 143.

[32] Ibid., 141–42.

[33] Ibid., 150.

[34] Ibid., 150.

[35] Ibid., 178.

[36] Kerr, "Reworking a Popular Religious Practice," 304–27.

[37] "Case 56," in *The Journal of Indian Art*, 23.

[38] Wheeler, Introduction to *The Travels of a Hindoo to Various Parts of Bengal and Upper India*, xii.

[39] "Modes of Travelling in India," in the *Illustrated London News*, September 19, 1863.

[40] Chunder, *The Travels of a Hindoo to Various Parts of Bengal and Upper India*, 139.

[41] Ibid., 140.

[42] Ibid., 161.

[43] Foucault, "Of Other Spaces," 24.

[44] Said, *Culture and Imperialism*, 134.

[45] Prakash, *Another Reason*, 167.

[46] Kipling, "The Bridge-Builders," 206.

[47] Ibid., 221.

[48] Ibid., 226.

[49] Ibid., 227.

[50] Sullivan, *Narratives of Empire*, 15.

[51] Ibid., 118.

[52] Parry, *Delusions and Discoveries*, 228.

[53] Ibid., 229.

[54] Ibid., 98.

[55] Kipling, "The Bridge-Builders," 218.

[56] Kipling, *Kim*, 249.

[57] Ibid., 74–83; 188–90; 250–251.

[58] Ibid., 189–90.

[59] Ibid., 249.

[60] Ibid., 75.

[61] Ibid., 76.

[62] Ibid., 74.

[63] Ibid., 79.

[64] Ibid., 331.

[65] Ibid., 331.

[66] Ibid., 332.

[67] Moore-Gilbert, *Kipling and "Orientalism,"* 123.

[68] Steel, "In the Permanent Way," 144.

[69] Ibid., 144.

[70] Ibid., 157.

[71] Ibid., 155.

[72] Ibid., 159.

[73] Ibid., 142.

2장 제국의 기계: 기술과 탈식민화

[1] "First Impressions and First Impulses of Railway Traveling," *Bengal Hurkaru and India Gazette*, 183.

[2] Stephenson, "Report upon the Practicality and Advantages of the Introduction of Railways into British India," 37.

[3] Osborne, "India Under Lord Lytton," 554.

[4] Of course, many of the so-called spiritualists were also social critics. The rough term "social critics" is used here to focus on the arena of reform that preoccupied this first group of writers.

[5] Goswami, *Producing India*, 128.

[6] Roy, *The Economic History of India, 1857–1947*, 13.

[7] Dutt, *The Economic History of India in the Victorian Age*, 174–75.

[8] Davis, *Late Victorian Holocausts*, 332.

[9] Naoroji, "Memorandum on Mr. Danver's Papers of 28 June 1880 and 4th January 1879," 457.

[10] Frank, "The Development of Underdevelopment," 159.

[11] Joshi, *Writings and Speeches*, 671.

[12] 일부 역사학자들에 따르면, 이러한 발전이 부족했던 것은 인도를 영국의 산업 자원에 의존하는 농업국가로 유지하려는 영국 측의 편견이나 전략을 구성했다. 페이시Pacey의 《세계 문명의 기술Technology in World Civilization》 147쪽 참조.

[13] Joshi, *Writings and Speeches*, 687–88.

[14] Davis, *Late Victorian Holocausts*, 317.

[15] Goswami, *Producing India*, 104.

[16] Roy, *The Economic History of India*, 13.

[17] Ibid., 62.

[18] B. Chandra, *The Rise and Growth of Economic Nationalism in India*, 180.

[19] G. K. Gokhale, quoted in B. Chandra, *The Rise and Growth of Economic Nationalism in India*, 171.

[20] *Dainik-o-Samachar Chandrika*, May 31, 1891; *Indu Prakash*, November 30, 1904. Quoted in B. Chandra, *The Rise and Growth of Economic Nationalism in India*, 181.

[21] B. 찬드라B. Chandra에서 인용된 틸락Tilak의 《인도의 경제적 민족주의의 부흥과 성장The Rise and Growth of Economic Nationalism in India》 180쪽. 틸락은 정신주의자들 사이에 위치하는 것이 맞을 테지만, 그의 논평은 이 공적 영역에 대한 특별한 논의의 일부로 여기에 포함되었었다.

[22] The publishing of Kipling's "The Bridge-Builders" provides a notable exception.

[23] Naoroji, "Memorandum on Mr. Danver's Papers of 28 June 1880 and 4th January 1879," 457.

[24] Steel, "In the Permanent Way," 144.

[25] G. S. Iyer, address to the Madras Provincial Conference at Madura, May 22, 1901. Quoted in B. Chandra, *The Rise and Growth of Economic Nationalism in India*, 182.

[26] 가디너Gardiner의 〈인도의 철도Indian Railways〉 23~24쪽. 댄버스Danvers의 《인도의 철도Indian Railways》 6쪽. 영국은 기근 예방과 국내 및 국제무역을 늘리고 농업과 광물자원을 확장함으로써 인도 국민들의 경제 상황을 개선할 방법으로 철도를 홍보했다.

[27] Davis, *Late Victorian Holocausts*, 26.

[28] Cotton, *The Madras Famine*, 5.

[29] Nightingale, "Letters to the Editor," in *Illustrated London News*, June 29, 1877.

[30] "An Indian Stock and Railway Shareholder" in *The Times*, March 25, 1861.

[31] Digby, "Prosperous" *British India, a Revelation from Official Records*, 140.

[32] Davis, *Late Victorian Holocausts*, 35–36.

[33] Nash, *The Great Famine and Its Causes*, 165.

[34] 과학 저술가들은 제방이 물의 흐름을 멈추게 하여 가뭄을 일으키고 말라리아 발생 조건을 조성하는 고인 물을 만들었다고 주장했다. 1910년 《모던 리뷰Modern Review》의 기사는 모기의 번식지 조성에 제방이 미치는 영향과 질병의 확산에 대한 열차의 역할을 기술하고 있다. 한 과학 숭배자(사이비 지식인)의 〈말라리아와 그 치료법Malaria and Its Remedy〉 522쪽.

[35] Cotton, *Extracts*, 309–27.

[36] Indo-American [pseud.], "Railways in India and America," 118.

[37] Kelsall and Ghose, 14 September 1844, 37.

[38] Danvers, *Indian Railways*, 21.

[39] Kerr, *Building the Railways of the Raj*: 1850–1900, 168.

[40] Jagga, "Colonial Railwaymen and British Rule, 1919–1922," 107.

[41] Kerr, *Building the Railways of the Raj*, 156–58.

[42] Ibid., 161–62.

[43] Jagga, "Colonial Railwaymen and British Rule," 108.

[44] Kerr, *Building the Railways of the Raj*, 166.

[45] A. Chatterjee, "Traffic by Railway," 191–92.

[46] Ibid., 192–93.

[47] Jagga, "Colonial Railwaymen and British Rule," 106.

[48] Indo-American [pseud.], *Railways in India and America*, 120.

[49] Bear, *Lines of the Nation: Indian Railway Workers, Bureaucracy, and the Intimate Historical Self*, 55.

[50] Ibid., 56–57.

[51] Sahachar, April 30, 1884; cited in B. Chandra, *The Rise and Growth of Economic Nationalism in India*, 181.

[52] Indo-American [pseud.], *Railways in India and America*, 118.

[53] Jagga, "Colonial Railwaymen and British Rule," 106.

[54] Bose, "The Spirit and Form of an Ethical Polity," 131.

[55] Nandy, *The Illegitimacy of Nationalism*, 1–2.

[56] For another discussion of this aspect of their work, see Adas, "Contested Hegemony: The Great War and the Afro-Asian Assault on the Civilizing Mission Ideology," 31–63.

[57] Vivekananda, "Our Present Social Problems," 489–90.

[58] Ibid.

[59] Dalton, *Indian Ideal of Freedom*, 96.

[60] Heehs, "The Centre of the Religious Life of the World," 75.

[61] Ghose, *The Life Divine*, 1247.

[62] Nandy, *The Intimate Enemy*, 85.

[63] Ghose, *War and Self-Determination*, 4.

[64] Ibid., 3.

[65] Gandhi, "Gandhi's Letter to H. S. L. Polak," *Gandhi*, 130.

[66] Gandhi, "The Condition of India (cont.): Railways," in *Gandhi*, 47.

[67] Marx, "The Future Results of the British Rule in India," 34.

[68] Gandhi, "Machinery," in *Gandhi*, 107

[69] Gandhi, "Gandhi's Letter to Lord Ampthill," in *Gandhi*, 135.

[70] Gandhi, "The Morals of Machinery," in *Gandhi*, 761.

[71] Gandhi, "Supplementary Writings," in *Gandhi*, 167.

[72] Ibid., 168.

[73] Young, *Postcolonialism*, 320.

[74] P. Chatterjee, *Nationalist Thought and the Colonial World*, 93.

[75] Ibid., 90.

[76] Ibid., 113.

[77] Ibid., 96.

[78] Boehmer, *Empire, the National, and the Postcolonial*, 51.

[79] 마이클 에이더스Michael Adas는 다음과 같이 주장한다. "간디와 달리 타고르는 유럽과 북미의 산업문명 자체를 거부하지 않았지만, 견뎌 내고자 한다면 공유할 것이 너무나 많은 '동양'의 학습을 서양 문명이 당겨와야 한다고 결론 내렸다." 〈논쟁적 헤게모니Contested Hegemony〉 53쪽.

[80] Tagore, "The Call of Truth," 423.

[81] Adas, "Contested Hegemony," 53.

[82] Tagore, *The Waterfall*, 12.

[83] Ibid., 12.

[84] Ibid., 7.

[85] Ibid., 6.

[86] Ibid., 7.

[87] Ibid., 28.

[88] Tagore, *Red Oleanders.*, 26.

[89] Ibid., 242.

[90] Ibid., 113.

[91] Young, *Postcolonialism*, 317.

[92] Arnold, *Gandhi: Profiles in Power*, 66, 54.

[93] Ibid., 330. 아이러니하게도, 간디는 그의 정치 캠페인에서 철도를 광범위하게 이용했다. 아난드Y. P. Anand의 《마하트마 간디와 철도Mahatma Gandhi and the Railways》 참조.

[94] Adas, "Contested Hegemony," 52.

[95] Adas, *Machines as the Measure of Men*, 395–96.

[96] Benjamin, "Theses on the Philosophy of History: IX," 257–58.

[97] Goswami, *Producing India*, 128.

[98] Tagore, "Railway Station," 114.

99 Ibid., 114.

100 Ibid., 114.

101 Ibid., 114.

102 Radice, "Notes," 168.

103 Tagore, "Railway Station," 115.

104 Ibid., 114.

105 Gandhi, *Gandhi*, 107.

106 Ibid., 47.

107 Goswami, *Producing India*, 128.

3장 분할과 죽음의 기차

1 Manto, "Hospitality Delayed," 97.

2 Butalia, *The Other Side of Silence* ; Menon and Bhasin, Borders and Boundaries.

3 Daiya, *Violent Belongings*, 6.

4 Talbot, *Freedom's Cry*, 161.

5 Khosla, *History of the Indian Railways*, 193.

6 Report of Chief Commissioner, Indian Railways, November 13, 1947.

7 Khosla, *History of the Indian Railways*, 193.

8 "Indian Railways," *British Railway Gazette*, October 3, 1947, 390.

9 이 사진들의 모음은 마가렛 버크 화이트Margaret Bourke-White의 소설 특별판에서 볼 수 있다. 롤리 북스, 2006.

10 See, for example, memoirs in Hasan, *India Partitioned*; Urvashi Butalia, *The Other Side of Silence*.

11 Daiya, *Violent Belongings*, 5; Talbot, *Freedom's Cry*, 143.

12 See Chatterjee, *The Nation and Its Fragments* ; Sangeeta Ray, *En-Gendering India*.

13 Kaul, "Introduction" to *The Partitions of Memory*, 10.

14 Vanaik, *The Furies of Indian Communalism*, 34.

15 David Ludden, "Introduction. Ayodhya: A Window on the World," 12.

16 Vanaik, *The Furies of Indian Communalism*, 36.

17 Balibar and Wallerstein, *Race, Nation, Class*, 95.

18 See Pandy, *Remembering Partition*.

19 Khwaja Iftikhar, *Jab Amritsar jal rahā thā*; quoted and translated by Talbot, *Freedom's Cry*, 180.

20 Letter by Miss. Mridula Sarabhai to Dr. John Mathai, September 23, 1947.

21 Ibid., 6.

22 Letter by Karnail Singh, railway area officer in Amritsar, letter to Miss. Mridula Sarabhai, October 8, 1947.

23 Butalia, "An Archive with a Difference," 214–15.

24 Shauna Singh Baldwin, *What the Body Remembers*.

25 Daiya, *Violent Belongings*, 14.

26 Parmar, "Trains of Death: Representations of the Railways in Films on the Partition of India."

27 Ibid., 2.

28 Kaul, "Introduction" to *The Partitions of Memory*, 6.

[29] Didur, *Unsett ling Partition*, 4.

[30] Swami, "Evoking Horrors of Partition — and Hopes of a Peaceful Future."

[31] Butalia, "Listening for a Change: Narratives of Partition," 133–36.

[32] See, for example, respectively, Nahal, *Azadi* ; Sharma, *Gadar*; Hosain, *Sunlight on a Broken Column*; Manto, "Toba Tek Singh"; and Sidhwa, *Cracking India* (*Ice-Candy Man*).

[33] 그 문학은 최근에야 더욱 비판적인 관심을 받기 시작했고, 편자브에 대한 묘사가 가진 분할을 대표하는 상징적인 지위를 달성하지 못했다. 벵골 분할의 대체 이미지는 프레이저Fraser의《벵골 분할 이야기 Bengal Partition Stories》의 서론 참조.

[34] Kipling, *Kim*, 75.

[35] Quoted in Kerr, *Engines of Change*, 144.

[36] Giddens, *The Consequences of Modernity*, 17.

[37] De Certeau, *The Practice of Everyday Life*, 110.

[38] Quoted and translated in Talbot, *Freedom's Cry*, 180.

[39] Vatsayan, "Getting Even," 121.

[40] Singh, *Train to Pakistan*, 4.

[41] Ibid., 5.

[42] Schivelbusch, *The Railway Journey*, 44.

[43] Singh, *Train to Pakistan*, 77.

[44] Ibid., 176.

[45] Ibid., 178.

[46] Chander, "Peshawar Express," 79–88.

[47] Singh, *Train to Pakistan*, 44.

[48] Ibid., 180.

[49] Ibid., 77.

[50] Ibid., 78.

[51] Daiya, *Violent Belongings*, 51.

[52] Daly, *Literature, Technology, and Modernity, 1860–2000*, 2.

[53] Ceserani, "The Impact of the Train on Modern Literary Imagination."

[54] See Parmar, "Trains of Death," for another discussion of this music sequence and film in general.

[55] De Certeau, *The Practice of Everyday Life*, 111.

[56] Ibid., 110.

[57] Bhisham Sahni, "We Have Arrived in Amritsar," 119.

[58] De Certeau, *The Practice of Everyday Life*, 110.

[59] Sahni, "We Have Arrived in Amritsar," 114–115.

[60] Ibid., 115.

[61] Ibid., 118.

[62] Kesavan, *Looking through Glass*, 53.

[63] Singh, *Train to Pakistan*, 91.

[64] Kesavan, *Looking through Glass*, 91.

[65] Ibid., 91.

[66] Ibid., 188.

[67] Ibid., 188.

4장 새로운 도착지: 탈식민적 철도의 이미지

[1] Bhattacharya, "Develop-mentalist Turn," 25.

[2] Quoted in Kerr, *Engines of Change*, 144.

[3] Nehru, *National Herald. Lucknow, India*, 21 June 1939, quoted in B. Chakrabarty, "Jawaharlal Nehru and Planning, 1938–41: India at the Cross roads," 284.

[4] Kerr, *Engines of Change*, 144.

[5] Ibid., 162.

[6] Goswami, *Producing India*, 131.

[7] Kerr, "Reworking a Popular Religious Practice," 325.

[8] Freeman, *Railways and the Victorian Imagination*, 121.

[9] Williams, *The Country and the City*, 296.

[10] Ibid., 264.

[11] Ibid.

[12] Gupta, *Postcolonial Developments*, 49.

[13] Nanda, *Jawaharlal Nehru*, 209.

[14] Narayan, *The Guide*, 31.

[15] Ibid., 36.

[16] 1965년 영화화된 이 소설은 정의하는 것으로서 철도의 역할을 축소시켰다. 〈안내자The Guide〉, 비제이 아난드Vijay Anand 감독.

[17] Narayan, *The Guide*, 19.

[18] Ibid., 8.

[19] 레이는 그의 작품에서 기차의 두드러진 이미지를 소개하지만, 그의 영화는 비부티부샨 바네르지 Bibhutibhushan Banerji의 책《파테르 판찰리Pather Panchali》에 바탕을 두고 있다.

[20] Nyce, *Satyajit Ray*, 3.

[21] Ibid., 14.

[22] 니빠 마줌다르Neepa Majumdar는 이 기차를 아푸와 세 영화의 관객 모두에게 "기억에 가득 찬 이미지"라고 부르는데, 이는 자매의 비극적인 상실만큼이나 형제와 자매의 관계를 상기시키는 상징이다. "*Pather Panchali* (1955) Satyajit Ray," 512.

[23] Ganguly, *Satyajit Ray*, 28.

[24] Renu, *The Third Vow and Other Stories*, 65.

[25] Ibid., 64.

[26] Ibid., 65–66.

[27] 1995년 아미타브 고쉬Amitav Ghosh는 과학소설《캘커타 염색체Calcutta Chromosome》에서 "원시적 밤의 향기"를 다시 찾았다. 고쉬는 이동의 패러다임을 해방 경험으로 바꾸고 철도를 해방의 주요 기호로 만든다. 이는 모빌리티에 대한 레누Renu의 입장을 뒤집는 것이다.

[28] Tagore, "Railway Station," 25.

[29] Rushdie, *Midnight's Children*, 519.

[30] V. Chandra, "Shanti," 239.

[31] 미셸 드 세르토Michel de Certeau는 철도 객차의 내부와 외부의 경계 공간을 가느다란 칼날이라고 부른다. De Certeau, *The Practice of Everyday Life*, 110.

[32] Nair, *Ladies Coupé*, 1.

[33] Ibid., 2.

[34] Ibid., 1.

[35] Ibid., 17.

[36] Ibid., 42.

[37] Ibid., 2.

[38] Badami, *Tamarind Mem*, 154.

[39] Futehally, *Reaching Bombay Central*, 112.

[40] Ibid., 17.

[41] Ibid., 17.

[42] Ibid., 5.

[43] Ibid., 3, 22, 25.

[44] Ibid., 119.

[45] Theroux, *The Great Railway Bazaar*, 166.

[46] Desai, *The Inheritance of Loss*, 42.

[47] Ibid., 41.

[48] Rushdie, *Imaginary Homelands*, 10.

5장 기차 위의 발리우드

[1] Gopalan, *Cinema of Interruption*, 9; Ganti, *Bollywood*, 33.

[2] Gopalan, *Cinema of Interruption*, 66.

[3] Kern, *The Culture of Time and Space*, 124.

[4] Gopalan, *Cinema of Interruption*, 9.

[5] 영화가 끝날 무렵, 데사이는 기차까지 정복하는 로맨스로 이 메시지를 더 강하게 자극한다. 남주인공과 여주인공은 사랑을 기차에 비유하는 노래와 춤을 공연하기 위해 판지로 된 기차를 사용한다. 그리고 그들은 기차 안에서 노래를 계속한다. 기차는 여기서 로맨스 장르의 판타지적 측면의 일부가 된다.

[6] 인도에서는 와디아 형제Wadia brothers의 무성영화에 등장하는 기차와 "용감한 나디아Fearless Nadia"라는 캐릭터의 관계가 흥미로운 예외를 제공한다. 나디아는 기차에 오르고, 그렇지 않으면 기차의 통제권을 잡는다. 호미 와디아Homi Wadia 감독의 1936년 영화 〈미스 프런티어 메일Miss Frontier Mail〉 참조. 이 영화에 대한 논의는 토머스Thomas의 〈미스 프런티어 메일Miss Frontier Mail〉 참조.

[7] Ibid., 86.

[8] Laura Bear, *Lines of the Nation*, 49.

[9] Wheeler, Introduction to *The Travels of a Hindoo to Various Parts of Bengal and Upper India*, xii.

[10] Chunder, *The Travels of a Hindoo to Various Parts of Bengal and Upper India*, 130.

[11] Brown, "The Seen, the Unseen, and the Imagined: Private and Public Lives," 503.

[12] See Bear, *Lines of the Nation*, 50–53 for extended discussion of this debate.

[13] Ibid., 53–54.

[14] Ibid., 53–54.

[15] Ibid., 52.

[16] 이후 마두와 합류한 죽은 남자의 부인과 아이는 같은 괴롭힘을 당하는 것으로 묘사되지 않는다. 그들은 사적인 대기실(또는 적어도 아무도 없는) 안에 나타나며, 아이는 그것이 부여하는 가시적 정당성에서 일종의 안전을 제공한다.

[17] Kerr, "Reworking a Popular Religious Practice," 312.

[18] Gabriel, "Designing Desire," 49.

[19] 기차 안에서 책을 읽는 것은 〈아라다나Aradhana〉의 반다나와 〈용감한 자가 신부를 데려가리Dilwale Dulhania Le Jayenge〉의 심란이 사용한 기술인 여성의 정숙함을 보여 주는 또 다른 종류의 베일을 제공한다.

[20] Gabriel, "Designing Desire," 56.

[21] Ganti, *Bollywood*, 33.

[22] Gabriel, "Designing Desire," 54–55.

[23] Ibid., 51–52.

[24] Sumita S. Chakravarty traces the evolution of courtesan films. *National Identity in Indian Popular Cinema*, 269–305.

[25] Jenny Sharpe, "Gender, Nation, and Globalization in *Monsoon Wedding and Dilwale Dulhania Le Jayenge*," 66.

[26] Ganti, *Bollywood*, 40.

[27] Sharpe, "Gender, Nation, and Globalization," 60–61.

[28] Daly, *Literature, Technology, and Modernity*, 10–33.

[29] Schivelbusch, *The Railway Journey*, 131–145; Ian Carter, *Railways and Culture in Britain*, 167–201.

[30] 이 만남을 멜로드라마적인 이야기로 다루는 아마르의 이후 라디오방송은 이 장면에 자기성찰을 부여한다. 아마르 버전의 지나치게 높은 품질은 기차 이야기가 이제 인도 영화에서는 진부한 것임을 시사한다.

[31] 뮤지컬 《봄베이의 꿈Bombay Dreams》의 시작 부분에서 노래와 춤의 시퀀스가 재현되었다. 둘 다 파라 칸Farah Khan의 안무를 특징으로 한다.

[32] Virdi, The Cinematic ImagiNation, 189.

[1] *The Great Indian Railway*, directed by William Livingston.

결론: 테러리즘과 철도

[2] McEwan, *Saturday*, 15.

[3] Zulaika and Douglass, *Terror and Taboo*, 10.

[4] Rao, "How to Read a Bomb: Scenes from Bombay's Black Friday," 576.

[5] Barthes, "Rhetoric of the Image," 45.

[6] Ibid., 39.

[7] Davis, *Buda's Wagon*, 4–12.

[8] Boehmer, "Postcolonial Writing and Terror," 5.

[9] Zulaika and Douglass, *Terror and Taboo*, 22.

[10] Schivelbusch, *The Railway Journey*, 84–88.

[11] "The Globe" (1863) epigraph. Quoted in Smullen, *Taken for a Ride*, 131.

[12] Daly, *Literature, Technology, and Modernity*, 25.

[13] Ibid., 2.

[14] Mistry, *A Fine Balance*, 601.

[15] V. Chandra, "Shanti," 234.

[16] Daly, *Literature, Technology, and Modernity*, 1860–2000, 2.

[17] Ibid., 2.

[18] V. Chandra, "Shanti," 235.

[19] Lahiri, *The Namesake*, 17.

[20] Ibid., 17.

[21] Ibid., 17.

[22] Schivelbush, *The Railway Journey*, 66.

[23] Lahiri, *The Namesake*, 14.

[24] Ernst Bloch, *Spuren*; quoted and translated in Schivelbusch, *The Railway Journey*, 132.

[25] Schivelbusch, *The Railway Journey*, 132.

[26] Kirby, *Parallel Tracks*, 3.

[27] Schivelbusch, *The Railway Journey*, 133.

[28] Felix Tourneux, *Encyclopédia des chemines de fer et des machines à vapeur*; quoted and translated in Schivelbusch, *The Railway Journey*, 134.

[29] Banerjee, "Childhood Voices from the Machine Age," 4.

[30] Schivelbusch, *The Railway Journey*, 131.

[31] Mrs. Shoosmith [M.C. Reid], *Bengal Nagpur Railway Magazine*.

[32] Daly, *Literature, Technology, and Modernity*, 10–33.

[33] Ibid., 2.

[34] Lahiri, *The Namesake*, 19.

[35] Kirby, *Parallel Tracks*, 61.

[36] Davis, *Buda's Wagon*, 9.

[37] Harpham, "Symbolic Terror," 573.

[38] Zulaika and Douglass, *Terror and Taboo*, 25.

[39] Heehs, *Nationalism, Terrorism, Communalism*, 10–11.

[40] Baudrillard, "The Spirit of Terrorism," 13.

[41] D. Chakrabarty, "Early Railwaymen in India," 540.

[42] Kerr, *Building the Railways of the Raj*, 161–62.

[43] Arnold, "Industrial Violence in Colonial India," 240.

[44] Goswami, *Producing India*, 119.

[45] Jagga, "Colonial Railwaymen and British Rule," 106.

[46] Heehs, *Nationalism, Terrorism, and Communalism*, 15.

[47] M. Chatterjee, *Do and Die*, 219–24.

[48] Presner, *Mobile Modernity*, 3.

[49] Harpham, "Symbolic Terror," 573.

[50] Presner, *Mobile Modernity*, 10.

[51] Remo Ceserani, "The Impact of the Train on Modern Literary Imagination."

[52] Carter, *Railways and Culture in Britain*, 208.

[53] 2005년 1월 대법원 판사 우메시 찬드라 바너지Umesh Chandra Banerjee가 주도한 조사에서 화재는 사고로 판정됐다. BBC 뉴스, 〈인도 철도 화재 '집단 습격이 아닌 것으로'India Train Fire 'Not Mob Attack'〉.

[54] Swami, "Evoking Horrors of Partition — and Hopes of a Peaceful Future."

[55] Davis, *Buda's Wagon*, 9.

[56] Reuters, "India Militants Threaten More 'Gruesome Acts.' Claim Responsibility for Train Bomb Attack That Killed Dozens."

[57] Press Trust of India News Agency, "UK's Indian Muslims Welcome Indian Top Court Ruling on Riots."

[58] Associated Press, "Death Toll from Mumbai Blast Hits 200."

[59] Saunders, "Deliverance in Mumbai."

[60] Ibid.

[61] Press Trust of India News Agency, "India: Charges Framed Against 13 People in Multiple Train Blasts Case."

[62] Mehta, "Indian Bomb Attacks: Analysis."

[63] Saunders, "Deliverance in Mumbai."

[64] Ibid.

[65] Baudrillard, "The Spirit of Terrorism," 13.

[66] Reuters, "Police Kill Mumbai Bombing Suspect," National Post.

[67] Rushdie, Imaginary Homelands, 10.

[68] Daly, Literature, Technology, and Modernity, 23.

[69] Rao, "How to Read a Bomb: Scenes from Bombay's Black Friday," 569.

[70] De Certeau, The Practice of Everyday Life, 111.

[71] Schivelbusch, The Railway Journey, 164.

[72] Wax, "India Debates Siege Suspect's Legal Rights."

[73] Harvey, "The Political Economy of Public Space," 19.

[74] Swami, "Evoking Horrors of Partition — and Hopes of a Peaceful Future."

[75] Houen, Terrorism and Modern Literature, from Joseph Conrad to Ciaran Carson, 10.

[76] Harpham, "Symbolic Terror," 573.

[77] Rushdie, Imaginary Homelands, 72.

[78] Goswami, Producing India, 118

[79] Justin Huggler, "At least 66 burned alive after bomb attacks on Friendship Express."

[80] BBC Worldwide Monitoring, "India bans non-passengers from train station platforms."

[81] De Certeau, The Practice of Everyday Life, 110.

[82] Saunders, "Deliverance in Mumbai."

[83] The Global Fund for Children Worldwide, "Who We Are."

[84] Schivelbusch, The Railway Journey, 164.

[85] Nair, Ladies Coupé, 176.

[86] Rushdie, Midnight's Children, 71.

[87] Slumdog Millionaire, directed by Danny Boyle.

[88] De Certeau, The Practice of Everyday Life, 110.

[89] Adas, Machines as the Measure of Men, 134.

[90] Trevelyan, The Competition Wallah, 27.

[91] De Certeau, The Practice of Everyday Life, 110.

[92] Goswami, Producing India, 128.

[93] Schivelbusch, The Railway Journey, 19.

Adas, Michael. *Machines as the Measure of Men: Science, Technology, and Ideologies of Western Dominance.* Ithaca: Cornell University Press, 1989.

_____ . "Contested Hegemony: The Great War and the Afro-Asian Assault on the Civilizing Mission Ideology." *Journal of World History* 15, no. 1 (2004): 31–63.

Ahuja, Ravi. "'The Bridge-Builders': Some Notes on Railways, Pilgrimage, and the British 'Civilizing Mission' in Colonial India." In *Colonialism as Civilizing Mission: Cultural Ideology in British India*, edited by Harald Fischer-Tiné and Michael Mann, 95–116. London: Anthem Press, 2004.

Anand, Y. P. *Mahatma Gandhi and The Railways.* Ahmedabad: Navajivan Publishing House, 2002.

Anderson, Benedict. *Imagined Communities: Reflections on the Origin and Spread of Nationalism.* London: Verso, 1983.

Arnold, David. "Industrial Violence in Colonial India." *Comparative Studies in Society and History* 22 (April 1980): 234–55.

_____ . *Science, Technology, and Medicine in Colonial India.* The New Cambridge History of India, III, 5. Cambridge, UK: Cambridge University Press, 2000.

_____ . *Gandhi: Profiles in Power.* London: Longman, 2001.

Associated Press. "Death Toll from Mumbai Blast Hits 200," MSNBC, July 12, 2006, http://www.msnbc.msn.com/id/10958641/ (accessed May 20, 2008).

Aurobindo, Ghose. *War and Self-Determination.* Pondicherry, India: Aurobindo Sri Ashram, 1957.

_____ . *The Life Divine.* Pondicherry, India: Sri Aurobindo Ashram, 1960.

Badami, Anita Rau. *Tamarind Mem.* London: Viking, 1996.

Baldwin, Shauna Singh. *What the Body Remembers.* New York: N. A. Talese 1999.

Balibar, Etienne, and Immanuel Wallerstein. *Race, Nation, Class: Ambiguous Identities.* Translated by Chris Turner. London: Routledge, Chapman, and Hall, 1991.

Banerjee, Sumantra. "Childhood Voices from the Machine Age: Popular Culture on the Arrival of Technology in Colonial Bengal." *Indian Horizons* 48, no. 1 (2001): 1–10.

Banerji, Bibhutibhushan. *Pather Panchali: Song of the Road.* Translated by T. W. Clark and Tarapada Mukherji. New Delhi: HarperCollins Publishers, 1999.

Barthes, Roland. "Rhetoric of the Image." In *Image Music Text*, translated by Stephen Heath, 32–51. New York: Hill and Wang, 1977.

Baudrillard, Jean. "The Spirit of Terrorism." In *The Spirit of Terrorism and Other Essays,* translated by Chris Turner, 1–34. London: Verso, 2003.

Bayly, C. A. *Empire and Information: Intelligence Gathering and Social Communication in India, 1780 – 1870*. Cambridge, UK: University of Cambridge Press, 1996.

Bayly, Susan. *Caste, Society, and Politics in India from the Eighteenth Century to the Modern Age*. The New Cambridge History of India, 4, 3. Cambridge, UK: Cambridge University Press, 1999.

Bear, Laura. "Traveling Modernity: Capitalism, Community, and Nation in the Colonial Governance of the Indian Railways." Ph.D diss., University of Michigan, 1998.

_____. *Lines of the Nation: Indian Railway Workers, Bureaucracy, and the Intimate Historical Self*. New York: Columbia University Press, 2007.

Behdad, Ali. *Belated Travelers: Orientalism in the Age of Colonial Dissolution*. Durham, N.C.: Duke University Press, 1994.

Bengal Hurkaru and India Gazette. "First Impressions and First Impulses of Railway Travelling." August 23, 1854, 183.

Benjamin, Walter. "Theses on the Philosophy of History: IX." In *Illuminations: Essays and Reflections*, edited by Hannah Arendt; translated by Harry Zohn, 253–59. New York: Schocken Books, 1968.

Bhattacharya, Sourin. "Develop-mentalist Turn: Recovering Ray's Panchali. " In *Apu and After: Re-visiting Ray's Cinema*, edited by Mainaka Bisvasa, 19–36. London: Seagull Books, 2006.

Boehmer, Elleke. *Empire, the National, and the Postcolonial, 1890-1920: Resistance in Interaction*. Oxford, UK: Oxford University Press, 2002.

_____. "Postcolonial Writing and Terror." *Wasafiri* 51, no. 22:2 (Summer 2007): 4–7.

Bond, Ruskin, ed. *The Penguin Book of Indian Railway Stories*. New Delhi: Penguin Books India, 1994.

Bose, Sugata. "The Spirit and Form of an Ethical Polity: A Meditation on Aurobindo's Thought." *Modern Intellectual History* 4, no. 1 (2007): 129–44.

Bourke-White, Margaret. Illustrations in Khushwant Singh, *Train to Pakistan*. Delhi: Roli Books, 2006.

British Railway Gazette. "Indian Railways." October 3, 1947, 390.

Brown, Sarah Graham. "The Seen, the Unseen, and the Imagined: Private and Public Lives." In *Feminist and Postcolonial Theory: A Reader*, edited by Reina Lewis and Sara Mills, 502–29. New York: Routledge, 2003.

Bury, Harriet. "Novel Spaces, Transitional Moments: Negotiating Text and Territory in Nineteenth-Century Hindi Travel Accounts." In *27 Down: New Departures in Indian Railway Studies*, edited by Ian J. Kerr, 1–38 New Delhi: Orient Longman, 2007.

Butalia, Urvashi. *The Other Side of Silence: Voices from the Partition of India*. Durham, N.C.: Duke University Press, 2000.

_____. "An Archive with a Difference: Partition Letters." In *The Partitions of Memory: The Afterlife of the Division of India*, edited by Suvir Kaul, 208–41. Bloomington: Indiana University Press, 2002.

_____. "Listening for a Change: Narratives of Partition." In *Pangs of Partition: The Human Dimension (Vol. II)*, edited by S. Settar and Indira Baptista Gupta, 133–36. New Delhi: Manohar, 2002.

Carter, Ian. *Railways and Culture in Britain: The Epitome of Modernity*. Manchester, UK: Manchester University Press, 2001.

"Case 56." *The Journal of Indian Art*. London, W. Griggs & Sons (January 1913), 23.

Ceserani, Remo. "The Impact of the Train on Modern Literary Imagination." *Stanford Humanities Review* 7, no. 1 (1999). Accessed August 4, 2009. http://bibpurl.oclc.org/web/7266 .

Chakrabarty, Bidyut. "Jawaharlal Nehru and Planning, 1938–41: Indian at the Crossroads." *Modern Asian Studies* 26, no. 2 (May 1992): 275–87.

Chakrabarty, Dipesh. "Early Railwaymen in India: 'Dacoity' and 'Train-Wrecking'." In *Essays in Honour of Prof. S.C. Sarkar*, edited by Diptendra Banerjee, Boudhayan Chattopadhyay, Binoy Chaudhuri, Barun De, Aniruddha Ray, Asok Sen, Mohit Sen, and Pradip Sinha, 523–50. New Delhi: People's Publishing House, 1976.

Chakravarty, Sumita S. *National Identity in Indian Popular Cinema: 1947 – 1987*. Austin: University of Texas Press, 1993.

Chander, Krishan. "Peshawar Express." In *Orphans of the Storm: Stories on the Partition of India*, edited by Saros Cowasjee and K. S. Duggal. New Delhi: UBS Publishers, 1995.

Chandra, Bipan. *The Rise and Growth of Economic Nationalism in India*. New Delhi: People's Publishing House, 1966.

Chandra, Vikram. "Shanti." In *Love and Longing in Bombay*, 229–68. Boston: Back Bay Books, 1998.

Chatterjee, Abinash Chandra. "Traffic by Railway." *Modern Review* 7, no. 2 (February 1910): 192–93.

Chatterjee, Manini. *Do and Die: The Chittagong Uprising: 1930 – 34*. New Delhi: Penguin Books, 1999.

Chatterjee, Partha. *Nationalist Thought and the Colonial World: A Derivative Discourse*. Minneapolis: University of Minnesota Press, 1986.

_____. *The Nation and Its Fragments: Colonial and Postcolonial Histories*. Princeton, N.J.: Princeton University Press, 1993.

Christie, Agatha. *Murder on the Orient Express*. New York: Bantam Books, 1983.

Chunder, Bholanatha. *The Travels of a Hindoo to Various Parts of Bengal and Upper India*. London: N. Trübner, 1869.

Clifford, James. *Routes: Travel and Translation in the Late Twentieth Century*. Cambridge,

Mass.: Harvard University Press, 1997.

Cooper, Frederick. *Colonialism in Question: Theory, Knowledge, History*. Berkeley: University of California Press, 2005.

Cotton, Sir Arthur. "Extracts from the Memorandum by Sir Arthur Cotton on the Report of the Select Committee of the House of Commons on Public Works in India, 1899." In *General Sir Arthur Cotton, R.E. K.C.S.I.: His Life and Work*. Edited by Elizabeth Reid Hope. Appendix, 309-27. London: Hodder and Stoughton, 1900.

____. *The Madras Famine*. London: Simpkin, Marshall, & Co., 1877.

Daiya, Kavita. *Violent Belongings: Partition, Gender, and National Culture in Postcolonial India*. Philadelphia, Penn.: Temple University Press, 2008.

Dalhousie, Lord [James Andrew Broun Ramsay], "Minute by Lord Dalhousie to the Court of Directors." April 20, 1853. In *Railway Construction in India: Select Documents*. General editor S. Settar; editor, Bhubanes Misra, II-23-II-57. New Delhi: Indian Council of Historical Research, Northern Book Centre, 1999.

____. *Parliamentary Papers* (House of Commons), vol. 45, col. 256 (1856), 16.

Dalton, Dennis Gilmore. *Indian Idea of Freedom: Political Thought of Swami Vivekanda, Aurobindo Ghose, Mahatma Gandhi, and Rabindranath Tagore*. Haryana, India: The Academic Press, 1982.

Daly, Nicholas. *Literature, Technology, and Modernity, 1860 – 2000*. Cambridge, UK: Cambridge University Press, 2004.

Danvers, Sir Juland. *Indian Railways: Their Past History, Present Condition, and Future Prospects*. London: Effi ngham Wilson, Royal Exchange, 1877.

Davidson, Captain Edward. *The Railways of India: With an Account of Their Rise, Progress, and Construction*. London: E. & F. N. Spon, 1878.

Davis, Clarence B., Kenneth E. Wilburn, Jr., and Ronald E. Robinson. *Railway Imperialism*. New York: Greenwood Press, 1991.

Davis, Mike. *Late Victorian Holocausts: El Niño Famines and the Making of the Third World*. London: Verso, 2001.

____. *Buda's Wagon: A Brief History of the Car Bomb*. New York: Verso, 2007.

de Certeau, Michel. *The Practice of Everyday Life*. Translated by Steven F. Rendall. Berkeley: University of California Press, 1984.

Deloche, Jean. *Transport and Communications in India Prior to Steam Locomotion*. Translated by James Walker. Delhi: Oxford University Press India, 1994.

Desai, Kiran. *The Inheritance of Loss*. New York: Atlantic Monthly Press, 2006.

Didur, Jill. *Unsett ling Partition: Literature, Gender, Memory*. Toronto: University of Toronto Press, 2006.

Digby, Sir William. *"Prosperous" British India, a Revelation from Official Records*. New Delhi: Sagar Publications, 1969.

D'Souza, Sebastian. "A gunman walks through the Chatrapathi Sivaji [sic] Terminal railway station in Mumbai, India, Wednesday, November 26, 2008." (AP Photo/ Mumbai Mirror, Sebastian D'Souza) #5. "Mumbai Under Attack," The Big Picture, Boston.com, http://www.boston.com/bigpicture/2008/11/mumbai_under_attack.html (accessed May 20, 2009).

Dutt, Romesh. *The Economic History of India in the Victorian Age.* 1902. Reprint, London: Routledge & Kegan Paul, 1956.

Ellis, C. Hamilton. *Railway Art.* Boston: New York Graphic Society, 1977.

Forster, E. M. *A Passage to India.* New York: Harcourt Inc., 1984.

Foucault, Michel. "What Is Enlightenment?" Translated by Catherine Porter. In *The Foucault Reader*, edited by Paul Rabinow, 32–50. New York: Pantheon Books, 1984.

_____. "Of Other Spaces." *Diacritics* 16, no. 1 (1986): 22–27.

Frank, Andre Gunder. "The Development of Underdevelopment." In *From Modernization to Globalization: Perspectives on Development and Social Change*, edited by J. Timmons Roberts and Amy Hite, 159–66. Malden, Mass.: Blackwell, 2000.

Fraser, Bashabi. Introduction to *Bengal Partition Stories: An Unclosed Chapter*, 1–58. London: Anthem Press, 2006.

Freeman, Michael. *Railways and the Victorian Imagination.* New Haven, Conn.: Yale University Press, 1999.

Furnell, Michael Cudmore. *From Madras to Delhi and Back via Bombay.* Madras: C. Foster and Co., 1874.

Futehally, Shama. *Reaching Bombay Central.* New Delhi: Viking, 2002.

Gabriel, Karen. "Designing Desire: Gender in Mainstream Bombay Cinema." In *Translating Desire: The Politics of Gender and Culture in India*, edited by Brinda Bose, 48–80. New Delhi: Katha, 2002.

Gandhi, M. K. "The Morals of Machinery," April 15, 1926. In *Young India 1924 – 1926*, edited by Mohandas Gandhi, 760–62. New York: The Viking Press, 1927.

_____. *Gandhi: "Hind Swaraj" and Other Writings*, edited by Anthony Parel. Cambridge, UK: Cambridge University Press, 2003.

Ganti, Tajaswini. *Bollywood: A Guidebook to Popular Hindi Cinema.* New York: Routledge, 2004.

Gaonkar, Dilip Parameshwar. "On Alternative Modernities." *Public Culture* 11, no. 1 (1999): 1–18.

Gardiner, Lieut.-Colonel R. E. "Indian Railways." In *The Journal of Indian Art.* London: W. Griggs and Sons, January 1913, 23–24.

Ganguly, Surajan. *Satyajit Ray: In Search of the Modern.* Lanham, Md.: Scarecrow Press, 2000.

Ghosh, Amitav. *Calcutta Chromosome: A Novel of Fevers, Delirium, and Discovery.* New

York: Avon Books, 1995.

Giddens, Anthony. *The Consequences of Modernity.* Stanford, Calif.: Stanford University Press, 1990.

_____. Foreword to *NowHere: Space, Time and Modernity*, edited by Roger Friedland and Deirdre Boden, xi–xiii. Berkeley: University of California Press, 1994.

Gilroy, Paul. *The Black Atlantic: Modernity and Double Consciousness.* Cambridge, Mass.: Harvard University Press, 1993.

The Global Fund for Children Worldwide. "Who We Are." http://www.globalfundforchild ren.org/ourwork/ (accessed May 20, 2008).

Gopalan, Lalitha. *Cinema of Interruption: Action Genres in Contemporary Indian Cinema.* London: British Film Institute Publishing, 2002.

Goswami, Manu. *Producing India: From Colonial Economy to National Space.* Chicago: University of Chicago Press, 2004.

Grewal, Inderpal. *Home and Harem: Nation, Gender, Empire, and the Culture of Travel.* Durham, N.C.: Duke University Press, 1997.

Gupta, Akhil. *Postcolonial Developments: Agriculture in the Making of Modern India.* Durham, N.C.: Duke University Press, 1998.

Habermas, Jürgen. *The Philosophical Discourse of Modernity: Twelve Lectures*, trans. Frederick G. Lawrence. Cambridge, Mass.: MIT Press, 1992.

Harpham, Geoffrey Galt. "Symbolic Terror." *Critical Inquiry* 28, no. 2 (Winter 2002): 573–79.

Harvey, David. "The Political Economy of Public Space." In *The Politics of Public Space*, edited by Setha Low and Neil Smith, 17–34. New York: Routledge, 2005.

Hasan, Mushirul, ed. *India Partitioned: The Other Face of Freedom.* New Delhi: Lotus Collection, 1995.

Headrick, Daniel. *The Tools of Empire: Technology and European Imperialism in the Nineteenth Century.* New York: Oxford University Press, 1981.

Heehs, Peter. *Nationalism, Terrorism, Communalism: Essays in Modern Indian History.* New York: Oxford University Press, 1998.

_____. "'The Centre of the Religious Life of the World': Spiritual Universalism and Cultural Nationalism in the Work of Sri Aurobindo." *Hinduism in Public and Private: Reform, Hindutva, Gender, and Sampraday*, edited by Antony Copley, 66–83. New Delhi: Oxford University Press India, 2003.

Hobsbawm, Eric. *Industry and Empire: An Economic History of Britain Since 1750.* London: Weidenfeld & Nicolson, 1968.

"Honeymooning in India." *The Ladies' Treasury* (London, England). May 1, 1895, 320.

Hosain, Attia. *Sunlight on a Broken Column.* 1961. Reprint, New Delhi: Penguin, 1988.

Houen, Alex. *Terrorism and Modern Literature, from Joseph Conrad to Ciaran Carson.*

Oxford, UK: Oxford University Press, 2002.

Huggler, Justin. "At Least 66 Burned Alive after Bomb Attacks on Friendship Express." *Independent* (London). February 20, 2007, http://www.lexis-nexis.com/ (accessed May 20, 2008).

"India Bans Non-passengers from Train Station Platforms." *BBC Worldwide Monitoring*. July 29, 2006, http://www.lexis-nexis.com/ (accessed May 20,2008).

Illustrated London News. "An Indian railway station (on the Bombay and Tannah Railway)." Illustration. September 9, 1854, 208.

Illustrated London News. "Modes of Travelling in India_____Tramps_____ Hindoo Pilgrim_____Palky Dawk_____Travelling Beggar_____Camel Caravan_____ Charry Dawk_____A Bhylie_____Riding Elephant_____Am Ekha_____The East Indian Railway," Illustration. September 19, 1863, 284.

Indian Train Fire "Not Mob Attack," BBC News, Monday, January 17, 2005, http://news.bbc.co.uk/2/hi/south_asia/4180885.stm/ (accessed May 20, 2008).

Indo-American [pseud.], "Railways in India and America," Illustration. *Modern Review* 7, no. 2 (February 1910): 118–23.

"An Inside View from One of the Earliest First-class Carriages," Illustration. *Central Railway Centenary: Central Railway Magazine* (April 1953): 109.

Jagga, Lajpat. "Colonial Railwaymen and British Rule: A Probe into Railway Labour and Agitation in India, 1919–1922." *Studies in History* 11, no. 1–2 (1981): 103–45.

Jenkins, R. P., Commisioner of Patna, June 21, 1869. Bengal Proceedings. Public Works Department: Railway Branch, September 1869, no. 99 (no. 205).

Joshi, Rao Bahadur G. V. *Writings and Speeches*. Poona: Arya Bhushan Press, 1912.

Kaplan, Caren. *Questions of Travel: Postmodern Discourses of Displacement*. Durham, N.C.: Duke University Press, 2005.

Kaye, Sir John. *A History of the Sepoy War in India*. London: W. H. Allen and Co., 1864.

Kelsall, Mssr. and Ghose, Messr. [Baboo Ram Ghopaul Ghose]. Mssrs. Kelsall and Ghose to R. MacDonald Stephenson, September 14, 1844. In "Report upon the Practicality and Advantages of the Introduction of Railways into British India," by R. Macdonald Stephenson, 35 – 37. London: Kelly & Co, 1845.

Kern, Stephen. *The Culture of Time and Space 1880 – 1918*. Cambridge, Mass.: Harvard University Press, 1983.

Kerr, Ian J. *Building the Railways of the Raj: 1850 – 1900*. Delhi: Oxford University Press, 1995.

_____. Introduction to *Railways in Modern India*, edited by Ian J. Kerr, 1-61. New Delhi: Oxford University Press India, 2001.

_____. "Reworking a Popular Religious Practice: The Effects of Railways on Pilgrimage in 19th- and 20th-Century South Asia." In *Railways in Modern India*, edited by Ian Kerr,

304–27. New Delhi: Oxford University Press India, 2001.

_____. "On the Move: Circulating Labor in Pre-Colonial, Colonial, and Post-Colonial India." *IRSH* 51 (2006): S85–S109.

_____. *Engines of Change: The Railroads Th at Made India.* Westport, Conn.: Praeger, 2007.

Kesavan, Mukul. *Looking through Glass.* Delhi: Ravi Dayal Publisher, 1995.

Khosla, G. S. *History of the Indian Railways.* New Delhi: Ministry of Railways (Railway Board) and A. H. Co., 1988.

Kipling, Rudyard. "The Bridge-Builders." In *Tales of East and West.* 1893. Reprint, selected by Bernard Bergonzi and illustrated by Charles Raymond, 203–30. Avon, Conn.: The Heritage Press, 1973.

_____. *Kim.* 1901. Reprint, edited by Edward Said. New York: Penguin Group, 1987.

Kirby, Lynne. *Parallel Tracks: The Railroad and Silent Cinema.* Durham, NC: Duke University Press, 1997.

Kolatkar, Arun. *Jejuri.* 1974; New York: New York Review of Books, 2005.

Lahiri, Jhumpa. *The Namesake.* Boston: Houghton Mifflin Co., 2003.

Lazarus, Neil. *Nationalism and Cultural Practice in the Postcolonial World.* Cambridge, UK: Cambridge University Press, 1999.

Ludden, David. "Introduction. Ayodhya: A Window on the World." In *Contesting the Nation: Religion, Community, and the Politics of Democracy in India,* edited by David Ludden, 1–26. Philadelphia: University of Pennsylvania Press, 1996.

Majumdar, Neepa. "Pather Panchali (1955) Satyajit Ray." In *Film Analysis: A Norton Reader,* edited by Jeffrey Geiger and R. L. Rutsky, 510–27. New York: W. W. Norton, 2005.

Manto, Saadat Hasan. "Hospitality Delayed" ("Kasre-Nafsi"). In *India Partitioned: The Other Face of Freedom, Vol. 1,* edited by Mushirul Hasan, translated by Mushirul Hasan, 97. New Delhi: Roli Books, 1995.

_____. "The Return." In *Kingdom's End and Other Stories,* translated by Khalid Hasan, 35–38. London: Verso, 1987.

_____. "Toba Tek Singh." In *Kingdom's End and Other Stories,* translated by Khalid Hasan, 11–18. London: Verso, 1987.

Markovits, Claude, Jacques Pouchepadass, and Sanjay Subrahmanyam. Introduction to *Society and Circulation: Mobile People and Itinerant Cultures in South Asia, 1750 – 1950,* edited by Claude Markovits, Jacques Pouchepadass, and Sanjay Subrahamanyam, 1-22. Delhi: Permanent Black, 2003.

Marx, Karl. "The Future Results of the British Rule in India." In *The First Indian War of Independence: 1857 – 1859.* 1853. Reprint, 28–32, Moscow: Foreign Languages Publishing House, 1959.

Marx, Leo. *The Machine in the Garden: Technology and the Pastoral Ideal in America.* 1964. Reprint, Oxford, UK: Oxford University Press, 2000.

Masters, John. *Bhowani Junction.* New York: The Viking Press, 1954.

McEwan, Ian. *Saturday.* New York: Anchor Books, 2005.

McClintock, Anne. *Imperial Leather: Race, Gender, and Sexuality in the Colonial Contest.* New York: Routledge, 1995.

Mehta, Suketu. "Indian Bomb Attacks: Analysis." *Washington Post*, July 11, 2009, www.washingtonpost.com (accessed May 20, 2009).

Menon, Ritu, and Kamela Bhasin. *Borders and Boundaries: Women in India's Partition.* New Brunswick, N.J.: Rutgers University Press, 1998.

Metcalf, Thomas R. *Ideologies of the Raj.* The New Cambridge History of India, 3, 4, Cambridge, UK: Cambridge University Press, 1995.

Meyer, Eric. "Labour Circulation Between Srilanka and South India in Historical Perspective." In *Society and Circulation: Mobile People and Itinerant Cultures in South Asia, 1750 – 1950*, edited by Claude Markovits, Jacques Pouchepadass, and Sanjay Subrahmanyam, 55–88. Delhi: Permanent Black, 2003.

Mistry, Rohinton. *A Fine Balance.* New York: Vintage International, 1997.

Mitchell, John William. *The Wheels of Ind.* London: Thornton Butterworth, 1934.

Mitchell, Timothy. Introduction to *Questions of Modernity*, edited by Timothy Mitchell, xi–xxvii. Contradictions of Modernity, Vol. 11. Minneapolis: University of Minnesota Press, 2000.

Mookerjee, Baboo Joykishen. May 20, 1869, letter to Magistrate and Collector of Burdwan, Bengal Proceedings. Public Works Department: Railway Branch, no. 202, June 4, 1869.

Moore-Gilbert, B. J. *Kipling and "Orientalism."* London: Croom Helm, 1986.

Nahal, Chaman. *Azadi.* New Delhi: India Paperbacks, 1975.

Nair, Anita. *Ladies Coupé.* New York: St. Martin's Griffi n, 2004.

Nandy, Ashis. *The Intimate Enemy: Loss and Recovery of Self under Colonialism.* Delhi: Oxford University Press, 1983.

_____. *The Illegitimacy of Nationalism: Rabindranath Tagore and the Politics of Self.* Delhi: Oxford University Press, 1994.

Nanda, B. R. *Jawaharlal Nehru: Rebel and Statesman.* Delhi: Oxford University Press, 1995.

Naoroji, Dadabhai. "Memorandum on Mr. Danver's Papers of 28 June 1880 and 4th January 1879." In *Essays, Speeches, Addresses, and Writings (on Indian Politics)*, edited by Chunilal Lallubhai Parekh, 441–64. Bombay: Caxton Printing Works, 1887.

Narayan, R. K. *The Guide.* 1958. Reprint, New York: Penguin Books, 2006.

_____. *Swami and Friends.* East Lansing: Michigan State College Press, 1954.

Nash, Vaughan. *The Great Famine and Its Causes*. London: Longmans, Green, and Co., 1900.

Nehru, Jawaharlal. *The Discovery of India*. New York: The John Day Co., 1946.

_____. *Toward Freedom: The Autobiography of Jawaharlal Nehru*. Boston: Beacon Press, 1967.

Nightingale, Florence. "Letters to the editor." *Illustrated London News*, June 29, 1877.

Nyce, Ben. *Satyajit Ray: A Study of His Films*. New York: Praeger, 1988.

Osborne, Lt.-Col. Robert D. "India Under Lord Lytton." *Contemporary Review* 36 (September–December 1879) London: Strahan and Co. Ltd, 553–73.

Pacey, Arnold. *Technology in World Civilization: A Thousand-Year History*. Cambridge, Mass.: MIT Press, 1992.

Pandey, Gyanendra. *Remembering Partition: Violence, Nationalism, and History in India*. Cambridge, UK: Cambridge University Press, 2001.

Parmar, Prabhjot. "Trains of Death: Representations of the Railways in Films on the Partition of India." In *27 Down: New Departures in Indian Railway Studies*, edited by Ian J. Kerr, 68–100. Hyderabad: Orient Longman, 2007.

Parry, Benita. *Delusions and Discoveries: Studies on India in the British Imagination 1880 – 1930*. London: Allen Lane the Penguin Press, 1972.

Paterson, George. "The Paterson Diaries." November 23, 1770, British Library, Oriental and India Office Collections, MS Eur.E379/2.

Prakash, Gyan. *Another Reason: Science and the Imagination of Modern India*. Princeton, N.J.: Princeton University Press, 1999.

Pratt, Mary Louise. *Imperial Eyes: Travel Writing and Transculturation*. New York: Routledge, 1992.

Presner, Todd Samuel. *Mobile Modernity: Germans, Jews, Trains*. New York: Columbia University Press, 2007.

Press Trust of India News Agency. "India: Charges Framed Against 13 People in Multiple Train Blasts Case," *BBC Worldwide Monitoring*, August 8, 2007, http://www.lexis-nexis.com/ (accessed May 20, 2008).

_____. "UK's Indian Muslims welcome Indian top court ruling on riots," *BBC Worldwide Monitoring*, March 27, 2008, http://www.lexis-nexis.com/ (accessed May 20, 2008).

Radice, William. "Notes." In *Selected Poems by Rabindranath Tagore*, edited and translated by William Radice, 167–68. Harmondsworth, UK: Penguin Books, 1994.

Railway Times, January 15, 1853, London, vol. 16.

Rao, Vyjayanthi. "How to Read a Bomb: Scenes from Bombay's Black Friday." *Public Culture* 19, no. 3 (Fall 2007): 567–92.

Ray, Sangeeta. *En-Gendering India: Woman and Nation in Colonial and Postcolonial Narratives*. Durham, N.C.: Duke University Press, 2000.

Renu, Phanishwar Nath. *The Third Vow and Other Stories*. Translated by Kathryn G. Hansen. Delhi: Chanakya, 1986.

Report of Chief Commissioner, Indian Railways, November 13, 1947, Mountbatten Papers, University of Southampton, MB1/D276.

Reuters. "India Militants Th reaten More 'Gruesome Acts.' Claim Responsibility for Train Bomb Attack that Killed Dozens," *Toronto Star* (Canada), January 4, 1997, http://www.lexis-nexis.com/ (accessed May 20, 2009).

_____. "Police Kill Mumbai Bombing Suspect," *National Post* (Canada), August 22, 2006, http://www.lexis-nexis.com/ (accessed May 20, 2008).

Richards, David Alan. *Rudyard Kipling: A Bibliography*. New Castle, Del.: Oak Knoll Press, 2009.

Robbins, Michael. *The Railway Age*. London: Routledge, Kegan, and Paul, 1962.

Roy, Thirthankar. *The Economic History of India, 1857 – 1947*. New Delhi: Oxford University Press, 2000.

Rushdie, Salman. *Midnight's Children*. New York: Penguin Books, 1980.

_____. *Imaginary Homelands: Essays and Criticism: 1981 – 1991*. London: Penguin Press, 1991.

Sahni, Bhisham. *Tamas*. Translated by Bhisham Sahni. New Delhi: Penguin Books, 2001.

_____. "We Have Arrived in Amritsar" ("Amritsar Aa Gaya Hai"). In *India Partitioned: The Other Face of Freedom*, edited by Mushirul Hasan, 113–24. New Delhi: Lotus Collection, 1995.

Said, Edward. *Culture and Imperialism*. New York: Alfred A. Knopf, 1993.

Sarabhai, Mridula. Letter to Dr. John Mathai, November 1948, "Pani Wala Ko Kaho Kih Pani Chhor De," Relief Work Done for a Muslim Refugee Train Derailed at Amritsar on 23-9-47. National Archive, New Delhi, India, RT Nov. 48, 3–4

Satow, Michael, and Ray Desmond. *Railways of the Raj*. New York: New York University Press, 1980.

Saunders, Doug. "Deliverance in Mumbai," *Globe and Mail* (Canada), July 15, 2006, http://www.lexis-nexis.com/ (accessed May 20, 2008).

Schivelbusch, Wolfgang. *The Railway Journey: Trains and Travel in the 19th Century*. Translated by Ansel Hollo. New York: Urizen Books, 1977.

Sharpe, Jenny. "Gender, Nation, and Globalization in Monsoon Wedding and Dilwale Dulhani Le Javenge." *Meridians: Feminism, Race, Transnationalism*. 6, no. 1 (2005): 58–81.

Shoosmith, Mrs. (M. C. Reid). *Bengal Nagpur Railway Magazine*, University of Cambridge, Cambridge South Asian Archive, n.d. Box 2.

Sidhwa, Bapsi. *Cracking India (Ice Candy Man)*. Minneapolis, Minn.: Milkweed Editions, 1991.

Simpson, Mark. *Trafficking Subjects: The Politics of Mobility in Nineteenth-Century America.* Minneapolis: University of Minnesota Press, 2005.

Singh, Karnail. Railway Area Officer in Amritsar, letter to Miss Mridula Sarabhai, 8/10/47. Relief Work Done for a Muslim Refugee Train Derailed at Amritsar on 23-9-47. RT Nov. 48 (11).

Singh, Khushwant. *Train to Pakistan.* 1956. Reprint, New York: Grove Weidenfeld, 1990.

Smith, Sydney. *The Works of the Rev. Sydney Smith.* London: Longman, Brown, Green, and Longmans, 1850.

Smullen, Ivor. *Taken for a Ride: A Distressing Account of the Misfortunes and Misbehaviour of the Early British Railway Traveller.* London: Jenkins, 1968.

Steel, Flora Annie. "In the Permanent Way." In *Indian Scene: Collected Short Stories of Flora Annie Steel*, 142–59. London: Edward Arnold & Co., 1933.

Stephenson, Macdonald R. "Report upon the Practicality and Advantages of the Introduction of Railways into British India." London: Kelly & Co, 1845.

Sullivan, Zohreh T. *Narratives of Empire: The Fiction of Rudyard Kipling.* Cambridge, UK: Cambridge University Press, 1993.

Swami, Praveen. "Evoking horrors of Partition—and hopes of a peaceful future." *Hindu* (India) February 20, 2007, http://www.hindu.com/ (accessed August 5, 2009).

Syal, Meera, and Thomas Meehan. *Bombay Dreams.* A play directed by Steven Pimlott. Apollo Victoria Theatre, London, June 19, 2002.

Tagore, Rabindranath. *Red Oleanders: A Drama in One Act* [*Raktakarabi*]. Calcutta: Macmillan and Co., 1925.

_____. "Railway Station." In *Selected Poems.* Edited and translated by William Radice. Harmondsworth, UK: Penguin Books, 1994.

_____. *The Waterfall* [*Muktadharaa*]. Kolkata: Rupa Books, 2002.

Talbot, Ian. *Freedom's Cry: The Popular Dimension in the Pakistan Movement and Partition Experience in North-West India.* Karachi: Oxford University Press, 1996.

Taylor, Charles. "Modern Social Imaginaries." *Public Culture* 14.1 (2002): 121.

Theroux, Paul. *The Great Railway Bazaar: By Train Th rough Asia.* New York: Penguin Books, 1995.

_____. *Ghost Train to the Eastern Star: On the Tracks of the Great Railway Bazaar.* Boston: Houghton Mifflin, 2008.

Theroux, Paul, and Steve McCurry. *The Imperial Way.* Boston: Houghton Mifflin, 1985.

Thomas, Rosie. "Miss Frontier Mail: The Film Th at Mistook Its Star for a Train." In *Sarai Reader 07: Frontiers*, edited by Monica Narula, Shuddhabrata Sengupta, Jeebesh Bagchi, and Ravi Sundaram, 294–309. Delhi: Centre for the Study of Developing Societies, 2007.

Thorner, Daniel. *Investment in Empire: British Railway and Steam Shipping Enterprise in*

India, 1825 – 1849. Philadelphia: University of Pennsylvania Press, 1950.

_____. "The Pattern of Railway Development in India." In *Railways in Modern India*, edited by Ian J. Kerr, 80–96. Oxford, UK: Oxford University Press, 2001.

Times (London). "An Indian Stock and Railway Shareholder." March 25, 1861, 6.

Tomlinson, John. *Globalization and Culture*. Chicago: University of Chicago Press, 1999.

Trevelyan, George Otto. *The Competition Wallah*. London: Macmillan and Co., 1866.

Vanaik, Achin. *The Furies of Indian Communalism: Religion, Modernity, and Secularization*. London: Verso, 1997.

Vatsayan, S. H. (Ajneya). "Getting Even," translated by Alok Raj. In *Stories About the Partition of India*, Vol. I, edited by Alok Bhalla, 119–25. New Delhi: Indus, 1994.

Vicajee, Framjee R. *Political and Social Effects of Railways in India*. London: R. Clay, Sons, and Taylor, 1875.

Virdi, Jvotika. *The Cinematic ImagiNation: Indian Popular Films as Social History*. New Brunswick, N.J.: Rutgers University Press, 2003.

Visram, Rozina. *Asians in Britain: 400 Years of History*. London: Pluto Press, 2002.

Vivekananda, Swami (Narendranath Datt a). "Our Present Social Problems." In *The Complete Works of Swami Vivekananda, Volume IV*, 488–92. Calcutta: Advaita Ashrama, 1972. A Votary of Science [pseud.]. "Malaria and its Remedy." Modern Review 8, no. 5 (1910): 518–22.

Wax, Emily. "India Debates Siege Suspect's Legal Rights; Some Lawyers Refuse to Accept Case of Only Surviving Gunman," *Washington Post*, December 21, 2008, http://www.lexis-nexis.com/ (accessed May 20, 2008).

W. D. S. [pseud.] "The Night Mail-Train in India." *Fraser's Magazine* 52, no. 664 (1857): 404–8.

Wheeler, J. Talboys. Introduction to *The Travels of a Hindoo to Various Parts of Bengal and Upper India*, by Bholanatha Chunder, xi–xxv. London: N. Trübner, 1869.

Williams, Raymond. *The Country and the City*. New York: Oxford University Press, 1973.

Young, Robert J. C. *Postcolonialism: An Historical Introduction*. Oxford, UK: Blackwell Publishers, 2001.

Zulaika, Joseba, and William A. Douglass. *Terror and Taboo: The Follies, Fables, and Faces of Terrorism*. New York: Routledge, 1996.

근대성의 궤도

2022년 2월 28일 초판 1쇄 발행

지은이 ǀ 마리안 아귀아르
옮긴이 ǀ 백재원
펴낸이 ǀ 노경인 · 김주영

펴낸곳 ǀ 도서출판 앨피
출판등록 ǀ 2004년 11월 23일 제2011-000087호
주소 ǀ 우)07275 서울시 영등포구 영등포로 5길 19(37-1 동아프라임밸리) 1202-1호
전화 ǀ 02-336-2776   팩스 ǀ 0505-115-0525
전자우편 ǀ lpbook12@naver.com
블로그 ǀ blog.naver.com/lpbook12

ISBN 979-11-90901-77-2